徘徊集

Strolling Outside the Bamboo Fence of Library Philosophy
and Other Essays

沈寶環編著
by Harris Seng

臺灣 學生書局 印行

Dedicated with Admiration to
Dr.Cheryl Boettcher Tarsala,
Young China Hand,
and
Professor James Ho,
Foremost Scholar of
Library and Information Science

謹將本書呈獻與
青年中國通白齊茹博士
與
三湘才子，圖書資訊學權威
何光國教授

自　序

我歌月徘徊，我舞影零亂。

李白　月下獨酌

　　《徘徊集》能夠出版問世不是一個容易的決定，是經過幾番「徘徊」，多次考慮的結果。「徘徊」兩個字取材於〈在圖書館哲學的竹籬外徘徊〉一文，也是那篇文字的重點所在。就圖書館哲學而言，我的功力不足，只能做到「蜻蜓點水，隔靴搔癢」的程度。我不太喜歡這兩句成語。英文"Scratch The Surface"比較接近我的本意，我寫這篇文字將希望寄託在「拋磚引玉」和引起共鳴上。「徘徊」「Stroll」既是動詞，也是名詞。根據《Websterś Basic Dictionary of American English》（1998版）的定義是：

　　1.動詞　　to walk in a slow, easy way.

　　　　　　　to wander from place to place.

　　2.名詞　　A slow, easy walk.

　　《韋氏大字典》是權威參考書，其界說是毋庸置疑的。過去多少年來我一直是講授西文參考資料的老師，我會就此打住，以

免誤導（confuse）學生。但是現在不在教室上課，也不是在家中書房評鑑作業。我有幾句出自肺腑的話不吐不快，我在那篇文字（〈在圖書館哲學的竹籬外徘徊〉）和這篇文字《徘徊集》中引用「徘徊」兩個字實際上是形容我的心態。我28歲時被我父親押解到上海乘坐自由輪 Marine Aida 出國深造，我稱這次經歷是「掃地出門」，這是我第一次坐輪船橫渡太平洋，（我在1955年乘坐 President Wilson 號到達日本，轉乘較小輪船到基隆，這是第二次乘船橫渡太平洋），足足行駛了25天才到達目的地 San Francisco。記得美國同學和我在學生中心打橋牌時問我： "Harris! How did you come to the United States from China?"，我回答說： "On a slow boat."他們大笑認為我很有機智，因為那時美國流行的一首歌曲，曲名為 "Slow Boat from China"。我曾說過圖書館學不是我的第一志願，能否應付即將來臨的情況毫無把握。Marine Aida 是一條小船，不到3000噸，三等艙載了57名中國學生，只有我一人不暈船。在大家都在嘔吐呻吟的時候，我實在無法待在艙裏。船小無處可去，只好在甲板上「徘徊」，slow but not easy，從此我和「徘徊」不能分割。我在美國讀書和做事一共八年，我讀書不求甚解，工作却絕對認真，三年之中我由書童（page）晉級到讀者顧問（Readers Adviser），因而列名 "Who's Who in Library Service 1955."。丹佛市立圖書館人事室主任 Miss Margarat Ward 告訴我是傳記中唯一沒有美國國籍的圖書館專業館員。我想他們認定我隨時會申請入籍，不料後來我却辭職而去臺灣。Rocky Mountain News 以頭版全面報導我的新聞標題是 "Like yanks of 1776, Seng isn't Summertime Patriot."（我有剪報，現在看看，頗多感慨）。我提

這件事是有原因的。1955年夏季，我的職位是臺北省館研究員，在國立中央圖書館以閱覽組主任名義領薪。當時央館並不開放閱覽，大家都以爲我因爲爭取圖書館開架不成而去，實際上還另有原因（高碧烈先生可以證明）。當教育部部長召見我時，有另外一位資深長官也在場，這位先生說：「你曾經做過讀者顧問，很好。我們研究員制度問題很多，也許我們應該取消研究員制改聘讀者顧問爲來館青年讀者補習功課。」我聽了之後，不知道如何因應，回到宿舍「徘徊」的結果，我怕做補習老師，決定南下臺中。

中國圖書館學會慶祝成立50週年，我搬着指頭一數，我得到最後學位也有50年了。眞是「五十年間似反掌」（杜甫），現在祖國人才輩出，圖書館事業欣欣向榮，我的「徘徊」也該藏拙了，這是推出這本書的一個理由。

另外一個更重要的理由，我願意將本書呈獻青年中國通白齊茹博士（Dr. Cheryl Boettcher Tarsala）。她曾經將她在 UCLA 的博士論文《四庫全書作者考》dedicated with affection 給我，來而不往非禮也。此外我更將本書呈獻與三湘才子何光國教授，他不僅是我個人的好友，他更是同道中最成功最優秀最有人緣的學人，我以能做他的朋友爲榮。

「徘徊」兩字相關成語很多，如下：

　　　　舉棋不定　　不知所措
　　　　進退維谷　　聽天由命
　　　　顧此失彼　　優柔寡斷
　　　　趑趄不前　　患得患失

這些成語的涵意都是負面的（Negative）。我父親說我應該

多讀論語，記取「不患無位，患所以立」的聖人之言，不過我眞
正心悅誠服的是我母親的評語：「我的兒子小事精明，大事糊塗」，
我的缺點豈只「徘徊」而已。最後感謝學生書局慨允出版與王梅
玲博士協助校稿。

沈寶環　2004年2月于美國加州

徘 徊 集

目 次

在「圖書館哲學」的竹籬外徘徊
Strolling Outside the Bamboo
Fence of Library Philosophy

你所知道的是科學，你所不知道的是哲學

羅素（Bertrand Russell 1872-1970）

摘　要

　　圖書館哲學博大精深，作者認為自己缺乏哲學的基礎。他是以一個門外漢站在竹籬外徘徊的心情寫作本文。根據自己求學的經驗，以實驗主義門徒的立場，他勉力檢討若干哲學家的理論，並提出如何接近圖書館哲學的個人建議。

Abstract

Philosophy of Librarianship is very complicate and difficult subject to study and research. The author admits that he is like a outsider strolling around bamboo fences. Nevertheless, based upon his experiences of the past and also his belief as a diciple of education experimentalism, he manages to present the thoughts of some great philosophers whose views having impacts on library science. And he attempts to make suggestion for the approach of Library philosophy.

一、題目的說明

1.從「哲學」（philosophy）這個名詞說起

英語中「哲學」這個名詞是從希臘文 philos（愛 loving）和 sophia（智慧 wisdom）蛻變而來，換句話說，哲學就是「對知識（knowledge）和智慧（wisdom）的愛」（The love of knowledge and wisdom）❶。圖書館是知識的寶庫和智慧的源泉，圖書館應該有自己的哲學是天經地義的事。「應該有」不等於「已經有」而偏向於「多半沒有」。高錦雪教授在其名著《圖書館哲學之研究》一書中質問：「爲甚麼不能一語道破圖書館學的哲學是甚麼？」我沒有答案，祇有說：「革命尚未成功，同志仍須努力」。她接着說：「如果

---

❶ Christopher J. Lucas, *What is philosophy of Education* （London: Collier Macmillan Limited, 1969）p.24.

這些人能把圖書館學理論和實務之外的學科（哲學）背景善予利用，應該可以爲『圖書館學的哲學』建立最基本的體系，例如沈寶環就有此大志，更有此能力。」❷我對她的謬贊愧不敢當，她的期許更覺汗顏。

2.兩通電話，竹籬和海洋

我嚮往哲學，醉心於圖書館學哲學，如果有人問我圖書館學最需要的是甚麼，我一定毫不猶豫的說：我們最需要的是圖書館哲學，這個念頭埋藏在我心的深處。但在寫作之中我却儘量迴避。這是受了若干哲學家的影響，Henry Adams（1838-1918），這位歷史學家竟然指稱：「所謂哲學，不過是對無法解決的問題提出無法理解的答案而已」（unintelligible answers to insolvable problems）。❸羅素（Bertrand Russell 1872-1970）說：「哲學的問題是從簡單的事物開始，看起來好像不值得動手，而結果得到的東西如此似是而非，（paradoxical），以致沒有人相信」。❹我不敢碰哲學的邊，大概是怕「畫虎不成反類犬」吧！我寫作本文是逼上梁山的結果。

A.兩通電話

在七月初一個下午，家中電話鈴聲響了，我拿起電話耳朵裏飄進一種祥和更有磁性的聲音，她說：「我是臺北市立圖書館館

---

❷　高錦雪，《圖書館哲學之研究》，（臺北：書棚出版社，74年），頁20。
❸　Henry Adams defining philosophy quoted by Bert Leston Taylor in the so called Human Race p.154.
❹　Bertrand Russell, Logic and Knowledge. quoted from 20 Century Quotations.

刊編輯周倩如，我們下一期館刊打算以圖書館哲學為主題，由於沈教授是圖書館界巨擘，想請教教授這個主題是否適當？」我不假思索的回答：「圖書館哲學無比重要，市館館刊用作主題，我舉雙手贊成」。她接着說：「我們打算請沈教授賜稿，以充篇幅」，我正在迷惘徬徨時，她又加上一句「如果我說不動沈教授，我們館長會專函邀請」。我說我現在雜事太多，要到七月二十日才知道有沒有時間為你們寫稿，她說：「七月二十日我會再打電話向教授請教」。她說話算話，一「言」千金（Her words as good as fold）。七月二十日下午她果然再打電話來，重提要求，我只有硬着頭皮答應下來。我不厭求詳的敍述這一段經過因為也和「圖書館哲學」本身有關，我喜歡聽接臺北市館打來的電話，因為她講話用詞委婉得體、意向懇切真誠。換言之她們善於溝通，我想謝金菊溫文有禮的身教，言教有以致之，黑幼龍說：「別人能否接受我們的意見，是否熱衷與我們合作，泰半取決與我們怎麼表達意見，也就是說『怎麼說』比『說甚麼』還重要」。❺尤其重要的是臺北市圖上下重視一個「禮」字，論語中「博學於文、約之以禮」的語句出現兩次（雍也篇二十五章，顏淵第十二），也是唯一的重複語句，是見孔聖先師對「禮」的重視，儒家思想也是我國哲學的基石，圖書館哲學也受儒家深厚的影響，這點以後將予說明。

　　B.竹籬和海洋

---

❺　黑幼龍，顏淑馨譯，〈誰是最會溝通的人〉《樂在溝通》（臺北：天下文化），頁2。

在本文前面我曾經坦白承認對於哲學我並沒有穩固的基礎。因此在寫作本文時不知道如何下手，腦筋中一片空白。經驗主義（Empiricism）學派大師洛克（John Locke 1632-1704）在《人類悟性論》（Essay concerning human understanding）中說：「人心最初如像白板」，一點也沒有錯，經驗主義者認為一切知識起源於經驗。所謂經驗由感覺（Sensation）和反省組合而成，我缺乏知識却有若干經驗，在頭腦空白之後，飄浮出來竹籬和大海的影像持久不散。

首先讓我略為解釋竹籬。

抗日戰爭時期，文華圖書館學專科學校，由武漢西遷到重慶，終於在江北廖家花園建立在後方的永久校址。廖家花園名實相符，幾百株各種顏色的梅林夾雜着近百株的桃樹，加之遍佈的花棚和地上數不盡的花卉，長年百花齊放，五色繽紛，校園之內沒有柏油馬路，只有羊腸小徑，環繞其間，別有一番風光，這所袖珍型的學府，師生員工加上眷屬不過一百餘人，全部住校，過着人間仙境「世外『桃園』」的生活。（見下列歷史性照片）

圖1　羊腸小徑

圖2　左一、左二爲沈祖榮校長及師母（與來訪親友）。右
　　　一穿軍便服者爲本文作者，時在國際問題研究服務。

圖3　本文作者與家犬 Billy
　　　在校長宿舍前留影（週末回家）

學校週圍沒有牆，只用竹籬插入地上，僅有示意範圍的作用。回想起來，我常說我們現在強調 Library without wall，文華圖專在五十年前已經是 Library school without walls，竹籬上掛滿了一串串的牽牛花，竹籬是用細竹交叉編繫而成的，有很多空隙，常常有牧童路人從空隙中向校園內窺視，以滿足他們的好奇心，雖然學校沒有門房，他們似乎沒有進入校園一探究竟的勇氣，這種心態與我現在的情形極為類似，就圖書館哲學的研究而論，高錦雪教授、賴鼎銘教授等友好已經登堂入室，我却在竹籬外徘徊。

說到「海」，我有三次難忘的經驗，由於這些經驗是獨特的，我敢斷言沒有人分享我這種經驗，而且都與圖書館事業有關，我願意略為報導，我第一次航海是隨着　先父祖榮先生和家人從上海乘着海輪到青島，　父親是出席民國二十五年的中華圖書館協會的年會，他是主席團的一員，我的任務是替他提皮包，但是也見識了過去在大陸時期圖書館事業的各種活動。也看到了當時圖書館的大牌學人，如袁同禮、杜定友、劉國鈞、洪有豊和現在仍然長青不老的嚴文郁先生，其他出身文華的校友如田洪都、汪長柄、徐家麟、毛坤、皮高品等圖書館界重要人物都在場，自不待言也無法一一列舉。能有機緣結識這些對我國圖書館事業領導階層是我獨有的寶貴經驗，這次年會一團和氣，到了三十三年在重慶舉行年會時，因為圖書館哲學的不同，導致學會分裂，這些經過我曾在嚴文郁教授的大作《中國圖書館發展史》沈序中略為說明❻。

---

❻　嚴文郁，《中國圖書館發展史》（臺北，中國圖書館學會，72年），頁15-18。

　　我第二次航海是到美國上學（1947年），父親看不來我在國內胡鬧，親自押解我到上海，由上海乘坐美國自由輪 Marine Aida 號，出國目的地是到美國丹佛大學進修圖書館學，我要坦白的招認，我這次是「掃地出門」，而且唸圖書館學並不是我當時的志趣。Marine Aida 是美國輪船公司最小的客貨兩用輪船，只有三千噸，這次航行是它最後一次航海（Last sail），到了終點就要解體，作為廢鐵出售的一支破船，船上經濟艙，票價美金171元，完全載中國留學生共57名，航線是：

　　　　上海→香港→馬尼拉→沖繩→橫濱→中途島→火奴魯魯→
　　　　洛珊璣→舊金山

沿途上貨、下貨修理機器，每站不停三天也要停泊四十八小時，何以走這樣一個航線，我現在還莫明其妙，總之行船期足足二十五天，到了舊金山我改乘雙層火車（票在上海已經買好，所謂海陸聯營），我座上層，頭頂和四週都是玻璃可以上下左右欣賞風景，到了丹佛，徐亮、陶維勛幾位文華校友，後來也是圖書館學研究所學長，到車站接我。

　　這次海上旅行，讀者也許以為我有長途跋涉之苦，其實完全不然，這次海上之旅是我有生以來最愉快的一次長途旅行，讓我真正體會到自然的奧秘和自己的渺小，海水綠色而似乎透明，讓觀賞者有看到巨大的果凍（Jelly）而想跳到海中吞食幾口，風平浪靜時海水無波，海輪行駛其中有如一把利刃切進了 Jelly 而噴起少許的浪花，碰到風景時，巨浪似乎從天而降，排山倒海而來，海輪在昏天黑地的恐怖情勢下翻滾掙扎好像末日即將來臨，天氣

晴朗時從船頭看去，船向地平線駛去，觀賞海闊天空的人，下意
識的會產生一種莫明其妙的恐懼，船會不會走向世界的盡頭而在
未知的邊沿消失。

　　或許有人覺得漢明威（Ernest Hemingway 1899-1961）已經寫
了《老人與海》（Old man and the sea），我這個圖書館界的老兵
再來講自己和海是多此一舉，我有必要略爲解釋。《老人與海》
是盡人皆知的作品，1952年問世，1954年就爲漢明威贏得了諾貝
爾文藝獎（Nobel prize），書評專家認爲漢明威最偉大的小說是
《戰地鐘聲》（For whom the bell tolls），這部1940年的作品應得
諾貝爾文藝獎而未得，1952的《老人與海》在兩年後得獎，實際
上是補償和安撫，這一段史實，我們暫時擱置一邊，我認爲有關
「海」的最佳著作是卡遜（Rachel L. Carson）在1954年所寫的《環
繞我們的海洋》，讀者可以看書評例如《Book Review Digest》求
證。

　　尹吉（W. R. Inge）指出：「研究哲學的目的是認識自己的心
理，而不是企圖認識他人的心理」❼（The object of studing
philosophy is to know one's own mind, not other people's），篇幅128
頁的《老人與海》，講一個古巴老漁夫熱愛海洋，最後葬身魚腹
的故事，它的哲理是「人可以被毀滅，而不會被擊敗」，他講的
是別人，我講的是自己，二者毫不相干，井水不犯河水。

---

❼　　W. R. Inge（Dean of st. Pauls）outspoken essays 1919.

二、如何接近圖書館哲學

「如何接近圖書館哲學」並不是一個我喜歡採用的標目（heading），我覺得在文字上有「教導」的意味，這不是我的本意。我真正的目的是表達我個人的經驗。

我是在戰亂之中成長的一代，在出國以前，除了進去過文華公書林（Boone Library），向我　父親領零用錢，我沒有看過一所像樣的圖書館，沒有見識過百貨公司，沒有用過電梯，更沒有住過觀光飯店，換句話說別人「三十而立」，我到了二十七歲還是一個標準土包子，竹籬讓我對社會產生若干疑問，二十五天的海上之旅冲淡了我驕狂之氣，使我的人生觀有了突發的轉變，如前所述頭腦中完全空白，就在這種背景之下我到了美國，修習圖書館學，一個我完全沒有學習意願的學科，孔子說：「我非生而知之者，好古敏而求之者也。」（述而第七）如何「求」？就是要讀書，高錦雪教授在她的著作提出的文獻簡介，推荐了很多必讀之書❽和大好文章，例如席拉（Jesse H. Shera）所寫的《圖書館學的知識論基礎》（An Epistemological Foundation for Library Science）論文等都是值得參考的重要文獻，如果說她所推荐的著作是核心，我打算介紹的只能算是圖書館哲學的外圍。

1.培養興趣，先看幾本外圍書籍

書藝學（Book Arts）是丹佛大學圖書館學研究所開的核心

---

❽　高錦雪，同註1，頁31-45。

課程之一，這門課程啟發了我對圖書館學的興趣，講授者是尼扣教授（Professor Isbel Nichol）我曾在〈圖書館趨勢〉一文中提到她。這篇文章也是為紀念　先恩師寫的，她指定的課本之一是海茵（Helen E. Haines）所著《生活在書中》（Living With Books）。❾在1940-1960年代中，她這部書是圖書館學院校和專業圖書館員的聖經，我至今還珍藏一本。這部書並不專講圖書館哲學，但圖書館學中有關圖書的理論基礎，在她深入淺出筆如生花的文字中充份流露出來，其中也有一章專門討論宗教和哲學的重要文獻，對圖書館哲學毫無基礎的人（我是其中之一）可以把這部名著當着入門的必讀之書。

其次我推荐杜蘭（Will Durant）所寫的《哲學的故事》（The story of Philosophy），我們書店中有中文譯本定名為《西洋哲學史話》翻譯還算忠實，但我不太喜歡中文譯名，這部書我收藏有原文和譯本。❿我建議初學圖書館哲學，或對圖書館哲學有興趣的人將中、英本對照的看這部書介紹西方哲學家的生平、背景、思想和著作，可以讓讀者慢慢進入情況。如果你想在裏面找出圖書館哲學的資料，那樣看你自己的領悟力，更要努力作一番思考和發掘，有趣味的是海茵（Haines）的批抨⓫。她說：「杜蘭（Durant）所寫的《哲學的故事》（The story of philosophy）雖然不完整有所偏愛，甚至近於膚淺但是把偉大哲理人性化（humanization），

❾　Helen E. Haines, *Living with Books*（New York: Columbia University Press, 1954）.

❿　Will Durant, *The story of philosophy*.《協志工業叢書》。（中譯本）

⓫　Haines op. cif p.406.

讓這些思想成為有可讀性，和影響力的讀物，這部書具有長期受愛好的功能。」對於海茵（Haines）的高論，我只贊成後一半，前面部份我不能苟同。

比《哲學的故事》層次較高的必看之書是羅素（Bertrand Russell）所寫的《西方哲學史》（History of Western philosophy），海茵（Haines）說這本書是羅素的傑作（master work）。❷羅素是本文討論的重點人物，以後將進一步介紹。

馬吉爾（Frank N. Magill）《世界哲學精華簡要》（Masterpieces of philosophy in Summary form 1961）除了可以用為檢索哲學名詞定義之外，更將自古到今的哲學思想和學派簡單介紹，書評指出這部書的獨特之處是簡要這兩個思想以摘要的方式解釋哲學本來是不可能的事，但是這本書做到了。❸

2.奠定基礎，選擇少數哲學家和他們的思想研究了解

杜蘭（Will Durant）說：「現在我們所要研討的，不是枯燥的形式與抽象的理論，而是天才的思想，我們不但研究哲學同時也研究哲學家，我們將要讀到一些思想史上的烈士和哲人……如果我們能好好的去了解他們，我們可以從每一家的學說，得到一種教訓。」❹這是他寫作西洋哲學史的原因。

我也曾經說：「進求知識，要從創造、光大這些學術知識人

---

❷　同上註，頁407。

❸　James M. Hillard, *Where to find what Metuchen*, （N. J. The Scarecrow Press,）　P.265.

❹　Will Durant op. c.t. p.4.

物的傳記着手，研究與知識有關係的人，往往是取得那一知識的
捷徑。」學術、事業、歷史在在與人有最密切的關係，偉大政治
家的生平與歷史，不可分割，偉大科學家的成就，形成了今日的
世界，偉大演員的奮鬥，增加了劇場影壇上的光輝，研究鐳來龍
去脈最好先看居禮夫人的傳記，那末對斯賓諾莎（Baruch Spinoza
1632-77）的哲學有興趣的人為甚麼不去看薄拉克（Sir Frederick
Pollock）所寫的《斯賓諾莎的生活與哲學》（Life and philosophy
of Spinoza）呢？接近圖書館哲學是不容易的事，人類幾千年文化
的累積，使得哲學的內涵博大精深，哲學的派系出現了無數的山
頭。彼而斯（Ambrase Bierce）說：「哲學是一條有很多支線的大
路，讓你搞不清楚從那裏來，往那裏去。」（A route of many roads
leading from nowhere to nothing）❺研究哲學的人一不小心就會
「迷途而不知返」，想研究圖書館哲學的人更是站在一個不利的
出發點，因為到現在為止還看不到圖書館哲學的「山頭」。當然
不乏有志之士，挺身而去企圖衝出瓶頸為圖書館哲學打開一條出
路，例如包德菲（A. Broadfield）就寫了《圖書館哲學》（A
philosophy of Librarianship）一書。他說：「大家常常埋怨沒有圖
書館哲學，我這部書從個人的立場提出我的建言。」❻換言之他
勇氣可嘉，能夠提出「一家之言」他的推理有三：

　　・圖書館員不懂圖書館哲學

---

❺　*The Devil's Dictionary* A.彼而斯編著，曾雅平譯，（臺北，林鬱文化）。

❻　A. Broadfield, *A philosophy of Librarianship*　（London: Grafton 1949,）
　　Preface. And. Pp.1-2.

　　・哲學家提不出來圖書館哲學

　　・圖書館員應該用自己的智慧發展一套圖書館哲學

這三點是借用別人的口氣說話，因此讀者不能將責任完全推到他的頭上，值得注意的是他說孔德（Auquste Conte）對圖書館事業有很大的影響，因此花了很多篇幅討論這位哲人和圖書館哲學的關係，對於這些討論，我有存疑的心態，但他把圖書館哲學和過去成名的哲學家串拼起來，這種方法是值得贊美的。

　　接近圖書館哲學，方法極爲重要，高錦雪教授說：「如果有人希望在短期內，能對圖書館哲學有個基本體認，然後逐漸求其深廣，則筆者建議先看 McCrimmon（1975）選集中的序文，對所選文章及其所代表的觀念有個概念，其次該細讀丹騰（Danton）的《爲圖書館事業的哲學請命》（*Plea for a philosophy of Librariarships*），這篇文章是有志於此等研究者很好的啓蒙文字。」⑰她又說：「圖書館的教育功能，一直是最受圈內外人士所重視的，因此圖書館哲學之研究，勢必旁及教育哲學。」⑱有意在圖書館哲學的範疇內一顯身手的人，往往不得其門而入，高錦雪教授的卓見爲他們指出了一條可行的路。

三、「一家之言」──我的個人經驗和管見

　　路卡斯（Cbristopher J. Lucas）說：「一般而論，一個人的哲

---

⑰　同註❶，頁54。

⑱　Ibid P.34.

學是他信念和信仰的總結，依此說來，每個人都有他自己的哲學，甚至他本人還不覺得他有個人哲學。」⓳照他看來哲學有下列特徵：

・哲學是個人對生活和世界的個人態度。

・哲學是反省和有理性研究的方法（reflective thinking and reason inquiry）。

・哲學是企圖從總體（whole）中觀察（gain a view）。

・哲學是對語言的邏輯性分析和對文字概念的意義加以澄清。

・哲學是一群問題和解決這些問題的理論。

他的說明和包德菲（Broadfield）的觀念大體是吻合的，他們的文字對我有點打氣的作用。鼓勵了繼續寫下去的勇氣。

我對哲學所知有限，現在所了解的一點皮毛知識，不是從圖書學研究所得，而是教育學研究院四年薰陶的結果。我極為欣賞《教育學理論》（*Theories of Education*）和《教育哲學》（*Philosophies of Education*）兩本書，這兩部書都是韋恩（John P. Wynne）的名著，是丹佛大學教育研究院所用課本中最主要的兩種，後者的副書名是《從實驗主義哲學的觀點》（from the standpoint of the philosophy of Experimentalism），韋恩正大光明的表示他是實驗主義學派的士將。在《教學哲學》一書的序文中他說：「我受惠杜威（John Dewey）……太多了。我必需特別對他致謝。如果沒有他和他的門生致力發展在教育學中的實驗主義

⓳　Lucas op. cit. pp.24-26.

（Experimentalism），我這本書是寫不出來的。」❷教育哲學這門課是強森（Dr. Roy Johnson）教授講授。他也是我博士論文的首席指導教授，老師滿腹經綸，誨人不倦，一節課飛速的過去，師生都流連在課室，不願意離去。他從沒有說出他的教育學派，我也不敢冒失的詢問，我想他屬於實驗主義學派，我對老師的敬佩到了無限欽佩五體投地的程度。我不諱言經過老師四年的教誨，我成了實驗主義的信徒，我篤信杜威（Dewey）的教育哲學，因此高錦雪教授說：「圖書館哲學之研究勢必旁及教育哲學」深獲我心。

我崇敬杜威（Dewey）還有一個原因，他的哲學思想和我們中國儒家思想是水乳相溶的。懷海德（North Whitehead）說：「如果你要了解孔夫子就去讀杜威，而你要了解杜威就要去讀孔夫子。」（If you want to understand Confucius read John Dewey, and If you want to understand Dewey read Confucius.）。❷連洋朋友都說杜威的哲學思想和我國儒家思想有不可分割的關係，我們想研究圖書館哲學是否也應該試着接近杜威呢？

杜威哲學的特點是他坦白的並且完全的接受進化論，吳俊升說：「杜威從生物學的觀點看經驗是生物與環境的交互作用，在這種作用之中，不僅環境改變生物，生物也改變環境。」❷《物

---

❷　John P. Wynne, *Philosophies of Education, From the standpoint of the philosophy of Experimentalism*（New York: Prentice – Hall, 1947.）

❷　st. Elmo Nauman JR., Routledge and Kegan Daul *Dictionary of Asian philosophies* od.（London and Henley 1979.）

❷　吳俊升，《教育哲學大綱》(臺北：臺灣商務印書館，民44)，頁130-131。

種原始》（*Origin of species*）對於實驗主義最大的影響是把一個「靜」的宇宙觀念變成一個「動」的宇宙觀念，我曾說靜止不動是圖書館事業的死敵，而提出圖書館學是：

· 偏重行動的科學

· 不斷變動的科學

· 進入自動的科學

杜威認為「教育應不僅認為是單純為成長所作之準備（如果我們誤認為人成長之後教育即應停止）而應是思想之不斷成長，生命之不斷光耀，學校只是使我們智慧成長的媒介，其餘就要靠我們自己對經驗之吸收和見解了，真正的教育是我們離開學校後才獲得，所以我們沒有理由在我們死前就停止教育。」㉓

虎克（Sidney Hook）這位杜威（Dewey）的得意門生尊稱杜威（Dewey）是「成長」哲學大師（The philosopher of Growth.）。㉔由於這種思想的背景，多年以來我提出圖書館是有生命的有機體主張，請見下列圖表：

㉓　Will Durant p.484.

㉔　John P. Wynne, *Theories of Education*（New York: Harper and Row 1963,）p.188.

生命的要素與圖書館活動比照表

生命的要素 Elements of Living Organs	圖書館比照活動 Matching Actions of Libraries
誕　　生	圖書館的建立。
組　　織	圖書館的編制。
繁　　殖	分館的設置。
新陳代謝	以新書代舊書，新版代舊版。 以較好的書代替不合用的書。
吸　　收	購置新穎合用的圖書資料。
消　　化	圖書整編程序。
排　　洩	清除陳舊、過時的圖書資料（Weeding）。
細　　胞	經過整理上架的書刊，各有其相關位置（Relative Location）每一冊書在書架上及書庫中的地位，相當於細胞。
成　　長	書刊的增加（西文稱之為 Growth of Collections 而不用 Increase，實具有深意，盲目的添置則為畸形成長，有計畫的選購才可達到平均成長的目的）。
保　　健	館室秩序整潔的維護、空氣的流通、溫度的調節、光線照明的注重等。
血液循環	圖書的流通、出納。
自　　衛	出納控制、防盜與安全設備。
群　　性	館際合作、資源共享。

關於杜威（Dewey）的哲學思想，和依個人淺見，他對圖書館哲學的理論基礎可能發生的影響，將在以後再行討論，現在且將研究對象轉移到另外一個我們應該重視的偉大哲學家——羅素

（Bertrand Russell 1872-1970）。

　　羅素（Russell）多才多藝，既是哲學家也是數學家，在1950年曾獲諾貝爾文學獎（Nobel Prize）。他一生奮鬥的目標是想為哲學找出一個科學的基礎（to give philosophy a scientific basis）❷⑤。我國青年學人賴鼎銘教授在《圖書館學的哲學》一書中指出他「這一本書……以科學哲學（philosophy of science）的角度來探討圖書館的……」，在全書中他一再討論甚麼是科學，圖書館學到底是不是科學❷⑥？我覺得賴鼎銘教授的思想和羅素（Russell）極為接近，我從衷心的希望賴教授的研究能夠繼續這方面發展，為圖書館哲學多費心，多勞神多拿出一點力量。

　　和哲學的科學基礎有關，他於1910至1913年之間推出一部重要的著作《數學的原理》（*Principia Mathematics*）公認是數理邏輯（Symbolic Logic）的創始作品，他認為數學的進步是19世紀最大的特色。「他喜歡向自明的真理挑戰，且堅持明顯地表示他樂於知道『平行線會最終相交』，以及『全數』並不一定比其中『一部份』為大。他的輕描淡寫往往令讀者大為驚訝。❷⑦數學是所有科學的基石，現代的資訊科學的論著往往是整篇的數學公式，大家翻閱《美國資訊科學學會學報》（*Journal of the American Society for Information Science*）就會知道，由於圖書館學和資訊科學的合流（我國各大學的圖學資訊學系）更加強了數學知識的重要性，我

❷⑤　*The Columbia Viking Desk Encyclopedia*（New York: Viking Press 1953,）pp858-859.

❷⑥　賴鼎銘，《圖書館學的哲學》（臺北：文華，民82），頁9-22。

❷⑦　Will Durant op. cif pp.443-444.

非常樂於看到我國學人在圖書資訊學的著作中顯示出來他們在數學方面的功力，例如張鼎鍾教授著《資訊科學導論》、何光國教授著《文獻計量學導論》和《圖書資訊組織原理》，我曾經在書藏中收集有一本《資訊科學理論》（*Theories of Information Science*）的書，我多次努力想去看，好像看天書一樣，完全不懂，我把它轉贈與李德竹教授，她是有數學基礎的教授。

我喜歡羅素（Russell）也因爲他是「親華」的哲學家，這點他和杜威是相同的，杜蘭（Durant）在他的著作中（指羅素）找出下列一段話：「我已逐漸的了解，白種人並非如我以前所認爲的那麼重要，如歐洲人及美洲人都在戰爭中死去的話，並不能造成人類之滅亡或文化之結束，因爲世界上仍有數量相當可觀之中國人存在，並且從各方看來，中國是我見到之最偉大的國家，中國之偉大，並非只在數量方面偉大，而是在文化方面，並且照我看來，還有在知識方面也是最偉大的，我不知世界上還有另一個文化如此之開通，如此之眞實，如此之願於面對現實。」❷❸人家對我們的國家民族如此推崇，如果我們對他一無所知，或所知有限，像話嗎？

四、我們要努力爲圖書館哲學開闢一條走得通的路

俗話說：「條條路通北京」，研究哲學家和他們的著作以發現他們的思想對圖書館的哲學理論有甚麼理，對象決不止杜威

---

❷❸　Ibid p.449.

（Dewey）和羅素（Russell），以下是我偶而想到的幾個可能性的例子：

・圖書館事業最基本的目標是服務，培根（Francis Bacon 1561-1626）在《自然的解釋》（*The Interpretation of Nature*）中說：「我相信爲人類服務便是我的天職，我認爲顧慮公共福利是萬人所共享的一種義務，如同水與空氣一樣。」❷⁹

在《學識之進展》（*The advancement of learning*）一書他充份流露出來他崇信「知識即權力」（knowledge is power）之說❸⁰。圖書館是知識寶庫，運用圖書館的讀者又是少數白領階級，是否他們即擁有權力？

他所著《科學推進論》（*De Augmentis Scientiarum*）第一卷強調知識的價值，第二卷將知識按照記憶、想像和理性三種能力劃分爲歷史、詩歌和哲學領域❸¹，這是研究圖書分類法的哲學背景必需參考的。

柏拉圖（Plato 428/427-348/347）的理想國不能實現，他自己說這不外是人們的貪慾及奢糜所致，他們貪婪而富於野心；他們所貪求的多半是不屬於自己而屬於他人的東西，如此……同時商業及經濟的發展更形成了新的階級區分，彼此對立，事實上任何普通的都市都由兩個都市所構成，一爲貧者的都市，一爲富者的

---

❷⁹　Ibid p.101.

❸⁰　Robert Ulich, 徐宗林譯，*Three thousand years of Educational wisdom.* p.201。

❸¹　《簡明大英百科全書》（臺灣：中華書局，1988），v.2 頁310-311。

都市。❸在資訊社會裏，資訊的需求和供應造成「資訊貧，資訊富」（Information poor, Information Rich）的社會，照目前的走勢看來很可能造「資訊富者愈富」「資訊貧者愈貧」的不等現象，我們關心這些局勢，是否也可以過去哲學家的理論作為鏡子。

　　與圖書館事業有關的歷史上重要人物有兩個杜威——麥菲爾杜威（Melvil Dewey 1851-1931）和約翰杜威（John Dewey 1859-1952），我曾寫作〈兩個杜威——從這個杜威聯想到那個杜威〉一文，企圖將他們連結起來，麥菲爾杜威（Melvil Dewey）是一個講求實際工作的人，他不僅編製了杜威十進分類法而且協同友好發起了「美國圖書館學會」（A. L. A.），發行了《圖書館學報》（Library Journal），更創辦了第一個美國的圖書館學校，但也揹了黑鍋，有人說美國圖書館重實務而不重理論是受了他的影響，我對於這種指責深深為他不平，希望將來有人研究他的著作為他翻案。約翰杜威（John Dewey）的教育哲學實際上也是他的哲學的運用（Dewey's philosophy of education is simply his philosophy in application）❸，換言之他是將理論和實踐結合起來的，他的實驗主義肯定知識是行動中得來，而且要經由行動來判斷真偽，一方面行動，一方面進步，過去的經驗乃是為解決未來問題的根據❸。他的教育即生活（education is life）、學校即社會

---

❸　will Durant op. cif p.20.

❸　William h. Reese *Dictionary of Philosophy and Religion: Eastern and Western thought*（New Jersey: Humanities Press 1980），p.p.128-129.

❸　中國教育學會，《現代教育思潮》（臺北：師大書苑公司，民77），頁68。

（The school and society）、從做中學（Learning by doing）和人民大學（people's university）的主張都是圖書館哲學可以借鏡的。

杜威的哲學思想受到挫折是因爲下列幾個原因，首先1957年10月4日蘇聯成功的發射了人造衛星（Sputnik）引起美國的震驚，全國上下歸咎於進步教育（Progressive Education）的失敗，而杜威（John Dewey）正是進步教育學會（P. E. A.）的名譽會長，他積極推動進步教育，有人把他當成進步教育理論的代表，李園會說進步教育的創始者是派克❸（F. W. Parker.），其次是進步教育受到新湯瑪斯主義（Neo - Thomism）人士的攻擊，這派人士的靈魂是阿得勒（Mortimer J. Adler）。他是《西方世界偉大著作》（*Great Books of the Western World*），簡稱「大書」的編輯，更爲大英百科全書編輯了《偉大著作入門》（*Gateway to the Great Books*），更寫作了《怎樣讀一本書》（*How to read a book.*），他提倡「大書運動」（Great book movement）和我國爲文化復興所倡導的讀經運動意義極爲接近，他是「書」的守護神，在我們圖書館界討論機讀和紙製讀物的時期，一方面看蘭開斯特（F. W. Lancaster）所寫的《無紙資訊系統》（*Toward Paperless Information System*），另一方面也應該研究阿得勒（Adler）的思想，他的著作等身，值得有意研究圖書館哲學人士的注意。

---

❸　李園會，《杜威的教育思想研究》（臺北：文史哲出版社，民66），頁131。

五、緬懷過去，著眼將來

　　自1930年代芝加哥大學圖書館學研究院倡導研究工作以來，方向一直舉棋不定的白特勒教授（Pierce Butler）企圖發展一套圖書館學哲學的理論體系，藍道爾教授（William Randall）主張將知識的組織原則運用於圖書館分類學及目錄學，此二學人可謂為純粹研究工作（Pure research）的領導人物。力主應用性研究工作者可以焦克爾教授（Carleton Jockel）為代表，他鼓勵以高度技術和科學管理方法，控制圖書館業務。隨後的局勢顯然應用研究工作佔了上風❸❻，王崇德教授在《情報科學原理》一書中說：「就科學的基本原則而論，『圖書館學』這一命名為學科建設帶來了某種歧義與困窘，由於機構場所來命名，它的科學邏輯要素相當不嚴謹，因為學科均要以某種知識體系為邏輯衍生整體，而圖書館作為一種社會機構，卻有因時、因地、因人而異的種種區別，最早的圖書館學講座或教育，就無法確認這一原則以致名謂圖書館學其實難符」❸❼。圖書館學科特徵和當前研究工作不甚協調的現象，有因果關係，卡洛夫斯基（Carnovsky）以為圖書館學為一種偏重行動的學術科目（Discipline of action），其主要職責在於

---

❸❻　沈寶環，《圖書，圖書館，圖書館學》（臺北：臺灣學生書局，民72），頁308-309。

❸❼　王崇德，《情報科學原理》（臺北：農業科學資料中心，1991），頁20-21。

收集及組織資料以供讀者使用，❸而這些資料都是他人的心血而不是圖書館人員的結晶，這種現象或者可以解釋圖書館學缺乏精彩傑作的現象和在學術界不容易抬起頭來的原因。

　　圖書館學大師席拉（Jesse H. Shera）所寫的《圖書館學概論》（*Introduction to Library Science 1976*）可能是相當接近圖書館哲學思想的一本名著（書店中有鄭肇陞中文譯本，民75）。在這部書中他提出以底邊為中心的三角形。

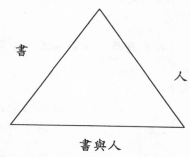

書與人

席拉底邊為重心的三角形

　　他的看法和我的觀點有頗為近似的地方，雖然在實質上完全不同，我認為圖書館事業是讀者、資源、館員三大要素互相接觸的活動，我的「館員為中心的理論」（Professional Staff-oriented Theory）示意圖（1974）如下：

---

❸　Leon Carnovsky, Publishing the Results of Research in Librarianship *Library Trends* July 1964 p.128.

館員為中心的理論（Professional Staff-oriented Theory）

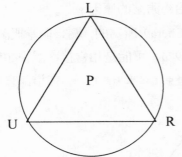

L＝館員
U＝使用者
R＝資源
P＝地點（館內、館外）

館內服務時，館員、讀者、資源互動關係

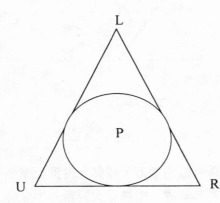

應注意是無論圓周內外三
角形，有各種變化，可能
是直角、鈍角或銳角，三
角形不一定是等腰。

圖書館推廣服務時，館員、讀者資源互動關係（Library without walls）

黃宗忠教授說：「杜定友在1982年提出了圖書館事業理論基礎問題，整個圖書館事業其理論基礎實可稱為『三位一體』，三位者一，為『書』包括圖書館一切文化記載，次為『人』即閱覽者，

三為『法』圖書館之一切設備及管理方法，管理人才是也，三者相合乃成整個圖書館。」❸我見過杜先生，卻從來沒有看見和聽說這部書。席拉（Shera）、杜定友和我三人，天南地北，各在一方，而意見「大異」卻有「小同」也是一件頗有意義的事。

「圖書館學」，吳慰慈（錢亞新教授的夫人，錢教授是文革校友）教授說：「是一門年輕的、正在發展中的科學，一門與實際結合得十分嚴密的學科，一門必須吸取其他科學技術的營養來壯大自己的學科。」她斷定「當代圖書館學的發展趨勢是重視和加強基礎理論和應用理論兩個方面的研究。」❹

紅花需要綠葉，綠葉何嘗離得開紅花。

圖書館學理論和實際運作是不可分割的，希望專攻技術（Technology）的朋友也和我們共同努力，發揚圖書館哲學，為圖書館事業建立一個美好的遠景。

---

❸ 黃宗忠，《圖書館學導論》（武昌：武漢大學出版社，1988），頁110。
❹ 吳慰慈、邵巍，《圖書館學概論》（北京：書目文獻出版社，1986），頁3-5。

文華精神與中國圖書館學教育之父沈祖榮

一、寫作背景

近幾年來，我因年老多病，不得已在國外依親復健，決心不問世事，淡出圖書資訊事業，希望在來日無多的晚年期間，能夠享受「天地一沙鷗」那種自由飛翔、無憂無慮的生活。但是知易行難，我已經陷入太深，無法淡出。我曾經說過：「我堅信老兵不死，將來即使退休了，也是脫離不了圖書館界。」這句話爲程煥文教授所引用，他還加上案語：「沈寶環先生走到天涯海角都不會與圖書館毫無關係。」❶我看了這段文字，感慨極深，眞是生我者父母，知我者程煥文教授也。

話雖然如此說，但是受了健康和生活環境的限制，❷使我心

---

❶ 程煥文，〈兩代巨擘　世紀絕唱——我所敬慕的沈寶環先生〉，見：賴鼎銘主編，《沈寶環教授八秩榮慶祝壽論文集》，（臺北：臺灣學生書局，1999年11月），頁15。

❷ 我有高血壓、氣喘宿疾，近兩年又經常失眠，僑居地甚少公車，我又「出無車」，活動空間極爲有限。

有餘而力不足，閱讀文獻和閉門省思就成了我的日常功課。我是一個念舊的人，我喜歡舊書重讀、舊友重逢、舊夢重溫、舊地重遊和舊事重談。我喜歡的這些事更將「閱讀和省思」串連在一起。

讀書，尤其讀一本好書，會啓發一個人的思想。這就是我再三閱讀程煥文教授所著《中國圖書館學教育之父——沈祖榮評傳》的原因。最近程煥文教授更寄來趙世良先生和蘇穎怡、林明、韓繼章、王子舟等幾位才氣磅礡、學有專精的青年學者所寫的書評。我對祖國培育了這些優秀學人感到驚訝和欣慰。他們的寫作誘導了我從不同的角度、深入的觀點來重讀程著，而每多閱讀程著一次，就會多得到一份心得，多增加一個省思的題目。所謂「省思」就是「自我檢討」，和論語中「三省吾身」近似而不相同。我自我檢討的中心思想是：「如果我能返老還童重新來過，我會做得比較好，我的人生也會比較充實。」換句話說，我省思的結論常是悔不當初。我覺得人生在世好像下棋，一著之誤全盤皆輸。我的一生則走了很多步錯誤，才演變到進退失據的局面。在程著中，《沈祖榮先生年譜》的1968年—1977年，十年時間一片空白。1977年2月1日我父母同日逝世。我的幼妹沈寶媛說：「我的父親是個心胸開闊、處世豁達的人。在一些政治運動中，他受了不少委屈和不公正的待遇，但他也不耿耿於懷，而是以大局爲重。他認爲只要國家興旺發達，個人委屈算不得什麼。」❸我們沈家的人都

---

❸　程煥文，《中國圖書館學教育之父——沈祖榮評傳》，（臺北：臺灣學生書局，1997年8月），頁 XXIX。（本書曾獲廣東省優秀社會科學研究成果獎）

是「國家至上」的愛國主義者，我完全同意幼妹的解釋。但是我心中不斷湧起一個念頭，是不是我的若干作為牽累了我的父親？事隔多年我的問題也許永遠沒有答案。關於我父親的成就已有多篇寫作報導，其中最主要的文獻是程煥文教授的專著和美國學者白齊茹（Cheryl Boethcher）在《圖書館與文化學報》（*Libraries and Culture*）中所發表的〈沈祖榮與文華圖書館學專科學校〉（Samuel T.Y. Seng and the Boone Library School）一文。很有趣的是他倆一中一外，一男一女，但都是青年才俊。白齊茹今年7月榮獲洛杉磯加大（UCLA）圖書資訊學博士學位。❹她的論文題目是《四庫全書作者考》。我曾應邀參加洛杉磯加大畢業典禮，由臺灣加大圖書館參考部主任（Outreach Librarian）宋曼玲開車陪同出席。在授予博士學位典禮中，大會主特、院長 Aimee Dorr 特別介紹我是「renowned scholar from China」，我也起立答謝。我講這個插曲毫無自我吹噓之意。白齊茹是研究我父親生平和文華圖專的專家，更重要的是她嚮往中國文化。目前她已是青年中國通，不出十年她將成為費正清（John Fairbank）第二，影響美國對華政策。程煥文教授和她有相當交情，應該會同意我的觀察。程教授、白博士在他們研討我父親生平的文獻裡，承他們不棄都提到我而且多褒獎之詞，特別是程教授更用了「兩代巨擘、世紀絕唱」字樣，使我汗顏。他們沒有提出我的缺失，一方面由於他們有隱惡揚善的美德，另一方面也可能是無法找到資料。我想也許我應該找個機會，將若干我自己才知道的史實坦白公開，作為程教授大作的

---

❹ 白齊茹 Cheryl Boethcher 稍後改名為 Cheryl Tersala。

附錄。正在舉棋不定之際收到了武漢大學傳播與信息學院馬費成院長的徵文啓事。他提出的緣起光明正大、冠冕堂皇，原來他是爲了紀念文華圖專建立80周年徵文。馬教授是國際享有盛譽的學者，我心儀已久。1997年5月26日他曾在海峽兩岸圖書館事業研討會中發表〈我國情報學教育的回顧與前瞻〉一文，甚獲好評。我因病滯美不能出席，因此錯過聆聽的機會，至今引以爲憾。對於他的請求，我無法推辭，只有從命。

二、發揚文華精神

在眾多研究文華圖專和我父親的文獻之中，我最欣賞的是程著下篇第七章〈圖書館精神〉。程煥文指出：「一代宗師沈祖榮不僅以自己的光輝的一生突出地體現和展示了圖書館精神，而且亦用理性來歸納、演繹了圖書館精神的內核。因此，圖書館精神既是沈祖榮的長期圖書館實踐的結晶，亦是沈祖榮的圖書館學術思想的內核精髓。」他更具體地指出圖書館精神的範圍爲：❺

・堅定的圖書館事業信仰
・強烈的愛國主義精神
・忠誠圖書館事業
・偉大的服務精神

他的評語是：「圖書館精神乃是沈祖榮一生致力於圖書館事

❺ 程煥文，《中國圖書館學教育之父──沈祖榮評傳》，（臺北：臺灣學生書局，1997年8月），頁269-279。

業的眞諦，更是我國圖書館事業建設的寶貴財富。」

　　林明進一步解釋說，『文華精神』是文華圖書館學專科學校師生集體的精神。以韋棣華、沈祖榮爲首的文華人在極爲艱苦的條件下，在文華精神的支持下，爲圖書館事業培養了人才，並以自己的實際行動不斷豐富和充實『文華精神』，把自己融入「文華精神」。❻他支持程煥文教授的觀點，他說圖書館精神的養成，以「文華精神」開始。他是程煥文教授的學生，看了這段文字我笑說：「名師出高足。」

　　由於我父親是文華圖專創辦者，也就是文華精神的創始者。研究文華精神必須首先研究我父親個人。我父親究竟是怎樣的一個人？學者專家對我父親的贊譽頗多，我會盡量避免重複，但也有部分觀點我必須加以強調。

㈠我父親是一個「零缺點」的人

　　我的父親長處很多，已有文獻報導，毋庸我來贅述。我在此處提出的是他好像沒有什麼嚴重的短處。我在程著序中曾說：「我對他了解有限，我只知道他不抽煙，不喝酒，不打牌，不跳舞……終年一件布大褂，在慶典時加上馬褂。」誠如《論語》所說：「一簞食，一瓢飲，在陋巷，不改其樂。」他自俸甚儉，如果不是文華精神流溢貫注，僅就生活享受而論，他一生辛勞，似乎沒有得到些許回饋。我有時會想入非非，我覺得他的「零缺點」也就是

---

❻　林明，〈沈祖榮與圖書館精神——讀《中國圖書館學教育之父——沈祖榮評傳》有感〉，《圖書館學研究》1998年第6期，頁78。

他的缺點。我捫心自問，在父親身上找不到我的短處，而我的一生似乎也很少繼承父親的長處。「兩代巨擘」之說讓我坐立不安，無地自容。

㈡我父親是一個頂天立地的中國人

我父親一生努力奉獻的目標是圖書館事業中國化。他始終堅持：我國圖書館的建設和發展應該實事求是，符合國情。1916年他在留學美國時曾在美國《圖書館學報》（Library Journal）發表〈中國能採用美國圖書館制度嗎？〉。他於1917年編制《仿杜威十進分類法》。白齊茹說沈祖榮將《杜威十進分類法》改頭換面以適合中國國情。❼美國圖書館學報的書評說：「這部分類法沒有『仿』，和原來的杜威十進分類法完全是兩回事。」❽

1948年9月中美兩國圖書館界舉行合作談判，美方主持談判者是美國圖書館協會（ALA）遠東及太平洋事務主席布朗（Charles L. Brown），我方則為我的父親。根據白齊茹報導，布朗提出的提案是在中國建立五所與大學合併的圖書館學院校，我的父親的立場有三點：

　　甲、因為師資不足，成立五所圖書館院校，時期尚未成熟，
　　　　宜緩議；

　　乙、目前我國圖書館事業最迫切需要者為圖書設備；

---

❼　白齊茹，Cheryl Boethcher. Sanuel T. Y. Seng and the Boone, "Library School," *Libraries and Culture*, 1989,24(3):273。

❽　*Library Journal*, 1923(48):680。

丙、文華圖專創辦人韋棣華女士遺命學校保持獨立，不得與
　　華中大學合併。

　　布朗與我父親的談判至此陷入僵局，據白齊茹查閱美國圖書
館協會檔案後所作的披露，❾ Brown 甚至以斷絕捐書供應迫使我
父親就範。我父親乃授權我與 Brown 繼續談判。我與布朗的換文
是「ALA 中國計劃案」（China Project File）的重心。外人不知
道這是父親對我談判的指示要點。他說：「在美國我們有不少友
人，這些人對我國支援的動機是善意的。但也有一部分所謂對華
政策專家總是企圖將美國所採用的一套一成不變地硬塞給我們。
這種作風是變相地干涉我國的內政。」在給父親的談判報告之中，
我也曾經說明專業教育（Professional Education）必須和完整大學
合作是高等教育的趨勢。我勸父親可以尊重韋棣華女士遺命不與
華中大學合併，但是將和其他大學合作是不可避免的。後來文華
圖專於1953年併入武漢大學，如魚得水，足見我的建議是正確的。

㈢我父親醉心中華文化，是一個典型的讀書人

　　我父親與書有緣，一生愛書。我家在牯嶺的別墅，大門石柱
上雕有以硃筆魏碑書寫的四個大字——「萬卷書屋」。常聽到路
過行人笑稱：「好大的口氣」。父親很少過問我們姐弟兄妹四人
的學業成績，但他卻很注意我們看什麼書。家中常有書商送來大
批圖書供父親選購，這也增加了我們瀏覽的機會。我的幼妹說：

---

❾ American Library Association Archives China Project File, 1938-1948.
Record Serial 7/1/51/。

「哥哥從小就喜愛讀書，媽說他一有空就泡在文華公書林。西洋的名著更讀了不少。」❿其實我常去公書林除看書外，是向父親領取每月5角大洋的零用錢。但我也不一定一去就能看到父親。我懷疑他是有意讓我多跑幾次，可以多看幾本書。記得我最欣賞的是《知識的樂園》百科全書（*The Book of Knowledge*）。我讀的中學是教會辦的文華中學，注重英文；高中所用的世界史、數、理、化、生物的課本都是原文；授課教師也多半是洋人。我想我父親要我在家補習國文，專門聘請家教老夫子講授《論語》、《左傳》、《史記精華》等古書，是擔心我受洋化教育太深。此外我還要照著魏碑練寫毛筆大字。文華大校園（Boone Compound）內學校很多，有華中大學、文華圖書館學專科學校、文華童子軍專科學校和文華中學。這些大、中學裡學生全部住校。校園內及附近有教職員宿舍。我家也分配到宿舍。我雖住校，也可以常常回家補習、寫字。我字寫得不好是因為在中學跟國術老師練習鐵沙掌受傷的原故。

㈣我父親力轉乾坤使沈氏家族蛻變爲圖書館家庭

我沈氏家族和我國圖書館事業不可分割是我父親苦心籌劃的結果。他在寫作中一再表示圖書館人員的生活是清苦的、艱難的、麻煩的、容易煩心的。⓫他曾對我們母親說：如果我們自己的子

---

❿　沈寶媛，〈賀寶環兄八十大壽〉，見：賴鼎銘主編，《沈寶環教授八秩榮慶祝壽論文集》（臺北：臺灣學生書局，1999年11月），頁28。

⓫　程煥文，《中國圖書館學教育之父——沈祖榮評傳》，（臺北：臺灣學生書局，1997年8月）頁269-274，384，402-403。

女都採取這種態度，輕視圖書館事業，我如何能夠鼓勵人家的子弟走進文華圖專。他這番話顯然打動了母親的心，奠定了母親以後電召我兄妹從成都回到重慶廖家花園文華圖專新校址註冊入學的動機。程著曾提到1936年我和大姐沈培鳳加入中華圖書館協會，以及1937年協會要捐籌建經費，我姐弟各捐大洋一元，**⑫**實際上也確有其事。但不是我姐弟二人主動的，錢也不是我倆自掏腰包，其實都是父親的安排，為了要拉近我沈家的人和圖書館事業、協會以及文華圖專的關係。

㈤我父親是生性淡泊、不求聞達的人

我父親從無個人野心。程煥文教授在我父親年譜中提出兩段極可玩味的文字：

> 1944年5月5日：下午1時至6時中華圖書館協會第六次年會第一次會議在××××舉行，主席袁同禮。沈祖榮和沈祖榮之公子沈寶環等65人出席。沈祖榮之女沈寶琴等23位文華圖專學生列席。
>
> 1944年5月6日：……協會第六次年會第二次會議於上午10—12時在……舉行，出席者47人，沈祖榮之公子沈寶環出席，沈祖榮及其女公子沈寶琴缺席。經討論修改協會組織大綱之後，舉行理監事選擇，沈祖榮以最高票當選。**⑬**

---

⑫ 程煥文，《中國圖書館學教育之父——沈祖榮評傳》，（臺北：臺灣學生書局，1997年8月），頁269-274，384，402-403。

⑬ 同上註。

　　讀者看了這兩段文字後也許會納悶兒。以我父親在協會中舉足輕重的地位，協會一年只開大會一次，同時舉行改選，他竟然缺席；而且列席會議的我大妹寶琴和二十多位文華學生也都突然迴避，這是為什麼？我願揭穿這件事情的內幕。5月4日晚也就是協會大會前夕，汪長炳、徐家麟、岳良木等幾位有聲望、地位和影響力的文華校友成了我家不速之客，當時我恰巧在場。他們開門見山提出他們的要求，希望父親出任協會理事長。我個人覺得以文華校友的貢獻、成就和人數的優勢，他們的想法在情、理、法任何一方面都站得住腳，無論誰聽了都會動容。出我意料之外的是父親居然毫不考慮地拒絕了。他說：「國難方殷，團結才有力量，協會也不例外，我決不去爭取理事長的位置。」

　　5日開會的重頭戲是文華校友準備提出的協會組織法修正案。汪、徐、岳幾位首要人物的意見似乎已經得到眾多會員的共識和支持，不管我父親是否同意，郡要黃袍加身，硬捧父親坐上協會理事長的寶座。開會如儀，我父親提出有關圖書館員培育的議案，足足花了一個小時說明。我猜想父親是想占用時間討論館員教育，而讓協會組織法修正案胎死腹中。岳良木在父親講完歸座後很不高興地說：「老校長的議案實在不必多加解釋，大家都懂的。」6日我父親和大妹等文華學生都沒有去參加大會和投票。雖然父親以最高票當選理事，但在理監事聯席會中他提名袁守和館長連任理事長，這件事我在嚴文郁教授所著《中國圖書館發展史》的序中曾經略為提及並且說出我的感想。

　　1947年我只有27歲，卻妄想投入第一屆中央民意代表選舉。對於我這樣不安份的舉措，父親大為震怒。平時他很少講話，這

次竟然申斥了我近半個小時。他說：「《論語》中說『不患無位，患所以立』，你書沒有讀通，憑什麼當立法委員、國大代表，豈不是誤國殃民？替我滾出國去讀書。」那時我已得知自己考取了第二屆公費留學，丹佛大學也寄到入學許可並且頒與大學獎學金。父親親自送我到上海，一直看著我乘坐的自由輪 Marine Aida 開船離港。❹我曾說我第一次出國是被掃地出門，而且這也是我最後一次看見父親。

丹佛大學圖書館學研究所所長（Dr. Harriet E. Howe）也是美國圖書館協會教育委員會主席，她在圖書館界名氣很大。念書中途我曾有意轉系。原來我在17歲時曾在文華中學校刊中以英文發表《第二次世界大戰的可能性》（The Possible of the World War II, Jan.1937）一文，❺當時我的英文老師米勒（Mr. Miller）擔任審稿。他說：「我同意發表這篇文字，並不表示我同意你的看法。我們美國人主張和平，哪裡有可能發生世界第二次大戰。」在偶然的機會中這篇文字被研究院院長艾倫博士（Dr. George Allen）看見，他卻大為欣賞，力主我直接修習國際關係學博士並已提出在教務會議通過。我也欣然同意。轉系案子到了 Dr. Howe 面前，卻為她否決。她說：我教過韋棣華，❻韋棣華教過你父親，你父

---

❹ 沈寶環，〈在圖書館哲學的竹籬外徘徊〉，《臺北市立圖書館館訊》，第13卷第1期，頁11。

❺ Harris B.H.Seng, "The Possibility of World War II," 1937(June)（我保存有原件）。

❻ 韋女士曾在 Simmons College 就讀一年，韋女士年齡較大，是老學生，Dr. Howe 較年輕，是小老師。

親又教過你，想想看我們幾代（Generations）的關係；你父親送你到美國讀書，是爲了要改進文華圖專的課程設計，爲此本校撥了你很大一筆獎學金，不許轉系；從明天起，你要到我的辦公室來報告論文寫作進度。在這種情形下，我國圖書館界多了一位老兵。

三、我國圖書館事業前途似錦

我國圖書館事業必然有光明遠景，我能肯定地這樣講是因爲我對祖國深具信心。「大樹之下好乘涼」，國家強盛，圖書館事業一定跟著起飛。

在抗戰後方，我曾親眼看見同胞衣不蔽體；勝利復員後我也曾目睹大學生反飢餓大遊行，他們抬出來的標語是：「朱門酒肉臭，路有餓死骨。」受了這些觸目驚心現象的衝擊，我曾對天立誓：「誰讓國家強大，我就維護誰。」1990年9月海峽兩岸圖書館界專家學者的大集合，讓我大開眼界。後來我寫作〈本是同根生，我看大陸圖書館事業〉一文，以表示我對祖國圖書館同道崇敬之意。這篇文字承蒙程煥文教授推薦，韓繼章研究員在極富活力和開放思想的湖南圖書館學會會刊《圖書館》中抽掉其他論文而給予了全文轉載。❼這次訪問重點中的重點是我們十四位同道到武漢大學傳播信息學院尋根。那時這所揚名國際的學院在院長彭斐

---

❼　程煥文，《中國圖書館學教育之父——沈祖榮評傳》，（臺北：臺灣學生書局，1997年8月），頁18-19。

章教授主持之下，正在舉行有關文華圖專和我父親的貢獻的展覽。我們訪問團的成員之一范豪英教授（現任臺灣中興大學圖書資訊學研究所所長）特別引起我的注意，並且拉著攝影留念。這次的訪問對我個人的思想、爲人做事都有重大的影響。「民以食爲天」，我認爲衣食足禮儀興，人民有飯可吃，有衣可穿，才能談圖書館事業。國家強盛和目前圖書館事業的發達是密不可分的。

我退休在家，雖然過著無所事事的隱士生活，但是仍然關切專業動態，尤其是祖國圖書情報事業進步的情況。手頭雖然缺少文獻，但我始終留心報章雜誌的報導，並且摘要剪輯。我謹列舉幾個例證如下（爲了節省篇幅，我只照報紙原來標題抄寫）：

· 〈大陸國家圖書館，北京揭牌

　　江澤民寫館名，李鵬出席儀式〉

　　　（《世界日報》1990年9月9日）

· 〈上海圖書館，上海人新驕傲

　　蔣中正、魯迅、劉少奇家譜都在收藏之列〉

　　　（《中國時報》1998年4月27日）

· 〈上海圖書館規模躋身世界十大

　　藏書千萬冊，文獻資料三千萬件，電腦系統網路與國際聯網〉

　　　（《世界日報》1996年12月21日）

· 〈西藏第一所圖書館完成〉

　　　（《聯合報》1995年5月28日）

· 〈二十年餘，成長八倍

　　大陸期刊發行逾八千種〉

（《世界日報》）1998年11月30日）

· 〈北京人濃濃書香味

　　　北京人閱讀方式多〉

　　　（《世界日報》1997年7月1日）

· 〈北京城書香，飄入菜市場

　　　房產開發擋不住，只得屈居魚肉菜肆中〉

　　　（《世界日報》1997年9月20日）

· 〈各大城市，興起讀書教育熱

　　　過分追求享受，出身反省；家有書房，快奔小康成爲新

　　　口號〉

（《世界日報》1996年7月22日）

· 〈兒童喜歡讀書，勝過看電視

　　　調查顯示：逾七成每天閱讀三十分鐘至兩小時，半數

　　　以上每周讀一至三本書〉

（《世界日報》1998年8月5日）

· 〈多份期刊發行量，躋身全球前十名〉

（《世界日報》1998年12月8日）

· 〈爲城鄉居民運送精神食糧，深受歡迎

　　　車輪上的圖書館活躍北京城〉

〈「家庭書架」營造書香氣氛〉

　　　（《世界日報》1998年7月4日）

· 〈世界最早的圖書館在殷墟

　　　窖穴藏書數量多且有編號，已有現代圖書館規模〉

　　　（《世界日報》1996年8月27日）

- 〈成都人辦年貨，書市大發利市

  人民南路展覽館書市人潮川流不息，日銷量猛增一倍〉

  （《世界日報》1997年2月3日）

- 〈湧泉書庫，書香泉湧

  山東退伍軍人辦私人書屋，十八年來免費供民眾閱覽〉

  （《世界日報》1997年2月3日）

- 〈長春書市落幕，成交量逾八億元

  規模爲歷屆最大，圖書十餘萬種，近一百二十萬人次

  參觀〉

  （《世界日報》1997年9月8日）

- 〈資訊浪潮一波波，讀書會此起彼落

  大都由團體文化單位組成，吸引不少愛書人加入〉

  （《世界日報》1997年2月6日）

　　這些例證，從表面來看好像都是孤立的個案，但是略加推敲就會發現，這些剪輯資料不僅報導了我國圖書館事業突飛猛進的事實，更指出我國圖書館事業進步的原因。那就是上有英明領導，下有全國軍民一心一德。

四、緬懷中國圖書館學教育之父沈祖榮先生

　　父親是一個頂天立地的中國人，在他爲人處世的座右銘，中國家民族的利益永遠高居首位，圖書館事業的發展第二，沈氏家庭是否能夠輪到第三還不一定，至於他個人的得失則從不在考慮之中。因此我和父親的關係就變得頗爲複雜。

首先：父親和我是家長和子女的關係

其次：父親和我是師長和學生的關係

第三：父親和我是主管和部屬的關係

第四：父親和我是專業前輩和後進末學的關係

總結而論，我和父親真正接近只是在重慶廖家花園的四年。自1947年多季我出國深造至1977年2月1日我父母同日去世，我和家中不通音訊，父親不知道我身在何處，不知道我結婚已否，他從來沒有見過媳婦、孫子、孫女，我也從未奉養父母一天。因此我惟一能表現我孝道的行為是為我國圖書資訊事業奉獻一份心力，為國家盡大忠大孝。我認為所有文華人為了緬懷先賢，應該首先謹記自己是中國人，才能進一步考慮自己是圖書館專業人員。

天下大勢分久必合，現在海峽兩岸正在努力取得「一個中國」的共識。記得遠在1982年，澳州主辦中文書目自動化國際會議，大陸與臺灣各派代表五名出席，**⑱**李竟與我分別擔任領隊。在愛國僑領、圖書館學專家陳炎生的巧妙安排下，我們兩隊打成一片，不分彼此，好像一個隊伍。李竟和我從此成了好友，也打開了兩岸專業人員接觸和合作的大門。

現在祖國正在積極籌備第十個五年計劃，相信對於海峽兩岸文化合作定有一新耳目的安排。我只有一個想法：我覺得出席IFLA之類國際學術會議，海峽兩岸應該組織聯合團隊出席，讓國家統一的神聖工作向前邁一大步。本著文華精神獻身傳播信息之

---

⑱　沈寶環，〈本是同根生——我看大陸圖書館事業〉，見：沈寶環，《圖書館事業何去何從》，（臺北：臺灣學生書局，1993年2月），頁164。

校友，更應努力將我國文化結晶——圖書情報宣揚到海外，一方面可以開化人心、宣慰僑胞，另一方面也可以讓國際對我國情產生正確認識。

　　我的父親不僅是我個人的父親，他是屬於國家、屬於圖書館事業的；紀念他就要用文華精神發展圖書館事業、報效國家。這就是我為何在本文題目中沒有提到他和我的父子關係的原因。我寫此篇〈文華精神與中國圖書館學教育之父沈祖榮〉意在發揚文華精神，光大我國圖書館事業，以慰父親的在天之靈。

哲人其萎
阿德勒（Mortimer Adler 1902-2001）蓋棺不論定

The External Controversy of
Mortimer Adler（1902－2001）

摘　要

阿德勒（Mortimer Adler）離開了人間，這是學術界莫大的損失。這位西洋經典著作閱讀計劃的提倡者、大英百科全書第15版（B3）的主編，《怎樣閱讀一本書》的作者是個極富爭辯性的人物。本文作者擬將他的生平、寫作和貢獻作一評介。

關鍵詞　Great Books Program　西洋經典著作閱讀運動
　　　　Paideia project 教養計劃（源自希臘文 upbringing）
　　　　Propaedia 知識的綱領（outline of knowledge）

Micropaedia 知識的途徑（Small knowledge）
Macropaedia 知識的泉源（Large Knowledge）
Syntopicon 綜論（源自希臘文 Synthesis 與 topics）
Syntopical Reading 綜合閱讀

Abstract

The death of Mortimer Adler（1902-2001）is a great loss in the library itercory world. He was an instrumental person in the organization of the great books program, and in the publication of the 15th edition of the encyclopaedia Britannica. The author of the following article comments on Mortimer Adler's achievements and the eternal controversy surrounding his work.

一、前　言

　　阿德勒（Mortimer Adler）今年6月29日魂歸西方極樂，享年98歲（1902-2001）。

　　當我翻開《洛杉磯時報》（LA. Times）看到訃聞，我的身心好像受到電擊，思潮也連續起伏。這位學術界怪傑雖然離開了人間，他的思想和我們常相右左，他的貢獻更是永垂不朽。

二、寫作背景

　　對於阿德勒這位先賢，如果我用「久聞大名，如雷貫耳」這句成語，一點不誇張、一點不過份，遠在半世紀前❶，我在上 Book Arts（書藝學）第一堂課的指定作業就是檢查整套《西洋經典著作》（*Great Books*）的目錄性資料，當時使我印象深刻，覺得工程浩大，但也只是印象而已。眞正接觸到《西洋經典著作》和感到阿德勒的偉大是我在丹佛市公共圖書館（D. P. L.）服務的時候（1951-1955）。爲了響應「西洋經典著作閱讀運動」（Great Books Program），我們專業館員都抽出時間義務參加活動或收集參考資料、或擔任引言人、講解人，上課讀者極爲踴躍。❷爲了準備講義和資料逼着我常常深夜埋頭案首。應付挑戰的結果養成了我多年以來收集有關阿德勒一舉一動資料的習慣。哲人其萎！阿德勒死了，剪輯資料的工作在今後會停止下來。檢視過去收集的檔案讓我有說不出來的感慨，我對阿德勒雖然尊敬但我並不盲目崇拜，欣賞文餘我對他有相當的厭惡和反感。他是一個陷入爭辯的人物（Controversial Figure），我對他的總評是「蓋棺而不能論定」。

---

❶　我在丹佛大學圖書館學研究所就讀的時間是1948到1949暑期，在 Book Arts 一課中從作業涉及阿德勒和大書運動足足53年。

❷　閱讀大書運動是阿德勒和赫琴斯（Robert M. Hutchins）於1946年發動的，在一年之中芝加哥地區成人讀者參與者爲7000人，1947年美國全國300個都市43,000人參與上課，1950年代參加讀書會的成人讀者數字缺乏統計，但是必然可觀。

這種複雜的心情，我希望能夠在這篇文字中略爲表述出來，以就教於海內外專家學者。

三、成就卓越不凡，生平瑕疵互見

阿德勒出身於一個小康之家，父親是不太得意的商人，母親在小學兼課，他從小就有反抗的個性。他的傳記資料顯示他並沒有好好的唸完中學。他在學校主編學生報紙，因爲校長干涉他的編輯人事，一怒之下退學回家，那時他只有14歲，三年之後他發現米爾思（John Stuart Mills 英國哲學家）閱讀柏拉圖的名著《對話》（*Plato's Dialogues*）只有五歲，大感慚愧，儘管他從來沒有看過，仍然買了一本，閱讀之後他決心放棄成爲無冠之王的念頭，立志將自己培養爲哲學家中的風雲人物❸，從此他苦讀哲學中的經典著述，據說他曾閱讀亞力士多德的《倫理學》（*Aristotle's Ethics*）二十五遍之多❹。1920年他以獎學金進入哥倫比亞大學（Columbia University）攻讀，他的成績優異，在三年之內完成四年學業，但沒有得到文憑，因爲他拒絕參加游泳考試❺（後來哥大補發學士文憑1983）。他仍然留在哥大，終於在1928年獲得博士學位，咸信這

---

❸ *Current Biography* 1952 p.6.

　L. A. Times Obituaries, June 30, 2001.

　這兩個資料都記載此事，所不同者 Current Biography 說他17歲，而 L. A. Times 訃聞卻說只15歲。

❹ "A Philosophy for everyman" *Time*, May 6, 1985,

❺ The Web's Best Search All Britannica Com.

是沒有學士、碩士學位作爲基礎而獲得博士學位的第一個例子
❻。儘管他已經慢慢顯示出才高八斗的聲勢，他只能在心理學系
擔任講師而無法取得哲學系的聘書，這是因爲他在學術上採取反
杜威（John Dewey）的立場。他是杜威的及門弟子，1920年代眞
正修習過杜威所授的課程，但是他和杜威的哲學觀點卻是南北逕
庭的。杜威是進步主義（Progressivism）的泰斗，阿德勒則是實
用主義（Pragmatism）的死敵，最後竟惡化到逢杜威必反的程度，
他說實驗主義的教育強調個別差異是站在錯誤而且危險的基礎
上。課程設計中的選課辦法（Elective System），讓學生自由選擇
自己想唸的課程則是鼓勵膚淺而且胡天黑地毫無目的學習❼
（Encourage aimlessness and superficiality.）。其實阿德勒的箭頭
並不專門指向杜威。他看不起在湯姆斯阿圭那（Thomas Aquinas）
以後出現的近代哲學家。洛克（Locke）、休姆（Hume）、羅素
（Rousseau）、霍布斯（Hobbes）、馬克斯（Max）鄙爲他的流
彈所傷。他篤信眞理和價值是永恆的、不變的（Truth and values are
absolute and unchanging）❽。在《十大哲學錯誤》（Ten
Philosophical Mistakes）一書中，他指責這些近代哲學家只在發明
新的智慧，而不是將他們的信念建築在古代眞理（Ancient Truth）
的基礎之上。❾阿德勒的許多哲學理念都是一家之言而不能爲哲

---

❻　*L. A. Times* Obituaries op. cit.

❼　*Current Biography* 1952 op. cit.

❽　"Mortimer Adler 98 dies, Helper creat study of Classics," by William
Crimes. *The New York Times* June29, 2001.

❾　*Time*. May 6, 1985.

學界容忍和接受。評論家李俄那（John Leonard）譏笑阿德勒是哲
學這一行的勞倫司魏克（Lawrence Welk）⑩。政治哲學家布魯姆
（Alian Bloom）在評論時說：「阿德勒是一個具有生意經的天才
（a business genius）而不能算是一個成名的學者。」⑪西北大學
哲學系主任錫金（Kenneth Seeskin）則更爲尖酸，他說：「哲學
界的專家從來都不看阿德勒的著作」。⑫阿德勒做學問可能是成
功的，做人卻是絕對的失敗。

四、惺惺相惜——阿德勒和赫琴斯合作無間

阿德勒和赫琴斯（Robert Maynard Hutchins）的合作不僅是文
壇上的佳話，而且是學術界劃時代的一件大事，他們倆人都是出
類拔萃、恃才傲物的學人。赫琴斯春風得意，不滿三十歲就出任
芝加哥大學（University of Chicago）的校長。（他比阿德勒年長三
歲）他提出極有特色的芝加哥計劃（Chicago Plan），有意在大學
課程中加強人文教育。注重以理解爲重心的綜合性考試
（Comprehensive Examinations），以取代學生求學在校年限的硬
性規定（這項學則的變動爲後來同等學力入校和縮短大學學業年限打開了

---

⑩ *Encyclopaedia Britannica* on line. Welk, Lawrence. L. Welk 是美國音樂
家，他將古典音樂大眾化，他稱他的樂隊演出的是香檳音樂（champagne
music），曾遭受缺乏想像力和過於簡化的批評。又見 Yahoo！Music.
Lawrence Biography.

⑪ *L. A Times* Obituaries June 30, 2001.

⑫ *Time*, May 6, 1985.

一條康莊大道），爲了貫徹大學應該減少非學術性活動的
（nonacademic pursuits）理念，芝加哥大學於1939年取消了美式
足球❸，在美國運動界造成震撼。

　　阿德勒得到赫琴斯的青睞，是由於他在學報上寫的一篇文
章，深入的討論求證的法律（Law of evidence）。那時赫琴斯是
耶魯大學法學院院長，加之兩人都是反對專業和職業教育
（Professional and Vocational Education）。英雄所見略同，兩人
因此一拍即合。據 L. A. Times 報導赫琴斯出任校長不久，他和阿
德勒在紐約俱樂部（New Pork Club）餐敍。他覺得自己對教育所
知有限，而問阿德勒在大學課程中最滿意、受益最多是那一門課
程？阿德勒回答說他印象最深的是由額斯京（John Erskine）教授
所開的「西洋經典著作」（Great Books）這門課程。赫琴斯請阿
德勒介紹幾本名著，阿德勒竟然提供了一個書目，列舉65位大書
和著者，赫琴斯大爲驚訝，他說：「我在奧柏林（Oberlin）和耶
魯（Yale）的幾年算是白混了，我只看過書目中的三本書。」阿
德勒老實不客氣的對赫琴斯說：「如此說來你並沒有受到良好教
育」（You are not educated），赫琴斯不以爲侮，他很虛心的回
答：「我知道」（I know it）❹。

　　自此以後赫琴斯和阿德勒通力合作成爲學術界最親密的戰
友。1929年，赫琴斯出任芝大校長，他立即禮聘阿德勒參與教學
陣營，但受到哲學系教授的堅決反對，使原來的安排落空。赫琴

---

❸　The Web's Best Search, Hutchins, Robert Maynard Britannica, Com.
❹　*L. A. Times* Obituaries June 30, 2001.

斯不得已特別設立法律哲學副教授席位以安排阿德勒，足見赫琴斯對阿德勒的倚重。⓯赫琴斯重用阿德勒的目的是希望藉阿德勒的學識協助推動「復古讀經」（Return to the Classics）的教育計劃。阿德勒也不負所托推出了「西洋經典著作計劃」（Great Books Program），並且兼任《西方世界經典鉅著》（*Great Books of the Western World*）的副主編⓰以及兩卷《綜論》（*Syntpicon*）的主編。《綜論》是西洋經典著作中一百零二個主要理念的綜合（synthesis）。為了編製本書阿德勒調用了六十名編輯入員，動用經費在美金一百萬元以上。赫琴斯和阿德勒搭檔最大貢獻是推出《大英百科全書》第15版。從1943到1974年退休時為止，赫琴斯擔任了《大英百科全書》編輯董事會的主席總共三十一年之久，阿德勒則是第15版編輯計劃部主任（Director of Planning）。我曾在《參考工作與參考資料》一書中指出第14版的大英百科全書惹出許多是非。物理學家愛因白德（Harvey Einbinder）將第14版批評得一無是處。他寫的文章定名為〈大英百科全書的神話〉（The Myth of the Britannica）。第15版的《大英百科全書》（簡稱 B₃）的數字資料是驚人的，編製耗時十五年，（十年設計，五年寫作編輯）動員來自134個國家的4,000名學者專家，耗時250萬小時，動用經費2,300萬美元。這是赫琴斯和阿德勒教育理想的實踐。

　　B₃的問世讚美之聲不絕如縷，參考資料權威吉士特（Kister），說 B₃是圖書館的必購，前述的愛因白德（Harvey Einbinder）在態

⓯　The Web's Best Search, *Encyclopaedia Britannica* Article Hutchins, Robert M.及 Current Biography 1952 Adler, Mortimer J. 均有報導。

度上作了180度的轉彎，他說：「B_3的便利、正確與新穎是其他百科全書比不上的，B_3的問世使得所有的百科全書落伍。」❼ B_3的設計分爲三部：

1.知識的綱領　Propaedia,（Outline of knowledge.）IV.

是知識的分類，同時也是 B_3主力 Macropaedia 的論題索引（topical Index）。

2.知識的途徑　Micropaedia（Ready Reference and Index）12V.

小知識（Small Knowledge）同時也是 B_3主力 Macropaedia 的分析索引（Analytical Index）。

3.知識的泉源　Macropaedia （Knowledge in depth）也被稱爲 Large knowledge.

關於 B3的得失將在本文結論再作討論，茲不贅述。

阿德勒應赫琴斯之請求到芝加哥大學，等於赫琴斯提供了他一個活動的舞台。他倆的關係也是焦不離孟。例如赫琴斯擔任1943-1974年期間《大英百科全書》的編輯董事會的董事長，阿德勒在1974年前是董事，1974-1995年接替了赫琴斯董事長的職位，

---

❶⑥　*Great Books of the Western World* 第二版時阿德勒升任主編。

❼⑦　沈寶環《參考工作與參考資料》，頁61-69.

阿德勒進入芝大好像如魚得水。在阿德勒大力主張之下，大英百科全書公司將《西洋經典著作》重行影印爲54大冊❶。阿德勒著作等身。他的很多專書例如20卷的《美國編年史》（*Annals of America*）和暢銷書《如何閱讀一本書》（*How to read a book.*）都是在芝加哥大學任職時完成的。那時芝加哥是美國學術文化的重鎮，赫琴斯也是出類拔萃的人物，學富五車，他的重要著作爲：

美國的高等教育	*The Higher Learning in America* 1936
取得自由的教育	*Education for Freedom* 1943
烏托邦的大學	*The University of Utopia* 1953
學習的社會	*The Learning Society* 1968

都是極受好評的佳作。

五、蓋棺論不定——阿德勒的功過得失

由於他景仰先賢的執着和恃才傲物的心態，阿德勒可能是近代西方學術史中最受爭議的人物。我覺得我們不應該人云亦云，莫明其妙的捲進是非圈子，而是應該要冷靜的、公平的將他的成敗得失予以評價。

如眾週知他心目中的英雄，他崇拜的偶像是希臘哲學家亞里士多得（Aristotle）。他苦讀亞氏的名著《倫理學》（*Ethics*）幾乎到了走火入魔的程度。在他的著作中經常出現有希臘文字背景的單字。例如 Paideia, propaedia, Micropaedia, Macropaedia 都是無

---

❶ 筆者按：大書 Great Book 已拓編爲 Gov。

法在中、英文字典中查到的單字。我曾經聽到一位做「西參」作業的學生喃喃自語：「像他這樣成名的學者該用這些難字來嚇呼人嗎？」平心而論，阿德勒肚子裏裝滿了墨水（典雅一點的形容詞是滿腹經綸），他不是靠標新立異而起家成爲大儒的。但是這些具有希臘文字作爲背景的字樣，卻是他取之不盡、用之不絕的法寶。

我將 Paideia proposal 譯爲「教養的建議」是因爲 Paideia 的字源出自希臘，有帶領兒童成長（upbringing）的意思，其基本要素可以分成三大部份（The three elements）：

1.取得基本知識（Acquisition of fundamental knowledge）

歷史、文學、語言、數學、科學、美術等課程由教師有系統的講授，灌輸給學生。

2. 發展基本智能的能力（Development of the basic intellectual skills）

讀、寫、算及科學研究能力的培養。

在本階段以「如何做」（know how）取代「是甚麼」（know what）。

3.提升了解和欣賞的程度使學生對理想和價值有深入思考的能力（think critically about ideas and values）

爲了達到上述目標必須推動「蘇格拉底式教學方法」（Socratic method of teaching）。

此外阿德勒提出額外課程，十二年的體育，八年的手工訓練，例

如打字、烹飪術、汽車修理等。

　　對於 paideia（教育計劃）有相當了解的教育界人士，認為阿德勒沒有顧及到一個基本問題「師資從那裏來」？《華盛頓月刊》（*Washington monthly*）的主編齊士琳（Phil Keisling）評論說：「無論有多完美的課程設計，也不能解決師資是否合格與勝任的問題。」阿德勒不為所動。他在加州俄克蘭市（Oakland, California）的 Skyline High School 中學集合75名學生以一年時間利用蘇格拉底教學法（Socratic Method of Teaching）閱讀50冊阿德勒編製的《西洋經典著作》（*Great Books*）。該校校長克普蒂（Nicholas Caputi）報導說這一班成了明星班，星光閃爍。他這句話等於白說。因為這75名學生本來就是資優生。❶❾

　　《大英百科全書》第15版（B₃）是阿德勒傑出貢獻之一，在西文參考資料中，B₃的卓越地位是很難取代的。在《參考工作與參考資料》一書裏，我曾以8個 Page 的篇幅介紹還覺得不夠完整。編製大部頭參考工具書，人力、經費、時間都在在須要考慮。但真正的困擾在於如何青春長駐，也就是怎樣保持資料的新穎。在這一方面 B₃的基本問題是阿德勒的理念，他認為真理是永恆的，換句話說，這位一言九鼎、有極大發言權的主編認為 B₃的絕大部份資料（如果不是整體）是「定型」的（Static），沒有經常修正變動的必要。站在圖書館參考工作館員的立場，對於這種立場是不敢苟同的。B₃不是沒有缺點，但是由於 B₃在人文學科上的優勢，我對 B₃的的總評是「瑕不掩瑜」，阿德勒的辛勞是有成績的。

---

❶❾　*Time* Sep. 6, 1982.

　　阿德勒另一偉大工程是「西洋經典著作閱讀運動」（Great
Book Movement），簡稱「《西洋經典著作》運動」。阿德勒和
《西洋經典著作》（*Great Books*）的關係是不可分割的。提到
阿德勒就會聯想到《西洋經典著作》，提到《西洋經典著作》
也會自然的聯想到阿德勒《西洋經典著作》計有54卷（後來擴編
為60卷）❷，包括從荷馬（Homer）到佛洛依德（Freud）74名作
者的著作共計443種（works）。出版費用是《大英百科全書》和
芝加哥大學共同負擔的，這些古代西方作者經由阿德勒自己圈
選，他輕視近代哲學而排斥了 Saint Thomas Aquinas（1225-74）
以後所有的西方哲學家，他精挑細選的明星群之中只有白人沒
有其他膚色族群的代表。西班牙文化系統中只有《唐吉柯德傳》
（*Don Quixote*, by Miguel de Cervantes）。有男性沒有女性（Jane
Austin 奧斯丁1775-1817.《驕傲與偏見》*Pride and Prejudice*,的女作者是在
60卷《西洋經典著作》中才出現的）。阿德勒千里獨行俠的作風犯了
眾怒，在學術界引起了軒然大波。神學家休特（Robert Short）
在《芝加哥論壇報》（*Chicago Tribune*）的書評中諷刺阿德勒說：
「他不肯提及很多學者，也許他以為只要不碰這些人，他們會
自然的消失（by ignoring them, they'll simply go away）。聲名卓
著的非裔美國學者蓋茲（Henry Louis Gates）直指阿德勒有很深
的種族偏見，阿德勒仍然強辯。他說：「誰教黑人不肯寫作呢！」
《西洋經典著作》中沒有太多西語系統的作者，因為佩茲

---

❷　補充版增加若干20世紀思想家，著作家 George Orwell, John Maynard
　　Keynes 等45人的寫作而拓大為60v.增訂編輯委員會由公正人士組成，包
　　括諾貝爾獎得主 Octavio Paz.

（Octavio Paz）沒有推荐（按：佩茲是編輯委員之一，曾獲諾貝爾獎）。
阿德勒這些辯護的話顯得有氣無力，正在這個關頭他接到柯爾
（David Call）的來信。柯爾是猶他州（Utah）的一個下水道工
人。他在信中說：「我代表一群下水道工人（Plumber）講話，
我們總算找到一個我們信服的老師，我們拜讀你的大作已有一
年了，也收集你相當多的著作。我們在白天裏只是勞工，但是
在午餐時、在晚間、在週末，我們是一群無任所的哲學家。」
柯爾的信不僅成了阿德勒的護身符，他的自傳也定名爲《無任
所哲學家》（*Philosopher at large,* 1977.）㉑。我覺得問題的發
生在於阿德勒選用叢書的書名（title）不夠謹嚴，他少用了一個
字「選集」（Selected），如果《西洋經典著作》的完整書名是
《西洋經典著作選集》（*Selected Great Books of the western
Word*），情形可能就大不相同了。

　　從另外一個角度來看「西洋經典著作閱讀運動」有點類似我
國前幾十年風行一時的「復古讀經運動」，當時也曾經引起「打
倒孔家店」的風潮。其激烈的程度遠超過太平洋對岸對《西洋經
典著作》的論戰。這個論戰是洋朋友的家務事，我們不曾介入，
不必介入也不會介入，我真正關切的是阿德勒和杜威（John
Dewey）的關係。

　　「三人行必有我師焉，擇其善者而從之，其不善者而改之。」
（述而第七）這是我們中華文化尊師重道的基本原則。每年教師節
我都會收到若干學生寄來「師恩難忘」的賀卡，使我內心感受到

㉑　*L. A. Times* Obituaries June 30, 2001.

無限的溫暖。我極為重視我的門生弟子，始終保持「後生可畏，安知來者不如今也」（子罕第九）的心態。

1920年代當阿德勒在哥倫比亞大學就讀時曾修習杜威所講授的哲學課程。因此阿德勒是杜威的及門弟子，老師是學術界泰斗，學生是後起之秀。照常理而論師生關係應該極為水乳，但是他們的實際情況完全相反。「教出徒弟打師父」阿德勒窮畢生之力反對杜威的實際主義哲學（Lifelong adversary of Pragmatic philosophy）。某次在一個討論神學問題的研討會中，他的發言本來應該將重點放在他寫的書上（*How to think about God* 怎樣想到上帝），但他卻離開主題，轉過頭來抨擊杜威。本來在場的杜威一氣之下拂袖而去，口中大叫「沒有人可以教我如何去想上帝。」在阿德勒另一本著作《十大哲學錯誤》（*Ten Philosophical Mistakes*）中也曾對杜威放冷槍而根本不碰「上帝」。

阿德勒和杜威之間的過結我絕對同情杜威。我採取這個不中立的立場有很多理由，我是學教育的，在教育哲學的三大系統，權威主義也就是正統主義（Authoritarianism）、自由主義（Laissez Faire）和實驗主義（Experimentalism）中，我的思想接近實驗主義。其代表就是杜威，在〈兩個杜威——從這個杜威聯想到那個杜威〉一文中，我提出杜威和圖書館事業有密切關係的幾點意見：

1.杜威以生物學的觀點來看教育和人生——杜蘭特（Will Durant）說：「杜威把人看成有生命的有機體，可以轉變。」㉒這個觀點是我們圖書館哲學的基礎。圖書館並不只是一個安靜可

㉒　ed. by Stanley J. Kunitz H. W. Wilson *Twenty Century Authers* 1966 p.378.

以看書的地方。現代化圖書館「靜」中有「動」，是一個活生生的，充滿動力和運作的地方，和有生命的有機體構成要件，有許多近似的情況。我曾製作〈生命的要素與圖書館活動比照表〉㉓予以說明。

2.杜威提出教育即成長（Education as Growth），教育即生活（Education is Life）和從「做」中「學」（Learning by doing）三大主張，是教育哲學的金科玉律，也是我們圖書館事業應該借重的思想。根據這些原則我們毅然提出圖書館學的趨勢，我們認為：㉔

A.圖書館學是一種偏重行動的科學（a discipline of action）

B.圖書館學是一種不斷變動的科學（a discipline of charge）

C.圖書館學是一種進入自動的科學（a discipline of Automation）

我用了不少篇幅，敍述阿德勒和杜威之間的矛盾和衝突，其目的不在追根究底、辨明是非，而我的同情站在杜威一邊，是因為杜威哲學和圖書館事業目標接近而利害幾乎是一致的。如果僅僅憑據這種思維路線，我似乎應該完全摒棄阿德勒而不必浪費時間，寫這篇冗長的文字。站在圖書館事業一個老兵的立場，阿德勒也有可取之處。

除了編輯 B_3 和《西洋經典著作》（Great Books）之外，阿德勒的確寫了幾本好書，我不可能逐一分析檢討，讀者可以查詢書

㉓　《圖書館學概論》，（國立空中大學，民83年），頁6。

㉔　《圖書館學》，中國圖書館學會，民63年，頁5。

評，（從 *Book Review Digest* 著手）我只以他的專著中的一種簡略介紹。《如何讀一本書》（*How to Read a book, the art of getting a Liberal Education*）是1940年時出版的。這本書阿德勒以十六天的時間，一天寫一章的速度完成的。他希望搶時間出版可以得到美金$1,000，結果這本書在幾個月中都是暢銷書（best seller），而讓他的銀行帳戶增加了美金$30,000的收入❷⑤。我不僅多年以來珍藏了原本，而且不惜工本買了兩本翻譯，寫到這裏我很欽佩我國圖書出版事業的眼光和決心，尉膽蛟在評介中報導臺灣版的原著已於民71年3月經歐亞書局出版，同時也有書林書局的濃縮本。1984年4月桂冠圖書公司出版了張惠卿的中譯本，我國的讀者群也是很有程度、很有眼光的。這本翻譯本一月之內在金石堂暢銷書排行榜中由第三名躍進第二名。❷⑥在1986年已經推出第13版。1984年桂冠又出版了《如何閱讀一本書》簡明版。我買第一本翻譯本是因為我欣賞原著而想看看張惠卿怎樣翻譯。尉膽蛟很仔細地寫出書評並舉出若干可以斟酌的地方。我對於他的認真態度極為欽佩，但是也覺得張惠卿的翻譯工作做得可圈可點！至於我買同一書局出版的翻譯本是出於好奇心，想看看簡易本和原譯本有甚麼不同。我發現簡易本只是刪除了尉膽蛟的評介，我覺得頗為惋惜。《如何閱讀一本書》是阿德勒在馬利蘭州（Maryland）聖約翰學院（St John's College）擔任訪問教授時所編寫的講義，他將閱讀

---

❷⑤　*Current Biography* 1952 p.6.

❷⑥　張惠卿編繹，《如何閱讀一本書》，第十三版，（臺北：桂冠圖書公司，1986），頁8。

分為四個層級：**㉗**

1.初級閱讀

表示脫離文盲階段，目的在於取得句子上的了解，略等於小學程度。

2.檢視閱讀

重點在於強調閱讀時間。

3.分析閱讀

就是在無限制時間之內所能做到的最完整閱讀。

4.綜合閱讀

讀者要同時閱讀很多書。彼此比較找出關係，是主動的最花時間的閱讀方式。

我閱讀《如何閱讀一本書》原文版和中譯本的同時閱讀了培根原著、林衡哲編譯的《讀書的情趣》，黑川康正著、張正薇譯的《有效讀書法》和林英芸著《輕鬆有效的讀書方法》，就是遵照《如何讀一本書》中所建議閱讀層級來進行的。

「書」是人的精神食糧。如何閱讀是教師和圖書館專業人員的隨身法寶。阿德勒不僅重視圖書，而且為廣大的讀者群準備了《西洋經典著作》，他更編製了15版的《大英百科全書》，為圖

㉗ 請參閱《如何閱讀一本書》中譯本尉騰蛟的評介。

書館參考館員提供了尖端科技的武器。《如何閱讀一本書》是一
本極有價值的好書。飽受無紙社會理論威脅的圖書館專業人員，
看了這本經典鉅著，好像在手臂上打了一針強心針。阿德勒是個
愛書的人，凡是愛書的人都是圖書館員的朋友。正因為他寫了《如
何閱讀一本書》，我願以本文來悼念這個從人間消失的偉大學人。
在《如何閱讀一本書》中他將閱讀的目的一分為二，為資訊而閱
讀（Reading for information）和為求知而閱讀（Reading for
knowledge），他遺漏了第三種為愉快而閱讀（Reading of
pleasure），這是我僅存的一點遺憾。

參考書目

Hutchins, Robert Maynard. Britannica Com. The Web's best Search
Current Biography 1952 p.5 Adler, Mortimer J.

The Mortimer J. Adler "Archives", *The Alder archives Directory*.

Mortimer Adler, "philosopher. Co-founder of Great Books,"
　　L. A. Times Obituaries June 30. 2001.

Mortimer Adler 98 dies "Helped Creat study of classics,"
　　New York Times, June 29. 2001.

The Paideia Proposal, *An educational Manifesto* McMillian, 1982.

Mortimer Adler *Philosopher at large* 1977.

"A Philosopher for everyone" *Time*, May 6. 1985.

"Potemra, Mike Book Shelf (Review)," *National Review* V.52 N17.

"Qulity Not Just Quantity." *Time* Sep.6. 1882.

阿德勒原著，張惠卿編譯。《如何閱讀一本書》　臺北：桂冠圖
　　書公司，1984，第十三版。

阿德勒原著。《如何閱讀一本書，簡明版》，臺北：桂冠圖書公
　　司，1992，再版二刷。

沈寶環編著。《參考工作與參考資料》，臺北：臺灣學生書局，
　　民82年9月，初版。

21世紀資訊社會即將來臨，
圖書館事業何去何從？

The Information Society of the 21st
Century Will Be With Us Soon, Will
Library Survive?

摘　要

　　21世紀資訊社會即將來臨，圖書館事業將如何因應，有識之士引以為憂，本文作者企圖說明圖書館事業遭受衝擊的原因和資訊的力量，希望圖書館能和科技共存共榮，以達到皆大歡喜雙贏的結果。

Abstract

The Information Society of the 21st Century will be with us soon. How could the library adjust itself to confront the new situation? The Author attempts to explain why librarianship has been constantly under attack and the power of information. It is his hope that library services could link electronically produced information with collection of books and other reading materials. The success of such a cooperation will be a win-win situation.

一、題目淺釋

㈠寫作的動機與背景

近幾年來，由於個人的原因，我有意淡出❶圖書館事業，定下心來，在國外倚親復健。但是江山易改本性難移，對於專業我仍然有深厚的感情、無限的關懷。每當翻閱報章雜誌，最能吸引我注意的不是「戒急用忍」的黨國大事和「掃黑」、「掃黃」的社會新聞，而是有關圖書資訊的點滴消息。為了收集資料，若干訂購的報章雜誌被我剪集得千創百孔，家中書房也看起來零亂不堪，但是這些剪輯資料對我的重要是很難以語言文字形容的。我願意與在座諸位專家學者、青年才俊資源共享，更向各位請教，作為本文的開場白。

1.嶄新設計的校園，獨缺圖書館

加州州立大學（California State University）是加州兩大大學

---

❶　我比較欣賞 "Old soldier never die, Just fade away." 這句名言中 fade away 字樣，「淡出」是否有同樣的意義，我不清楚。

系統（System）之一，計有分校二十二所，其最新的校園設置在 Monterey Bay，設計新穎，美輪美奐。《新聞週刊》（Newsweek）報導指出：「只有一所建築物，令人一眼可以看出不在其中的（conspicuously absent）就是圖書館。」總校長 Barry Munitz 認為運用經費充實科技設備，從電腦中取得資訊是合情合理的，建築一所藏書樓（Tomes）是勞民傷財。他說：「在我們這個時代建造傳統式圖書館根本沒有必要。」❷

2.時代雜誌（Time）1997年風雲人物（Mau of the year）榮歸科技界

《時代雜誌》1997年12月20日選拔六十一歲的葛洛夫（Andrew Grove）為該年度的風雲人物❸。葛洛夫是英代爾公司（Intel）的董事長兼執行長。這是他第二次當選時代雜誌的風雲人物。在他領導之下英代爾生產全世界90%的 IBM 型電腦的微處理器，成為全球最成功最具影響力的一家高科技公司。過去十年內此一公司向投資者提供平均44%的年回報率。時代雜誌指出1990年高科技產業對美國經濟成長所起的作用在10%以下，而1997年則達到30%。這是微晶片的威力所推動的一種成長。葛洛夫站在數位革命（digital Revolution）的尖端，他對微晶片的威力有最傑出的貢獻。

---

❷　Katie Hafner, "Wiring the Ivory Tower" *Newsweek* Feb. 6. 1995 p.44.
　　筆者註：加州有兩大高等教育系統，另一系統為 University of California System. 有9個分校，如 UCLA. UC-Buckley, UC-Irvine 都有較大規模。
❸　*Time*. Dec. 20, 1997.

3.蓋茲 Bill Gates 樂捐美金二億價值的電腦設備與美國公
　共圖書館❹

《People》雜誌報導此項消息時採用「endowed」字樣，我譯
為「樂捐」而不用「慨捐」，因為捐出二億美金（200 Million）
對他而言，不過是九牛一毛而已。《新聞週刊》（Newsweek）估
計他的財力足夠：❺

・為全美國人民，不分老少男女每人購買一雙溜冰鞋。

・為全美每個家庭購買一座27吋彩色電視機。

・為他本州（他是華盛頓州居民）每一個居民支付在法國凡爾
　賽（Versailles, France）高級旅館居住十三晚的房租。

・將一部1997 Honda Accord LX 新車放在每一家華盛頓州居
　民的車房裏。

他的財產估計為38.4 Billion，我引用這段「捐贈」的資料並
不認為他是慷慨解囊而歌功頌德。但是他站在資訊科技巨頭的地
位能夠不忘記圖書館是值得讚賞的。

4.美國十大富翁排行榜帶來的啟示❻

當《Forbes》雜誌於1918年首次發表美國十大富翁排行榜時，

---

❹　"Living his faith" *People* Jan. 1998.

❺　*Newsweek* Aug.4 1997 p.50.

❻　*Forbes* 報導，所列乃是到1997年6月為止的數字（as of June, 1997）因
　　此 Gates 的財產在 People 和 Newsweek 中的數字有出入。*Newsweek* Aug.
　　4. 1997轉載 Forbes 報導。

列名人士全部爲重工業巨頭。1997年情況完全不同。John D. Rockfellor 家族（石油）、Andrew Carnegie 家族（鋼鐵）、Henry Ford 家族（汽車）都名落孫山。十大富豪之中微軟公司（Microsoft）即佔了三名：

William Gates III	36.4	Billion
Paul Allen	14.1	Billion
Steven Ballmer	7.5	Billion

此外媒體（Media）佔兩名：

Samuel Newhouse JR	9.0	Billion
John Kluge	7.2	Billion

換言之，十大富翁之中，一半與資訊、電腦、媒體有關。看過這項報導的人，不知道有甚麼感想！

5.美國第一夫人——遲來的圖書館 ❼

美國有不少總統，尤其是近半世紀以來，都擁有眩耀自己「政績」的專門圖書館。例如杜魯門（Truman）圖書館是以馬歇爾計劃（Marshall plan）和北大西洋聯盟（NATO）爲重點，而尼克森（Nixon）圖書館則顯示出和中國密不可分的關係。在該館國際廳陳列了尼克森訪問中國的照片和獲贈的許多禮物。相形之下，有關其他國家的展出部份則好像是陪襯的附件。在領袖廳中陳列尼克森親選的當時世界十六領袖。他們的塑像均以眞人尺寸打造，

---

❼ 《世界日報》1998年2月7日轉載華盛頓郵報 Washington Post 消息，世界日報原標題〈第一夫人——遲來的圖書館〉筆者增加「美國」二字。

坐在中間的兩大領袖是毛澤東和周恩來，最近該館新增華語嚮
導，由華裔何張璋受訓半年後出任❽。這些總統圖書館「如近年
興建的布希（Bush）、卡特（Carter）、雷根（Reagan）圖書館」
的出現，一方面凸顯美國的超強地位，同時也反映世界上其他國
家國力的消長。這種觀點卻不是我引用這類資料的用意。站在專
業立場我當然是贊成建設新的圖書館的，同樣的理由也可以應用
到美國第一夫人圖書館，儘管是遲來的總比不來的好。

　　對於第一夫人的研究，美國學術界出版品相當豐碩，以林
肯（Lincoln）夫人 Mary Dodd Lincoln 而論，就有好幾種傳記，
多數對她的描述都是負面的，這位苦命的女人，總統丈夫在任
內被刺，四個兒子有三個短命而死，飽受寫傳記的人攻擊。對
她頗有同情心的 Painter Randall 也說她：「任性（willful）、厚
顏無恥（imprudent）、膚淺（superficial）、虛榮心強（vain）、
幼稚（childish）、吝嗇（stingy）、嫉妒心重（jealous）、饒舌
（gossipy）、存心不良（malicious）、情緒不穩（emotionally
unstable）、缺乏機智（tactless）、崇拜物質（materialistic）、
言詞尖酸（Sharp-tongued）、有欠考慮（Indiscreet）以及貪婪
（acquisitive）❾」，Mark E. Neely JR.和 R. Gerald McMurtry 合
著的《The Insanity File: The Case of Mary Dodd Lincoln
（carbondale, Ill. 1986）》甚至說她是瘋狂的精神病人。❿ Jean H

---

❽　《世界日報》，1987年12月2日。

❾　Benjamin Schwarz Rail-splitter L. A. *Times Book Review* Feb.15 1998.

❿　Jean H. Baker Mary Dodd Lincoln, a biography 429p 1987 Norton.
　　書評見 *Book Review Digest* 1988 p.86.

Baker 的傳記企圖爲她翻案，指出：「由於她（指 Mary Dodd Lincoln）懂得齊家之道，讓林肯沒有後顧之憂，林肯才能在政治上出人頭地，一展治國、平天下的抱負。」⓫此外林肯的傳記中也不乏爲 Mary Dodd Lincoln 洗刷的文字。Douglas Wilson 所寫的《Honor's Voice, The Transformation of Abraham Lincoln》是1998年最新著作，就提到林肯夫婦不僅夫唱婦隨而且伉儷情深。由於林肯結婚時已經三十一歲而 Mary Dodd 則只有二十一歲。林肯暱稱 Mary Dodd 爲「娃娃新娘（Child Wife）」，Mary Dodd 也欣然接受⓬。關於林肯的家庭生活，對 Mary Dodd 的風評，這幾本書最多做到瑕瑜互見。紀念美國第一夫人行誼的圖書館即將在俄亥俄州的坎都市成立。這裏也是第二十任第一夫人伊達·馬京利的老家，我們都知道每一個成功的男性幕後必然有一位偉大女性的支持。《世界日報》的副標題說新圖書館將爲第一夫人的角色作界定，並引用圖書館籌備顧問艾迪絲馬雅的話說：「新館多少彌補了憲法忽略界定第一夫人工作形態的缺失。」⓭這個說法雖然中聽，卻仍然低估了圖書館的價值。

Journal of American History V.75 N.3 Dec1988.

The Journal of Southern History V.LV. No1. Fe6 1989 pp128-129.

⓫　見 Roger D. Bridges 和 Rutherford B. Hayers 兩位總統資料中心（presidential center）所寫的書評有下列文字：

　　"She helped her extremely ambitious husband acquire the social skills, and provided the homelife, that enabled him to hone his very considerable talents in ways that enhanced his opportunities for political success."

⓬　見前註⓾，Jean H. Baker 書評。

⓭　請參見註⓼ source.

㈡誰能未卜先知？

1.預測不易

我們不是吉普賽人，我們手中沒有水晶球，誰也不能未卜先知。蘭開斯特（F. W. Lancaster）說：「預測（Forcacting）是困難的工作，從事預測者必需要有心理準備——部份的未來是不可知的，若干轉變是想不到的，很多發生的事件是突如其來，想不到的。」[14]

《The Journal of Academic Librarianship》在1994年的一篇社論中說：[15]「現在印製文化（print culture）已經摧毀了大部份的口語文化（oral culture）。將來總有一天，新的文化可能同樣的來對付我們的印製文化。」這份極有學術地位的學報不肯亂加臆測，社論接着說：「我們寧可做有幻想的人，從籠罩在濃霧的撲朔迷離情形下推測25年、50年甚至100年以後可能出現的情勢。首先，這些情勢很難證實。其次，我們無需不厭求詳的指出達到那種情勢要走的方向和路線。」

算命卜卦是危險的行業。預測未來也有禍從口出的可能。1940年代 IBM 老板 Thomas Watson SR.認爲電腦有全球性需求，是難以想像的。他說：「我想只要五部電腦就可以應付世

[14] F. W. Lancaster *The impact of a paperless Society on the Research Library in the future*. Urbana, Univ. of Illinois G. S. L. S. 1980. P.8.

[15] Editorial: Sometime soon: A new Renaissances. *The Journal of Academic Librarianship*. Vol. 20. No.3 1994 July P.129.

界商場。」⓰《新聞週刊》以幽默的口氣說：「我們都知道，IBM
賣了不止五部電腦。」

　　研究未來最大困擾，我認為是時間之「動」、環境之「變」
不是我們能力能夠掌握的。武漢大學圖書情報學教授黃世忠說：
「二十一世紀的圖書館事業是一項系統工程，跨度一百年，我們
很難準確的預見未來的一切。」⓱本來時間是不停運作的。昨日、
今日、明日、過去、現在、將來一線串連，好像「黃河之水天上
來，奔流到海不復回。」因此我們將光陰比為流水。「抽刀斷水
水更流」，想將歷史斷代是不容易的事。

2.「無紙」落空

　　近二十年來，圖書資訊界討論最熱烈的議題是「無紙社會」
的來臨。「無紙論」的提出人 Lancaster 教授也成為全世界圖書資
訊界最具影響力的學者。他的追隨者車載斗量。

　　John Kountz 在1992年發表的文章中大膽的預測：「在未來五
年之中，印製資訊的市場和取得的可能性將萎縮50％，在二十一
世紀開始時在資訊商業的整體中，紙張只能滿足5％的需求。」⓲
Michael Gorman 在引用這段文字之後，以嘲笑的口吻說：「萎縮

⓰　*Newsweek* Extra. Winter 1997-1998 The Computer p.29.

⓱　黃世忠，〈論二十一世紀的圖書館〉，《圖書與情報》（蘭州，1996
　　年2年1日），頁10-27。

⓲　John kountz, "Tomorrow's Libraries: more then a modular Telephone
　　Jack, less than a complete revolution - perspective of a provocateur "
　　Library Hi Tech 10. No4 (1992) pp39-50.

還沒有開始。」⑲

　　Richard W. Boss 的預估比較接近實際情況。他說：「到1990年時大多數的大型和中型圖書館都會進入自動化。在本世紀末大多數圖書館，除開學校圖書館，都會採用某種系統，但是圖書館不至於無紙。」⑳

　　《圖書館學報》（Library Journal）「展望」專欄（Futurecast）作家 Raymond Kurzweil 也是「無紙」論的篤信者之一，說：「完全可以運用的虛像圖書出現的日子就在眼前了。」「大家認為電腦化出版在很多方面都比印製圖書高明。」㉑ Michael Gorman 頗不以為然。他指責 Kurzweil 所講的只是參考工具書而且完全漠視了閱讀的問題。他並以數字為證（Print: The Real Numbers）來反擊圖書已經死亡的理論（Death of the Book Theory）。

　　· 以1992年前九個月和1991年同期比較，美國圖書銷售量增
　　　加16%。

　　· 在1991年4月和1992年3月一年之間，成人圖書（青少年兒童
　　　讀物不在內）銷售量為822Million 冊，與過去一年比較成長
　　　率為7%。

　　· 美國出版印製業資本為$100Billion。成人、青少年、兒童

---

⑲　Walt Crawford and Michael Gorman. *Future Libraries: Dreams, Madness and Reality* （Chicago: A. L. A. 1995），p.112.

⑳　Richard W. Boss "Technology and modern Library" *Library Journal* 15, June 1984.

㉑　Raymond Kurzweil "The Virtual Book revisited" *Library Journal* 188 (Feb. 15, 1993) pp.145-146.

讀物銷售價值為$21Billion。

・美國期刊報紙為$53Billion 的商業。

・美國公共圖書館圖書流通量1990年至1991年增加15％。❷

基本參考工具書《World Almanac》每年都發表暢銷期刊（Best selling U. S. Magazines，個別團體及連環圖書雜誌不包含在內）及大型日報各100種名單，可以為上述 Gorman 資料背書。其1997年報導數字如下：（選擇部份）

期刊雜誌名稱	排　名	發行數字
Odyssey	1	21,100,610
Readers Digest	3	15,103,830
New Yorker	99	847,201
Midwest Living	100	838,959
日　報		
Wall Street Journal	1	1,763,140
U.S.A. Today	2	1,523,610
New York Times	3	1,081,541
Advertiser (Honolulu)	100	105,624

這些數字助長了反對「無紙論」傳統圖書館員的氣焰，Michael H. Harris 和 Stan H. Hannah 將炮火直轟蘭開斯特。他們說：「蘭斯特建議書籍會消失是不負責任的。」❷

---

❷　Walt Crawford of Michael Gorman Op. Cit. pp15-16.

❷　Michael H. Harris and Stan H. Hannah "The Treason of the Libraries." *Journal of Academic Librarianship* 22:1 1996.

其實「無紙論」並不完全等於「反書」。蘭開斯特指出:「顯然的,印製圖書並沒有受到電子形式出版品威脅,這是不可能的。因為絕大多數的電子產品(Electronic Products)不過是印製圖書以電子化形式推出而已(Merely printed books displayed electronically)」。

他又說:「我不過將電子化未來(electronic future)寫出來而已,這並不意味我為這樣的未來背書(endorse)或是熱切期盼這一天到來(enthusiastically looking forward to it)。新的科技可能將當前情況作某種程度的改善,但是也會帶來連串問題。」❷④

二、圖書館事業遭受到無情的衝擊

Michael Gorman 在其與 Walt Crawford 合寫的名著《未來圖書館:夢想瘋狂與現實》(*Future Libraries: Dreams*、*Madness & Reality*)的序中說:❷⑤

> 現在看起來,好像圖書館無時無刻不是在飽受冷槍冷箭的攻擊。

他所謂的圖書館應作廣義的解釋,包括紙和印製品的書。這兩位青年學人並沒有歷史的淵源。他們都是圖書館事業的捍衛

---

❷④ F. W. Lancaster The Paperless Society revisited. *American Libraries* Sep. 1985 p.555.

❷⑤ Walt Crawford & Michael Gorman. Op. Cit. preface P. Vii.

者。基於志同道合，他們聯手寫這本頗爲不錯的著作。在第一章中他們就說：

> 我們深信圖書館，我們深信圖書持久不朽的使命。我們更深信圖書館和圖書館事業有光明的遠景。❷⑥

他們的志向值得欽佩。但是文字過於尖銳，對於圖書館界資深望重的學人如 Herbert White 頗爲不敬，是美中不足之處。他們指稱圖書館四面楚歌倒有幾分眞實性。下面就是幾個例子。❷⑦

㈠「杞人憂天」？還是眞知灼見？

James Thompson 在其所著《圖書館的終結》（*The end of Libraries*）一書中預言：「不斷擴充的書藏，既不合用又採用奇怪的分類標準。圖書本身的特質和館員有缺欠的服務態度都會導致圖書館末日的來臨。」❷⑧

Frank Newman 爲卡內基基金會（Carnegie Foundation）所寫的研究報告本來是爲改進教學方法提出的，竟然也牽涉到圖書館。其中有句話說：

> 現在是將重點從採購轉移到使用便利的時候了。也許現在也是停止稱呼這些中心爲「圖書館」的時候。（Perhaps it

---

❷⑥ Ibid, p.1.

❷⑦ Ibid, p.14.

❷⑧ Betty W. Taylor and others The *Twenty-First Century. Technology's Impact on Academic Research and Law Libraries*. Boston: G. K. Hall 1988 p.8.

is to stop calling these centers 「Libraries」) ㉙

「圖書館」一向是我們的金字招牌，受到懷疑使我們不寒而慄。奇怪的是我們專業學人的信心也發生動搖就很難解釋了。

Vincent Giuliano 過去曾做過圖書館學研究院院長。他說：

> 圖書館根本不是資訊時代的機構（Libraries are simply not information age institutions.）儘管這不是一個愉快的念頭（unpleasant that might be to contemplate）㉚。編目自動化不一定能拯救圖書館，反面可能加速圖書館的死亡。
> （Automation of cataloging will not save libraries, if may, in fact speed their demise.）

W. Patrick Leonard 則運用「物競天擇」的原理指出：「如果讀者不太想到圖書館去，則圖書館員應該去找讀者。」他又說：「如果圖書館員坐在圖書館的位置上不動，這些館員很快就會列入『瀕臨絕種的物類』（endangered species）。」㉛

Mary F. Lenox 是 University of Missouri-Columbia 圖書資訊學研究院院長。她對學生講話時說：「在未來的時代裏那些不會

㉙ Frank Newman 是 Education Commission of the States 的會長引用文獻見 Betty W. Taylor p.16.

㉚ Vincent Giuliano. "A Manifesto for Libraries" *Library Journal* Sep.15 1979 p.1838.

㉛ W. Patrick Leonard On My Mind, Libraries without wallsfield service Librarianship. *The Journal of Academic Librarianship* Vol. 20 No.1 March 1994 pp.29-20. Leonard 是 Purdue 大學副校長。

讀、寫、思想以及分析、評鑑、運用資訊的人，將會成爲瀕臨絕種的物類。」這句話她講過至少兩次。**❸❷**

以上引證幾位，除了 Thompson 的底細不太清楚以外，如 Giuliano、Leonard 和 Lenox 都是頗著聲望的學人。他們的諍言究竟是杞人憂天還是眞知灼見，將來的歷史會有交待。

㈡圖書館事業的泥足

圖書館事業是否已經病入膏肓，無藥可治？圖書館事業有沒有前途？困難在那裏？從近二十年來的圖書館文獻中得到若干啓示。「物必自腐而後蟲生」，圖書館事業也有可議之處。

1.圖書館還有救嗎？

Charles Robinson 說：世界上大部份地區沒有圖書館日子過得很好。在我們的國家裏（指美國），圖書館在生活素質上的重要性排名僅在交響樂團和藝術博物館之前，而和戲院、保齡球館比較，名次遠遠的掉在後面。他這篇文字篇名爲〈我們的公共圖書館有救嗎？〉

Manthew Lesko 是極有份量的作者，曾經寫過四十本參考用書，其中兩種列入《New York Time》暢銷書目。他也是資訊學專家。他的近著《Lesko's Info-power》是若干讀書會（Book of the

---

❸❷ Mary F. Lenox and Michael L walker. "Information Library: A Challenge for the Future." *NASSP Bulletin* may 1994 p.63. 又 "Educating the black librarians for leadership in 21ST century" Educating Black Librarians Jefferson NC McFarland & Co.pp41-56.

Month Club 等）❸❸選用圖書。A. L. A.曾兩次頒與年度最佳參考書獎。他在〈在我們資訊社會裏，爲甚麼公共圖書館不是社區最重要的建築物？〉一文中說：「假使資訊是重要的，爲甚麼圖書館要如此辛苦的爭取經費？如果作重大決策時需要適當的資訊，爲甚麼圖書館大門看不見排長龍的讀者想進入圖書館？」❸❹

2.圖書館成立宗旨受到質疑

公共圖書館是社教主要機構。我們習慣性的認爲公共圖書館的使命是神聖的。凡是對這種中心思想動搖的就會被打入「非主流派（Revisionist）。」❸❺

Patrick Williams 在《美國公共圖書館和宗旨問題》（*The American Public Library and the Problem of Purpose*）一書中指出：

> 公共圖書館的傳教式工作（Missionary work）包括移民在內，圖書館提供移民母語的書籍，英文補習班，講授有關衣、食、住、行、衛生、美國法律的課程。教導移民循規蹈矩，進館脫帽，從正確的門戶出入、儀容整齊、愛護公物，遵守借書規則，這就是教導美國生活方式（American

---

❸❸ Charles Robinson: "Can we save the public Library? "*Library Journal* V.114 No14 Sep.1. 1989 pp147-152.

❸❹ Mathew Lesko: "In Our information society, why isn't the public library the most important Building in our community？" *Public Libraries* 31:2 March/April 1992. p.85.

❸❺ Revisionist 的正確翻譯應該是「修正主義者」或「修正學派」我用「非主流派」是一家之言，不足爲訓。

way of Life）的一部份方法。**㊱**

Patrick Williams 運用「傳教式工作」字樣而不明指公共圖書館別有用心是極爲高明的外交詞令。Michael Harris 是自稱爲「非主流派」（Revisionalist）的人，他直截了當的指出：「社會控制」（Social Control）是創立公共圖書館顯著的原因（prominent reason）。**㊲**

Ante F. Scott 也有類似的觀點。她說：「公共圖書館運動有意改變『人』和改變『人的行爲』（changing people and changing behavior）」**㊳**

Gratia Countryman 這位 Minneapolis 公共圖書館館長，也是 Patrick Williams 所稱的圖書館傳教狂熱份子（Zealous Missimaries）。早在本世紀初（1906年）他就說：「圖書館促進進步，其主要的意義就是提高道德、社會和智能標準。」**㊴**

圖書館在「社會控制」的目的之下有時也做得有點過份。丹佛市公共圖書館（Denver Public Library）的一館員竟然建議將借閱精密科技資料的讀者名單提供安全情報單位。威斯康星州圖書

㊱ Patrick Williams *The American Public Library and the problem of purpose*. New York : Greenword 1988. p.31.

㊲ Michael H. Harris: "The Purpose of the American Public Library: A Revisionist Interpretation of history" *Library Journal* 98 Sep.15. 1973."

㊳ Anne F. Scott: "Making the invisible women visible." Urbana, ILL. Univ. of Illinois Press 1984 p.285.

㊴ Gratia Countryman "The Library as a Social Center" *Public Libraries* ll, (June 1906) p.6.

館委員會指示該州各公共圖書館某些資料不應該採購，除非愛國性是沒有問題的。**④**

3.少數人的知識樂園

有關公共圖書館的發展，Verna L. Pungitore 認為可以分為兩個完全不同的學派（Two schools of thought）。

· 傳統學派的觀念（也就是主流派的觀點）認為圖書館運動是利他的，企圖提供人民大眾自我教育，自我改進的環境。

· 修正學派的觀念（也就是非主流派的觀點）認為圖書館建立的目的是為了控制人民中的低層（controlling lower class），同時保持社會的現狀（Maintaining the status quo in society）**④**。

若干學者指出圖書館的建築通常是為個人設計的而不是有意為群體研究著想。如果很快地在很多圖書館訪視一遍，會發現圖書館準備了很多個人研究小間（study carrels for individual use）卻鮮有團體可以使用的開會房間，而且建築設計和設備都不容易將房舍改裝以適應團體的需求。**④**在這種圖書館只對小部份的人民——受過高等教育的白領階級，服務有興趣的情況下，我們怎麼能夠寄望公共圖書館對全民服務呢？**④**其結果是自然而然的圖書

---

④ Patrick Williams op. cit. p36.著者按：Williams 並沒有指出時間和人名。筆者曾在 D. P. L.服務，因此感覺很不好意思。

④ Verna L. *Pungitore: Public Librarianship: An issue-criented approach.* New York: Greenwood Press 1989 p.2.

④ Mary F. Lenox op.cit. p.71.

④ Charles Robinson op.cit. p.111.

館成了知識份子控制低階層民眾的工具。歷史性學術研究多半支持這種修正學派的解釋。**❹**

4.好高騖遠，知難行也不易

在公共圖書館初創的時候，杜威（Mevil Dewey）就透過美國圖書館協會（A. L. A.）提出「以最低的費用為多數的人提供最好的讀物」（The best reading for the largest number at the least cost）。這句名言是一百年來美國圖書館奉為金科玉律的座右銘**❹**（Motto）。我們專業無人不知，無人不曉。我們也要注意他的用字，他只說：「多數的人」並沒有說：「所有的人」。

由於圖書館只能抓住高級知識份子，這樣下去 Bruce Shuman 說：「我們所知的圖書館即將步恐龍的後塵。」「個人認為我們只有兩條路好走——儘量滿足少數人或是大家都來分一杯羹（All things to some people or something for all people）。」**❹**為了爭取新的讀者，公共圖書館常常過於誇大「同時（concurrently）提供整個社區教育、休閒、資訊和文化方面的需求。**❹**」有時圖書館員本諸善意的，但是卻有點自不量力。Joey Rodger 曾經擔任美國

---

❹ John Calvin Colson "The writing of American Library History" *Library Trends* 24 1976 pp.7-22.

❹ Charles Robinson op.cit pp.102-103.此一座右銘（Motto）文字已經過多次修正。

❹ Bruce A Shuman The Public Library, Some Alternative Future. *Public Library Quarterly* Vol 11(4) 1991 pp16-19.

❹ Verna L. Pungitore op. cit p.25.

公共圖書館學會執行長。他就是主張「全盤供應所有讀者」（All things to all people）最努力的專業人員之一。**❹**我舉出這個例子，毫無責難之意。圖書館員愛好心切，在服務上特別注意素質（Quality），希望能夠配合甚至超過讀者的期待。圖書館員從事的是一種工作和場所不容易分開的行業（identify with a particular facility）。多數圖書館員辦公通常局限在圖書館內，儘管我們有推廣工作，也竭力實行「圖書館無牆」的主張（Library without walls），但是圖書館員的心態仍然局限在圖書館的牆壁之內而忽略了圖書館眞正的使命**❹**。Tom Peters 的名著《追求卓越》（*In Search of Excellence*）成了圖書館員必讀的文獻，儘管這部書是針對資本雄厚的美國工商界寫的。Richard F. Barter JR.竟然以這部書的影響寫出專文，他的論文篇名就是〈圖書館追求卓越〉（In Search of Excellence in Libraries）。**❺**

三、資訊就是力量（Information Is Power）

㈠資訊的特徵（Characteristics）

Harlan Cleveland 遠在十年前就在《The Futurist》學報中指出

---

❹ Charles Robinson op. cit. p.103.

❹ Eleanor Jo Rodger "A Public Library Perspective". *ARL: Proceedings of the 124th Annual Meeting*. May 18-20, 1994.

❺ Richard F. Barter JR. "In Search of Excellence in Libraries" *Library Management* V.15 No.8.1994.

資訊具有下列特徵：

- 資訊具有擴大性（expandable）
- 資訊具有壓縮性（compressible）這些不斷擴大的資訊可以集中（concentrated）、整合（integrated）、總結（summarized）和縮小（miniaturized）以便處理。
- 資訊具有代替性（substitutable），可以替代資本，勞力和具體事物。
- 資訊具有運輸性（transportable），運動以光速進行。
- 資訊具有散佈性（diffusible）。
- 資訊具有共享性（shareable），事物是可以交換的。如果你賣車，買者有車，你則無車。如果你出售一個意見（idea），則買賣雙方共享這個意見。❺

Clevelamd 的話，在現在看當然是不完整的。我只提出兩項：

- 多少世紀以來「圖書」不斷出事是因為「內容」（Contents）。

在二十世紀末期圖書的問題不在於「內容」而在「形式」（Form）❺。科技的進步使得圖書、雜誌、報紙的實物（material object）和內涵資訊分家（uncouple）。從此資訊無拘無束，自由自在，成了「天地一沙鷗」。

---

❺ Harlan Cleveland "Info as a Resource," *The Futurist* 16, Dec. 1982 pp.34-39.

❺ Efrem Sigel and Others Books, *Libraries and Electronics* （New York：Knowledge Industry publications. 1982），p.1.

㈡資訊數量驚人

Bill Moyers 說：「在紐約時報（New York Times）一版（a single edition）所收集的資料比活在16世紀的人一生要讀要看的還多。❸」Patricia Lanier 也有類似的報導。她說：「過去五千年生產的資訊還不及近三十年來得多。❹」

資訊過多並不一定就是好事。Gertrude Stein 就曾經說每個人都擁有太多的資訊，而失去了他們的理智。❺ Naisbitt 在《大趨勢》（Megatrends）中說：「我們將會被資訊的洪流淹死，沒有組織、不受控制的資訊在資訊社會中算不得資源。」❻

James H. Billington 對於這種現象極感憂慮，他說：「以知識為基礎的民主體系正受到威脅。威脅來自於由新科技加上視聽器材多媒體的進步而形成的資訊洪流。現在我們只講資訊時代而不講知識時代，資訊中心而不是知識中心。我越想這種情勢，越使我觸目驚心，毛骨悚然。這些在網路上出現沒有經過整理、證實和不斷變動的零星資料會使我們從進化的系列倒退。從知識轉變為資訊，從資訊轉變回頭成為原始資料」（From Knowledge to

---

❸　Mary F Lenox op. cit. p.58.

❹　Patricia Lanier and others: What Keeps Academic Librarians in the Books. *The Journal of Academic Librarianship* May 1997. p.191.

❺　Michael Gorman op. cit. p.5.

❻　John Naisbitt *Megatrends: Ten New Directions Transforming Our Lives*（New York Warner Brothers 1982）p.19.

information, from information to raw data)。**❺❼**

㈢資訊即商品

資訊成為商品(Commodity),Toffler 說:「在我們世界裏金錢變成資訊化,而資訊卻變成金錢化(Money is "informationalised", and Information "monetized")。消費者為他們的採購付出兩次,第一次用金錢,第二次提供可以當錢的資訊。**❺❽**」Lenox 同意資訊即金錢的主張。她說:「資訊即將成為個人、團體和國家交易的金錢(Coinage of exchange)。資訊的力量可以左右誰作決策?決策是甚麼?甚麼時候作決策及如何作成這項決策**❺❾**。」Walter Wriston 指出「因為商業和科技的聯盟,國家舊有疆界已經落伍了,沒有一個國家能夠控制在世界性資訊市場中貨幣的價值。世界性資訊體系(Global info-systems)是新的貨幣,因為這個體系有力量決定每一種國家貨幣在世界市場中的價值。**❻❶**」這種觀念影響深遠,很多人相信開發國家的經濟到了最後必然依賴推銷和出售資訊和知識。A. E Feigenbaum 在對 University of Astm 師生演講時說:「我們將來只能靠出售我們的

---

❺❼　　James H. Billington. Libraries, The Library of Congress, and the information age. *Daedulus*, V.125 N.4. Fall 1996 pp37-38.

❺❽　　Alvin Toffler "powershift, knowledge wealth and Violence in the 21ST century. *Newsweek*, Oct.15 1990."

❺❾　　Lenos op. cit. p.62.

❻❶　　Walter Wriston *The twilight of sovereignty*(New York:Charles Scribner's of Suns 1992),p1.

知識來過活。**⑥**」他的話並不是沒有遠見的。美國微軟公司
（Microsoft）的市場價值在1992年已經趕上了美國通用汽車公司
（General Motors），1993年的收入超過 U.S.$375Billion 德州儀器
公司（Texas Instruments），雖然是高科技產品的製造商，其1992
年收入的一半來自出售專利許可證和智慧財產。**⑥**

㈣資訊「貧」「富」，壁壘分明

　　資訊商品化的結果影響深遠，圖書館事業首當其衝。因此發
生所謂「收不收費」（Fee vs Free）的議題，更嚴重的是泛濫的
資訊雖屬無意卻是必然的（Uninterded but inexorable effect）將我
們分割為資訊「有」和資訊「無」（Information "haves" and
"have-nots"）兩大族群。

　　由於物價波動，經費緊縮，原來可以大力提供資訊的機構（例
如圖書館）已經無法支應。越來越多的人（在圖書館方面則為讀者）
必須要採購貴重的器材設備，或是從價錢昂貴的私人服務組合來
取得重要資訊。這樣一來，圖書館逐漸喪失其重要性。

　　在我們的世界裏，若干國家地區得天獨厚，擁有大量的自然
資訊。例如伊拉克的石油，南非的金礦，亞馬遜流域的木材，這
些價格常有波動的財富為這些國家地區帶來經濟力量。但是他們
的買主客戶則以出售高層次有價值的服務和精密科技的產品得來
的金錢來支付，換句話說，以資訊、知識和智慧作為貨幣。不斷

---

⑥　　Trevor Haywood. *Info-Rich-Info-Poor*（London: Booker 1995），p.86.

⑥　　Ibid, p.87.

革新和創造大量出色資訊的能力使得若干國家在國勢上分出高低。在交換或是提供資訊時，如果能夠保持超過競爭對手的儲存資訊和智慧資本，Trevor Harwood 稱為「盈餘知識」（Knowledge Surplus）❸。但是資訊「貧」（info-poor）的國家沒有「盈餘知識」拿到資訊市場來交換。他們的目標根本無法提昇到超越「生存的需求」（demand of survival）。大多數西方國家要將時鐘撥轉到1500年以前才會記得曾經有類似的需求，而開發國家對落後地區的經援往往是有條件的。要想翻身，談何容易。❹

㈤資訊帶來的問題

1.大館思想的破滅

幾世紀來圖書館運作的重點集中在保存圖書館和擴充館藏之上，以讀者滿意度來系統評估服務，並不認為有太大必要。❺我國歷代藏書樓就是最好的例子。

依 Bill Dix 看來書藏和使用便利是相等的（Ownership equaled access），他說假使有豐富的藏書，成功的機會就大得多（The adds of success are better）❻。基於這種理由，圖書館儘可能擴充館藏以滿足部份讀者的需求。這就是我們所提到的圖書館成了少數人

---

❸　Ibid p.77.

❹　Ibid p.114.

❺　Michael H. Harris op. cit. p.8. 他的原文用「400年以來」字樣，略嫌過於肯定，筆者修改為「幾世紀來」。

❻　William Shepard Dix: "The Librarian of the Uncertain Future." *Wilson Library Bulletin* 43 (1968): 39.

的知識樂園。藏書數字成了衡量圖書館價值的主要標準。此外館際互借的成績並不理想，加之學術性出版品很快的絕版，造成了搶購圖書的現象。在數據革命環境裏（Digital revolution environment）遠距離供應資訊（Remote Access）粉碎了書藏和服務的密切關係。大館思想因而潰不成軍。**❻❼**這種情勢是自然而且是必然的。本來圖書館想依照學術範圍採購圖書維持現狀已經不勝負荷，如果打算重複購置印製出版品和數據性資料是痴人說夢，決不可能的事。**❻❽**

館藏至上的觀念受到挫折，引起若干圖書館界傳統主義者和學界人士的反彈。Michael Gorman 說：「既要使用便利又不必一定要收藏（Access not ownership）是一個愚笨已極的觀念（Foolish ideas）。如果大家都不收藏，那有可能使用便利」（If nobody owned anything，there would be nothing to which to gain access.）。我們也承認絕大多數圖書館無法維持一個完整的館藏。也許這是永遠做不到的。「在完全放棄購買新舊圖書資料之前，我覺得我們應該要劃一條界限」（The line should be drawn long before the common pool of historical and current material is abandoned altogether.）。**❻❾** Ann Heidbreder Eastman 不是圖書館界的人，她是伊利諾大學的董事，她對若干圖書館圈內圈外的過份重視新的媒體和科技而貶紙書藏甚為不滿。她說：「看書比看電視和聽收音機花比較多的時間。人們從他們閱讀中所記憶的比聽人家說的

---

❻❼　Michael H. Harris op. cit. p.5.

❻❽　Ibid p.5.

❻❾　Ibid pp.109-111.

要多些。在閱讀時同時一心二用做別的事是不可能的。在閱讀時讀者的注意力比較集中。」「如果大學圖書館停止採購圖書；如果核計資料的價值是依使用頻率來考量而不是由圖書館一向專長依資料在館藏中的重要性來評估，我們可以想像大學會紛紛成立自己的出版社來販賣圖書，以因應讀者需求。」**⑩**

2.消息靈通，知識豐富，那樣比較重要？

Daniel Boorstin, 這位前美國國會圖書館館長說：「我們所需要的是知識豐富的公民。取得知識是要主動的（active），資訊是被動的（passive），因此取得資訊比取得知識容易。資訊的數量是龐大的（prolific），接觸的機會比知識多。但僅僅只要「情報」（大陸朋友將 information 翻譯為情報）就會為提供資訊的人所左右。取得知識則是將自己變成提供訊息的人。在資訊社會中資訊是別人思想的奴隸，知識則有自己思想的權力和自由。」**⑪** Michael Gorman 完全同意這種看法。他說：「人類不能僅僅靠着資訊生存。一個社會如果只是消息靈通而沒有知識，將是一個土裏土氣野蠻的社會。」**⑫**

取得資訊電腦銀幕是最佳場所，求得知識則只有仰賴圖書。Raymond Kurzweil 說：「大家公認電腦化圖書（computerized

---

⑩　Ann Heidbreder Eastman: " Books, Publishing, Libraries in the information age. In *Books in our Future* ed. by John Cde 1987 pp.298-299."

⑪　Daniel D. Hade " Literaey in an Information society " *Educational Technology* August 1982 p.8.

⑫　Michael Gorman op. cit p.7.

Books）在很多方面都比印製出版品優越。」❼❸ Gertrude Himmelfarb
說：「假使我想要用聖經用語索引（Concordance）來查聖經，沒
有比國際網路（internet）更好的媒介了。但是如果我們想讀聖經，
研究聖經和思考聖經的內容，我們應該手持一本，那是唯一進入
我們頭腦和內心的唯一辦法。」❼❹目前在多媒體和電子科技方面
最熱門的雜誌是《網路》（Wired），是印製出版品❼❺。因此眞正
的辯論是關於閱讀和閱讀最佳的方法是甚麼（Reading and the best
means of reading）？絕大多數用紙的印刷是電腦技術的產品。討
論印製出版品和電子技術的優劣是沒有意義的。

　　「萬般皆下品，唯有讀書高。」我們圖書館界的人士當然是
站在「圖書」一邊的。Gertrude Himmelfarb 說：「在銀幕上看影
像覺得有流動，不定和易變（Too fluid too mobile and volatile）使
我不能凝聚思想，我們會變得不耐而想很快的轉到下一個鏡頭。」
❼❻ Stanley Fish 說：「手上拿的書，架上陳列的書以及列入卡片目
錄，書本目錄的書都讓我們以爲書本是沒有生氣、不動的東西。
但是當我們擱下圖書時，我們忘了當我們閱讀時書是動的（如翻
動書的頁數，書的起承轉合以及章回結構），讀者往往不自覺的在跟著
動。」❼❼

❼❸　Ibid p.15.

❼❹　Gertrude Himmelfarb. "Revolution in the Library" *American Scholar* V.
　　66 N.2 (Spring 1997) p.1.

❼❺　Michael Gorman op. cit. P.13.

❼❻　Gertrude Himmelfarb op. cit. p.5.

❼❼　Peter Lymin What is a digital Library. *Daedalces* Fall 1996. p.7.

　　圖書館員是喜歡書的，我當然也不例外。最近我買過一本書，書名是：《*The 2000 year old man in the year 2000, The Book.*》是1997年出版的新書。作者 Mel Brooks, Carl Reiner 是文藝影劇界的巨頭，他們是猶太人。我沒有找到書評，只看到書封面上的宣傳廣告（他們稱之為 Advance praise）。我略一翻閱就買了下來，因為「The Book」兩個字打動了我的心。實際上這本書的內容只是兩個幽默的文人在說「相聲」，與「書」沒有太多關係。在導言中他們說：「上帝可曾告訴摩西把十誡刻在錄影帶上？答案是否定的。」**78**

㈥科技的瓶頸和遠景

1.圖書館運用現代科技的作法應該徹底檢討

Richard De Gennaro 說：「在二十年前當我們開始引進電腦時，我們以為可以節省經費。後來圖書館自動化，我們又以為能夠減少開銷，事實證明這些都是一相情願的錯覺和幻想。William Summers 指出兩種因素造成這種現象：**79**

　　‧圖書館網路的發展是從大型圖書館開始，因此對於小型圖書館的情況了解得比較模糊。

---

78 Mel Brooks and Carl Reiner, *The 2000 your old man in the year 2000: The Book.* （Cliff street Books 1997）, pxviii.

79 William Surmmers: "Roads not taken: Some Thought about Librarianship." *Library Performance Accountability and Responsiveness* （Ablex Publishing Corp. Norwood New Jersey 1990）, pp128-129.

· 檢討得失是站在圖書館立場而不是站在讀者的立場。

俗語說：「當你手中唯一的工具是一把釘錘時，所有的工作對象看起來都像一粒粒的釘子。」William Summers 又說：「我們的專業運用電腦，走的是變動圖書館的運作、程序和觀念的路，而沒有試着走另外一條，讓電腦作不同和更好服務的路❽」經過二、三十年的努力我們還在問：「這樣建立的系統會使我們的服務更好嗎？❽」John Swan 說：「電腦革命會提供更好的硬體和軟體，但是要做到只有紙張才能夠提供經驗和傳播資訊是很難的。❽」電腦不能完全取代圖書，正如同圖書不曾取代語言。口述、印刷和數位媒體不是三選一的（alternatives）這些傳播模式的相互關係構成了知識。

2.「人無遠慮，必有近憂。」

在公元2000年元月一日那天，世界所有電腦主機，其程式以二位數字紀年的（to read yeas as two-digit numbers）都會無法適應，可能被電腦解釋為2000年，也可能被解釋為1900年，電腦專家稱這個問題為「千年蟲困擾」（year 2000 Bug）。據說美國聯邦政府將動用 U. S. ＄3.8 Billion, Chase Manhattan 則將花費 U.S. ＄250Million 來解決「Y2K」問題。《People》雜誌報導說，有位工業專家 Bob Bemer 宣稱每一電腦主機的調整他只要求 U.S. ＄

---

❽ Michael Gorman op.cit. p.4.

❽ William Summers op.cit. p.129.

❽ John Swan "The Electronic Straitjacket" *Library Journal* April 15 1993. p.44.

300,000的報酬。這位曾經參與設計 ASCII，使全世界電腦傳播成為可能的密碼。他的法寶定名為 Vertex 2000。此一產品據稱可以調整電腦的目標密碼（object code），也就是電腦的本來語言（Native language），而數字紀年將改為四個數位化數字（Four digit numbers）[83]。除了《people》雜誌外，有興趣者也可以參閱1998年2月11日《世界日報》轉載《New York Times》 Feb. 8.1998的報導。《世界日報》標題是「西元二千年，電腦困惑多，碰上是閏年，問題加一樁。」[84]

3.高瞻遠矚，發奮圖強

資訊的「富」、「貧」，將世界中的國家劃分為已開發國家家（Developed countries）和開發中國家（Developing countries）。前者憑仗着國力，主要是資訊能力（Information know-how）。在國際舞台上頤指氣使，不可一世。後者和第三世界只有噤若寒蟬，聽天由命。基於「臨淵羨魚不如歸而結網」，發奮圖強是若干國家必走的路。

根據香港《南華早報》報導，中國計劃對高科技大量投資，目的在於公元2020年時，科技實力躍居世界第二。當局決定釋出資源，大力發展科學與技術。這項高瞻遠矚的計劃重點為：
・大幅增加各大學研究基金
・在深圳等城市設高科技工業園區

---

[83]　People. "Zero hour" Feb. 9th 1998.

[84]　《世界日報》Feb11, 1998.

．大型國有企業將獲得科技轉移的補貼

．在各大產業工廠建立幾十個博士後研究站

這項計劃由國務院在全國人大工作報告中提出。當局認為：「如果國家經濟的高科技成就達到先進標準就不會存在泡沫經濟問題。」「加速發展高科技部門將使中國不會出現最近亞洲所發生的經濟危機。」《世界日報》轉載這項新聞的標題是：「下世紀要成為第二大科技國、科技投資、當局大手筆。」**❽❺**我看了這段新聞感慨萬千。臺灣海峽兩岸同為大漢子孫、龍的傳人。如果海峽對岸可以做得到，在和平競賽的情況下，海峽這邊是否也應該未雨綢繆，急起直追呢？

四、結論：只能成功、不能失敗、共存共榮才能雙贏

二十一世紀資訊社會即將來臨，圖書館將如何自處？怎樣適應？Gertrude Himmelftarb 說：「我們面對的是兩種革命——智能革命和技術革命（Intellectual and technological revolution）。」**❽❻**

若干年前，我曾在《時代》雜誌（Time）上看到一篇文章。篇名是：〈你最近聽過一本好書沒有？〉（Have you heard a good book lately?）而不說「你最近看過一本的書沒有？」這是因為這

---

❽❺　《世界日報》1998年三月十日，又 Trevor Haywood 對中國在科技方面的發展，認為是必然會成功的，請參閱 Info-Rich. Info Poor p.124.

❽❻　Gertrude Himmelfarb op. cit. p.4.

篇文字是報導錄音帶在圖書館的廣泛應用。大家只聽帶子而不看書，成爲當時有識之士的隱憂。最近一期《新聞週刊》（Newsweek）登載一篇有關技術的文字，篇名是〈你同我講話嗎？〉（Are you talking to me?）MIT 電腦實驗室主任 Michael Dertouzas 說：「語言最後必然取代滑鼠和鍵盤。」本文作者 Brad Stone 說：「幾種新的軟體都會讓你和電腦講話，但是電腦能聽進多少？」**❽**由於科技的進步資訊越來越容易也能更快的達到資源共享，因此圖書館事業必需徹底合作，共享專業技能和交換經驗。不可以侷限於當地而是應該擴大成爲國家和國際化。**❽**一部近代圖書館進展史本來就是成功的將新技術和新傳播工具吸收到圖書館服務的記錄。我曾說過圖書館學是不斷變動的科學。圖書館的宗旨屹立不搖，但是永遠願意嘗試新的方法以完成目標。

就智能革命而論，革命的對象不僅僅是服務而是針對圖書館的基本概念（concept）。首先，圖書館必須要放棄自給自足，萬事俱備的大館思想。我們常常聽見圖書館員說：「我們對任何問題都有資訊（We have information on anything）。Mathew Lesko 反對這句話。他說很少讀者有任何問題（Anything problem），每個人都有特殊的問題」（Specific Problem）。**❽**

其次，在公共圖書館裏陌生的人可以坐在一起閱讀。「和平

---

❽ Brad Stone: "Are you talking to me?" *Newsweek* March 2, 1998 p.85.

❽ Hannebre B. Rader: Educating students for the information age: The Role of the Libraries paper presented at the 1st China-United States Library Conference. Jan25. 1997.

❽ Mathew Lesco op. cit. p.87.

爲處世之本」，很少公共場所能夠完全擺脫種族、年齡、社會地位的考慮。❾⓿ Marina Snow 說：「人是需要別人的。特別在圖書館裏，運用科技器材越缺之人性（dehumanization），活潑館員的出現越是重要。」❾❶這就是我們所謂的「人的因素」（human factor）。Tom Peters 和 Robert Waterman 合寫的第二部名著《卓越的熱忱》（*A Passion for Excellence*）將《追求卓越》（In Search of Excellence 他們合著的第一本）中八大要素減縮爲三大要素「顧客、革命、人」（customers, innovation, people.）。❾❷顧客（Customers）在原來八大要素中排名第二。原文是「和顧客接近」（staying close to customers），Bob Mckee 甚至主張完全廢除借書者、讀者、使用者和買主（borrowers, readers, users or patrons）。以上這些稱謂，他認爲這些名詞太被動而且過份強調供求（too passive and supply-led.）。圖書館提供服務而本身就是供應單位（Supplier）。另一方面顧客（Customers）是選擇服務和產品的人。顧客（customers）到圖書館來就是選擇了（choose）圖書館。❾❸

在未來的世界圖書館和圖書館員將會越來越重要。所有的圖書館都需要將新穎電子化的資訊和儲存的圖書結合起來。高科技要能夠讓資訊使用便利而不是製造能夠付費的特權階級。現代人都可以從電視節目中得到消遣，但是卻缺乏不花太多金錢而能得

---

❾⓿　Peter Lyman op. cit. p.23.

❾❶　Marina Snow Forward with people *The Journal of Academic Librarianship*. Vol.20 No3 1994 p.142.

❾❷　Richard F. Barter JR. op. cit. p.4.

❾❸　Ibid. p.6.

到知識。這就是圖書館成立的原因。

　　就印製出版品而論，Michael Gorman 採取樂觀的態度。他說：「印刷出版沒有死亡，沒有接近死亡甚至沒有病入膏肓，紙張仍然是表達思想最好的工具。」❾❹既然不至於「無紙」，當然更不至於「無書」。James H. Billington 說：「圖書，這個最友好的傳播媒體，會永垂不朽。我不相信我們的子孫會在電腦銀幕上閱讀莎士比亞和 Moby Dick」❾❺。

---

❾❹　Michael Gorman op. cit. p.51.

❾❺　Jame H. Billington op. cit. p.51. Moby Dick 是魚的故事，曾製成電影。

大學圖書館和大學
是生命共同體

一、論題的背景

1.大學的使用

大學的使命，如眾週知是：

　　教學、研究、推廣

首創這個主張者是美國教育學者柏金絲（James A Perkins）
他在其名著《轉變中的大學》（*The University in Transition*）一書
中指出大學有三重使命（Three fold mission）：❶

　・取得知識（acquisition of knowledge）以從事研究

　・傳播知識（transmission of knowledge）以從事教學

　・運用知識（application of knowledge）以從事推廣

後來他爲「卡內基高等教育委員會」（Carnegie Commission

---

❶　James A. Perkins: *The University in Transition*（Princeton University Press
　　Princeton, NJ 1966）pp.9-10.

on Higher Education）編寫的研究報告《大學的組織》（*The University as an Organization*）中又一再宣導他的教育思想，如果我們在閱讀這兩部重要專書時稍加注意，便會發現他的理念有兩項特徵：

首先，大學三大使命的排行，他將研究在教學之前，這不是偶然，而是三思而後行的結果，他認為大學不同於學院，前者重視研究，後者關心教學。

其次，柏金絲（Perkins）強調「知識」在高等教育中的重要性，在大學中資訊的取得可能有各種不同的來源，但是只有圖書館才是「知識」的總匯。

2.大學和大學圖書館

若干學者專家認為大學與大學圖書館具有「榮辱與共」、「休戚相關」的關係。艾肯士（Stephen E. Atkins）就是其中聲名卓著的人物，在他所寫的《美國大學中的學術圖書館》（*The Academic Library in the American University*）一書中從頭到尾充份表達了這種觀念，他引用哈特（James D. Hart）的名言：❷「大學不可能偉大，除非這所大學有一個偉大的圖書館」（No university can be great unless it has a great library）。該書的第一面，他又引用賴德（Fremont Rider）的話說：❸「大學教育的成效和大學圖書館的

---

❷ James D. Hart "Search and Research: The Librarian and the Scholar," *College and Research Libraries* 19. (September 1958) 5:366.

❸ Fremont Rider *The Scholar and the Future of the Research Library. A Problem and its Solution* (New York: Hadham Press 1944)p.8.

成長有直接的關係。」圖書館學大師藍因（Maurice B. Line）也支持這種觀念，他指稱：「高等教育和學術性圖書館的相互關係是無可避免的。其中一方略爲變動就會影響到另一方。」❹亨特（Christopher J. Hunt）在圖書館學理念上是和藍因（Line）極爲接近的，他進一步解釋說：「就定義而論，一所學術圖書館是機關（指大學）中的機關。（An institution within an institution）我們常常自己認爲是大學的神經中樞，由於這種心態，圖書館在運作時整個母體（parent body 指大學）的特性和效能必需同時檢討。……大學圖書館在大學環境中並沒有壟斷資訊服務，往往只能以資料運用的效益，而不是依據學術的原理爭取經費」❺艾肯士（Atkins）則爲校方着想，他說：「大學當局有責任使整個機關順利的運作，而圖書館不過是整體中的一環，就需用經費而論，圖書館的需求好像一個無底洞。」❻「圖書館本身也並不是毫無瑕庛。少數圖書館長的強勢作風，企圖以圖書館爲權力基地（Power base）左右校方重大決策。」❼引起反彈。某一評論家指稱「圖書館是每個人的第二優先選擇（Second priority）❽」基於這種情勢，卡拉拉多學院（Colorado College）院長雷列（Greham Riley）在全美

---

❹　Maurice B. Line *Academic Library Management* (London: The Library Association 1991) p.185.

❺　Ibid p.7.

❻　Stephen E. Atkins *The Academic Library in the American University*. (Chicago A.L.A. 1991)P.93.

❼　Line op. cit. p.10.

❽　Atkins op. cit. P.56.

第三次大專研究圖書館年會率直的指出：「顯然的，圖書館不是大學的心臟」（Clearly, the library is not the heart of the college.）❾這些不利的言論，頗值得深入檢討，以我個人管見加之閱讀文獻心得，我認為大學圖書館的問題可以八個字形容——「先天不足」、「後天失調」。

二、從歷史說起

1.大學圖書館是現代化圖書館的拓荒者（pioneer）

以現化圖書館事業的發展而論大學圖書館是先驅者，其出現遠在公共圖書館、國立圖書館之前，我國青年才俊學人薛理桂指稱出❿：「牛津大學早期的圖書館是學院圖書館，最早的是大學學院建於1280-1292年」，「劍橋大學圖書館……1470年建立一所新的圖書館，替代原有的圖書室」而「大英圖書館成立於1973年，從原有的大英博物館（成立於1753年）獨立出來」⓫關於英國方面有關大學圖書館事業發展的資料可參考他的專著，本文不擬浪費紙張多加討論。

美國為現代圖書館事業最有成就的國家，文獻也較為完整。因此也成為我寫作本文運用資料的重點。

---

❾　Larry Hardesty *Faculty and the Library: The Undergraduate Experience*. (Norwood, NJ Ablex Publishing Corporation 1991) p.3.

❿　薛理桂，《英國圖書館事業綜論》，（臺北：文華，82年），頁103。

⓫　Ibid p.1.

　　希拉（Jesse H Shera）論及美國在殖民地時期的圖書館史（The colonial library）時說：約翰哈佛（John Harvard）在1638年死於英國，遺囑將遺產及400冊圖書捐與大學，校方感激之餘將大學校名訂爲哈佛學院（Harvard College）⑫克理蒙斯（Harry Clemons）也有同樣的說法，唯一不同之處他指出這400冊（volume）是329種圖書（titles）。⑬

2.「篳路藍褸」克難經營

　　早期的美國大學圖書館經費極爲困難，以「捉襟見肘」四字來形容並無誇張之嫌，泰伯（Maurice F. Tauber）報導，哥倫比亞大學（Culumbia University）圖書館經費如下：⑭

年　代	圖書館經費（以美金計算）
1825	$ 177.44
1827	$　44.57
1832	$　51.75
1843	$ 100.00
1851	$ 400.00

至1862年圖書館經費增加至 $ 500.00，泰伯（Tauber）說在那個

---

⑫　Jesse H. Shera, *Introduction to Library Science* (Littleton, CoLo Libraries Unlimited 1976) p.33.

⑬　Harry Clemons. *The University of Virginia Library 1825-1950* (Charlottesville: University of Virginia Library 1954), p.2.

⑭　Maurice F. Tauber *The Columbia University Libraries* (New York: Columbia university press 1958,) p.10.

時期這是讓人驚訝不已的大手筆。（Astonishing Maximum）由於
經費拮据，大學圖書館10%的書藏是從直接採購而來❶。大學本
身的情況，也乏善可陳，稍有規模的大學，教員才有十名以上，
美國西部、南部的大學僅有教員四至六名。這些身負教學重責的
人都算不得學者，多半是具有神學訓練的牧師，圖書館長通常是
教員兼任，其職責祇是保管圖書。❶

3.早期環境的檢討

美國歷史短暫，在1776年以前，東部十三州是英國殖民地，
因此很多措施，都是向英國看齊，艾其士（Atkins）稱之為「仿
效英國的模式」。早期的美國大學企圖成為英國大學的翻版。這
種打算並沒有為英國當局接受，英國認為殖民地的子弟到牛津、
劍橋接受教育就可以滿足新大陸的需求，事實上這些殖民地大學
和當地士紳領袖都是接受英國大學洗禮的人物，因此無論在宗
旨、課程、教學方法都受了英國的影響。❶

以出版情形而論，在1639-1800年期間，十三州殖民地和建國
不久的美國一共出版39,162種書籍❶。哥倫比亞大學圖書館的藏
書在1870年間為14,120冊❶。大學圖書館缺乏購書的經費若干地
方行政機關出面支援對於圖書館館藏建設，可以稱為「及時雨」。
例如維京利亞州議會（Virginia General Assembly）通過法案的進

---

❶　Atkins op. cit. p.4.
❶　Ibid pp.5-8.
❶　Ibid pp.2-3.
❶　Clifford K. Shipton. *American Bibliography of Charles Evans*.
❶　Tauber op. cit. p.10.

口酒類每加侖徵收一分錢貨物稅，其中部份即供威廉與瑪莉學院（College of William and Mary）採購圖書之用❷⓪。

美國大學圖書館「否極泰來」是在1883年5月7日，那天開始墨菲爾杜威❷① （Melvil Dewey）就任哥大圖書館長，他的年俸是美金＄3,500──一個聞所未聞（unheard of）破天荒的數字，泰伯（Tauber）說這一天是圖書館現代化的轉捩點❷②。因為在杜威（Melvil Dewey）的卓越領導之下，哥大圖書館書藏增加到75,000冊，而他設計的 Low Memorial Library 於1898年開館，計劃收藏圖書750,000冊。同年，他遭排擠而離職，「燕雀安知鴻鵠志」如果不是劣幣驅逐良幣，今日的圖書館事業將是一個大不相同的局面。

研究美國大學圖書館發展史，我們會發現一個特色，那就是若干重要的大學圖書館都出版有報導自己成長的專著，以哥倫比亞大學圖書館為例，至少有：

林德曼（Winifred Linderman）著，《1926年前的哥倫比亞大學圖書館》（A history of the Columbia University Libraries）；

白特勒（Nicholas M. Butler）著，《哥倫比亞的圖書館》（The Libraries of Columbia）及；

泰伯（Maurlce F. Tauber）等著，《哥倫比亞大學圖書館》

---

❷⓪　Clemens op. cit. p.3.

❷①　關於 Melvil Dewey 的生平和貢獻請參閱敝著：〈兩個杜威──從這個杜威聯想到那個杜威〉。

❷②　Tauber op. cit. p.1.

　　（The Columbia University Libraries），

　　維京利亞大學 University of Virginia 則有

克理蒙斯（Harry Clemons）著，《維京利亞大學圖書館》
（The University of Virginia Library）

　　泰伯（Tauber）和克理蒙斯（Clemons）兩書都是我珍藏的圖書，克理蒙斯（Clemons）則親筆簽名贈送一冊與我，他是美國圖書館界先進之中的知名之士，我謹將他的筆蹟影印如下，一方面感謝他的盛情，再則表示個人對先賢的敬意。

UNIVERSITY OF VIRGINIA LIBRARY

Inscribed for
Librarian Harris B. H. Seng.
the distinguished son
of a distinguished father.
by Harry Clemons

原文的意義是嘉許先嚴與我父子二人，茲勉強譯為

> 題　贈
> 沈××館長，
> 一個傑出父親
> 的傑出兒子。
> 　　　亨利·克里蒙斯

這些專書雖然爲自己的大學圖書館編寫的，但平心而論絕對不是宣傳和公關文字，而是眞正學術著作，反映出某一特定時期內的學術狀況，例如泰伯（Tauber）敍述哥倫比亞大學圖書館發展史之外，還提供若干大學圖書館應該扮演的角色，他指出：㉒

　　(1)圖書館是教育的心臟。

　　(2)圖書館是學習的寶庫。

　　(3)良好的教育沒有良好的圖書館是不可能的。

　　(4)沒有良好的圖書館就不可能有優良的教員。

　　(5)正確運用知識資源圖書館是必要的。

　　(6)保持自由取得思想和不受約束的心靈運作，圖書館是無比重要的。

　4.好景不常

　　大學圖書館在近幾十年裏也渡過一段揚眉吐氣的日子，羅森伯倫（Joseph Rosenblum）以進化論的觀點，將近代圖書館專業之變動分爲三個時期：㉓

　　・1960年代是採購工作的時期

　　・1970年代是整理工作的世界

㉒　Tauber op. cit. p.1.

㉓　Joseph Rosenblum: "Libraries for the Users" *Reference Librarian* Fall, Winter 1981 p.98.

・1988年代是參考工作的天下

　　我在〈資源共享〉一文裏指出：「在1960年代由於圖書經費充足，採購工作可謂予取予求。」❷羅森伯倫（Rosenblum）所謂的採購時期也就是「大館思想」達於高潮的時期，艾肯士（Atkins）同意這個看法，他認爲在1950-1960中期，大學圖書館得到強烈精神和經濟方面的支持❷。我寫這篇文字的目的是發掘問題而不是站在「報喜不報憂」的立場，因此無意多花篇幅報導 sweet memories。

　　問題在那裏？貝絲勒（Joanne Bessler）❷以統計數字表達她的不滿，她說：

・在 X 大學，不到師生一半的人數，在一整個學期之中借閱一本圖書。

・在 Y 大學，教員之中只有2.4%的人數，在運用期刊學報作研究，尋求圖書館員的支援。

・在 Z 大學，教員在檢索資訊時，圖書館在排行榜上名列第三。

她追問：學術界出了甚麼毛病？圖書館的地位比如眾週知的差勁嗎？讀者究竟知不知道好歹？

---

❷　沈寶環，《圖書館學與圖書館事業》（臺北：臺灣學生書局，民77），頁2。

❷　Atkins op. cit. p.37.

❷　Joanne Bessler： "Do Library Patrons Know What's Good for them?" *The Journal of Academic Librarianship* 1990 V.16. No.2. pp.76-85.

三、問題的檢討

貝絲勒（Bessler）所關切的問題，大牌學人如柏克蘭（Michael K. Buckland）和藍因（Line）都早已提出，而且以更得體的文字表達，藍因（Line）說：「怎樣才算是一個良好的圖書館（What is a good library?）不但很難下個界說，加以解釋更不容易。」❷⃝其實他是過份謙虛，我在本文多次引用他所編著的《學術圖書館管理學》（*Academic Library Management*）整本書就是闡述他如何建立良好圖書館的理念，柏克蘭（Buckland）所用的文字和藍因（Line）大同小異，他運用「那些條件構成圖書館的偉大？」（What constitute "Library Goodwess"）❷⃝和藍因（Line）一樣，他也不肯直截了當提出答案，關於這點，我在以後會略加說明。

一般學者將注意力集中在圖書館的困擾上，大體而論他們認為：

・經濟不景氣使得圖書館經費受到削減。

・資訊爆破，出版品充斥，採購價格不斷上升。

・科技進步帶來激擊。

・圖書館服務項目增加，而人手顯然不足。

他們所指的圖書館不限於大學圖書館，但是大學圖書館當然包括

---

❷⃝　Line op. cit. p.185.

❷⃝　Michael K. Buckland, *Library Services in Theory and Context* (New York: Pergamon Press 1983,) p.11.

在內，我同意這些觀點，在本文後部也會列入討論，但我覺得還有若干值得考慮的因素：

1.自我反省

以述各項困擾，我覺得圖書館有把責任都推在別人和環境頭上之嫌，比較公允的做法應該先捫心自問，我們這一行專業是否盡到了自己的責任。

A.需要深入的研討

希爾（Janet S. Hill）頗為自信的說：「圖書館學有權利稱為一種學術體系」，㉙麥金茲（A Graham Mackenzie）則有一點懷疑的態度，他說：「圖書館學還不是一門科學」，（Librarianship is not yet a science），當它包含了人類生活中的許多因素，它怎可能呢？在認可以前還有製作理論的空間。」㉚雷茵（Daine）指出由於研究圖書館問題的論著並不多見說明了圖書館事業作為一個專業，它的身份是不清不楚的。㉛圖書館專家所作的研究也遭遇到批評，艾肯士（Atkins）說當前在圖書館專業人員所作的研究不外兩種，一種是依照社會科學研究法所作的研究，另外一種「我的圖書館是這樣做出成績來的」（How my library did it

---

㉙　Janet Swan Hill Wearing, "Our Own Clothes: Librarians as Faculty," *Journal of Academic Librarianship* VoL20 No.2 1994 May p.72.

㉚　Line op. cit. p.204.

㉛　Atkins op. cit. p.172.

good）。這些研究是沒有甚麼價值的。❸❷換句話說，圖書館員對於自己有關的問題不僅要研究，而且要多作像樣、有學術價值的研究。

B.圖書館缺乏一套真正能評量自己成效的準則

麥金茲（Mackenzie）說何謂成效評量？（Performance Measurement），它絕不專門看統計數字，例如「去年本館動用30萬鎊經費採購圖書，6,000讀者借書75,000冊」。

這些龐大數字的統計可能讓人看來肅然起敬，口頭報告時也會使聽者動容，但是這些數字本身並不具任何意義，儘管圖書館可以將長年數字收集起來，或是和別的圖書館比較並不能顯示圖書館在實際上如何運作，他進一步解釋說：❸❸「有人借用一冊書三個月，另外一個人在館內瀏覽雜誌十分鐘，從表面上看前面一個人圖書館服務比較週到，三個月比十分鐘使用價值來得有效益，但是我們不知道借三個月圖書的人怎樣用這本書，他碰過這本書沒有。」統計數字是不可靠的，它常有或多或少的錯誤，我說過我曾經閱讀過一本書名為《統計會撒謊》（*Statistics can lie*）的一本書，資訊的出（output）和入（input）更不是統計可以解釋的。

---

❸❷ Ibid p.173.

❸❸ Line op. cit. pp.196-199.

2.母體蛻變

大學圖書館是大學組織中的一部份，但是二者都具有生命有機體的特徵，因此僅僅以「官僚體系」（Bureaucracy）的觀點來檢討二者的關係並不完全合適，依生物學的觀點，大學是母體（Parent Organization），圖書館只是子體（off spring）之一，母子之間血濃於水，大學在動，圖書館焉能不動。

A.數字直線上昇

根據《中華民國教育報告書》報導：❸❹

> 83年學年度國內公私立大學院校（不含軍警院校及空中大學）總計58校，已核准及計劃籌設中的尚有12校，另將選擇績優專科學校改制爲技術學院，預估在公元2000年將有大學院校80所，學生人數高達398,360人，就前述學生人數成長之預估，至89學年度，大學部招生規模將超過80,000人，屆時大學生人數約占同年齡層人口數的20%，若再加上專科學校部份其比例更將高達40%。

又〈行政院教育改革審議委員會的報告〉建議，台灣的高等數量上需要繼續增加，許倬雲說：「很多人想回學校再上學，卻沒有門進去，高等教育的需求愈來愈大。」❸❺

---

❸❹　《中華民國教育報告書》，（臺北：教育部，84年2月），頁78。
❸❺　《聯合報》，84年4月9日。

美國的情況根據克拉克（B. R. Clark）報導❸❻，全美有大學
3,000所，學生數約12,000,000人，教員專兼任合計約700,000至
800,000人，這是1987年的數字，1995年的數字當更為驚人。

我將中、美兩國大學院校的統計數字，並不僅在於指出高等
教育成長是一個不可避免的趨勢，我想要進一步說明國情造成的
差異，美國大學的成長是在第二次大戰後，原來預計只有150,000
至700,000間的學生會接受有高等教育，「退伍軍人福利法案」（G.
I. Bill）的通過，使得退伍軍人大批擠進大學之門，總人數超過
2,232,000人❸❼（專指退伍軍人），這種現象讓大學措手不及，大學
的成長多少有點「逼上梁山」的感受，我國的高等教育是有計劃
的拓充，一方面「大學教育勢必顧及普及化的需求」，另一方面
兼顧提昇高等教育學術水準的目標。❸❽

B.內涵不斷擴大

如前所述，殖民地時代的美國十三州的大學教育是以英國
「馬首是瞻」的，英國高等教育在那時重視造就牧師和政治家，
殖民地學院亦步亦趨照樣訓練傳教者和政治人物，入學資格以
品性端正，具有拉丁和希臘文字能力的青年，經過冗長的口試

---

❸❻ B. R. Clark, *The academic Life* (Princeton, NJ The Carnegie Foundation for the advancement of Teaching. 1987,) p.54.

❸❼ Thomas N. Bonner "The Unintended Revolution in Americas Colleges since 1940." *Change* 18 (September - October 1985) 5:46.

❸❽ 〈中華民國教育報告書〉，頁78.

便可錄取❸。這些大專院校提供的都是非常普通的課程，因此不太需要有規模的圖書館，書藏以聖經和語文學（拉丁、希臘文字）圖書爲主，在美國獨立以前，大專院校也無法建立像樣的書藏，因爲出版品本來有限，從歐洲採購圖書，財力無法負荷，而且維護（preservation）也是問題。

美國大學眞正的進展是在十九世紀的最後30年，哈佛學院（Harvard College）院長伊利亞特（Charles William Eliot）大力修訂課程，他自1869年開始就主張建立選修（elective system）達四十年之久，由於課程革新，導致教授人數的增加，建立實驗室，而圖書館也受惠不淺，變戲法式的加強書藏。❹

1876年的約翰霍甫金絲大學（John Hopkins University）成立研究所（Graduate School），在美國高等教育史中是一件大事——摒棄了長遠以來的英國模式轉向接納德國的教育思想和方法，那時的青年嚮往德國，據估計在19世紀在德國「學術朝聖」（Academic Pilgrimages）的美國大學生在10,000名以上，在德國受教育比在美國本土的費用要便宜得多，這些留德美國學生學成歸國對美國高等教育發生強大的影響力，據說1884年的約翰霍甫金絲大學（John Hopkins University）全校教員都是留德學生，而該校的1,400名畢

❸ Richard Hofstadter and C. Dewilt Hardy, *The Development and Scope of Higher Education in the United States* (New York: Columbia University Press 1952) pp.11-12.

❹ Frederick Rudolph, *The American College and University, A History* (New York: Knopf 1965,) p.300.

業生中又有1,000名在其他大學任教❹。德國可以說是對美國高等教育最有影響力的國家，研究所的成立加強了研究工作，史丹佛大學（Stanford University）、芝加哥大學（University of Chicago）這些今日以研究聞名於世的學府就是在19世紀末期奠立的基礎。❷關於研究工作將在以後另行說明。

四、圖書館管理學的真諦

圖書館事業是吃力不討好的工作，不容易看出成效。美國圖書館學會（A. L. A.）的出版品《進入資訊時代》（*Into the Information Age*）中以失望的口氣說：「這是一個奇怪的世界，儘管圖書館事業用盡氣力向前奔跑才能留在原地打轉，而只有少數運氣不錯的圖書館才能留在原來的地方。」❸為了擺脫這種尷尬的局勢，圖書館管理學脫穎而出，史提爾（Robert D. Stueart）在與筆者先師伊思里克（Juhn F. Eastlick）合著的《圖書館管理學》（*Library Management*）一書中說：「這部書的企圖有三，檢討成為一個機構的圖書館所遭遇的變化，圖書館中個人和團體的行為以及圖書館和館員，讀者圖書館工作人員的關係。」❹這部書

❹ Ibid pp.270-71. p.336.

❷ Atkins op. cit. pp.14-15.

❸ Vincent Giuliano, Martin Ernst, Susan Crooks and James Dunlop, *Into the Information Age: A Perspective for Federal Action on Information* (Chicago: American Library Association 1978,) p.108.

❹ Robert D. Stueart and John Taylor Eastlick, *Library Management* 2nd.ed. (Littleton, Colorado Libraries Unlimited, inc. 1981) p.13.

開風氣之先，我承作者好意親筆簽名送我一本，台灣書市之中有劉碧如譯本，我國青年學人廖又生進一步解釋說：「圖書館管理是一門典型的科際整合學科，旨在追求館員們群策群力，以竟事功的圓滿境界，圖書館管理能否上軌道，是衡量圖書館組織現代化的唯一指標」……「圖書館管理乃是綜合科學與藝術所形成的一門專業，其科學層面着重於純粹理論的鑽研，藝術層面則須經由實務歷練以獲陶冶。」⑮他將實務與理論並重，科學與藝術兼顧的觀點深獲我心，茲將個人若干想法和觀念簡略陳述如下：

1.「推己及人」──「人」的因素

A.校長的領導

歷史顯示，若干優良的大學圖書館都是偉大的校長積極介入運作的結果。包定（Robert E. Brundin）說：「哈佛學院院長伊利亞特（Charles William Elist）對於學院圖書館長溫沙（Justin Winsor）長年以來多方面的支援，使得院圖書館既能拓充書藏，更使服務進步。」⑯使得哈佛學院圖書館成了金字招牌，是大學圖書館史裏的一段佳話。

大學校長對於圖書館的作用有四方面：

・物色合格的圖書館長。

---

⑮ 廖又生，《圖書館管理定律之研究》（臺北：臺灣學生書局，民81年）pp.V-VI.

⑯ Robert B. Brundin "Justin Wisor of Harvard and the Liberalizing of the College Library." *Journal of Library History* 10 (Jan 1975) p.67.

‧評審及批准圖書館長程發展計劃。

‧撥付圖書館必需的經費。

‧考核圖書館長以及圖書館的工作績效。 **㊼**

但是校長「日理萬機」校內校外的事都要參與，實在沒有精力和時間過問圖書館運作的細節。

B.日趨學科專精的教授群

教授是人種（The species）中優秀的族群，也是社會一般人士嚮往羨慕的對象，在大學中學科的過份專精（Too much specialization）和外表分歧（too divergent an outlook）的結果造成四分五裂的教授群**㊽**。因此教授常以個人狹窄的經驗和自己系所的立場來看圖書館，若干教授將圖書館的重要性排列第三位，在私人藏書和新購買的圖書之後。**㊾**對圖書館使用而論，教授長遠以來享有特殊的權利，例如借書數字和借用時間都和其他讀者不同，如果圖書館企圖修訂規則，涉及教授特權都會遭遇到教授堅持和頑強的抵制。**㊿**藍因（Line）說在這種情勢下，「圖書館員把教授看成皇帝或是完全不理會教授都是錯誤的」。**㉛**

㊼ Danial T. Seymour, "Higher Education as a Corporate Enterprise," *College Board Review* 147 (Spring 1988) pp.2-4.

㊽ Atkins op. cit. p.122.

㊾ H. C. Morton and A. J, "Price Views on publications, Computers Libraries," *Scholarly Communication* (1986 Summer) 5, pp.1-16.

㊿ Atkins op. cit. p.137.

㉛ Line op. cit. p.15.

C.學生是大學圖書館服務的主要對象

　　大學是爲大學生設立的，大學圖書館每天用相當長時間開放也是爲了學生。但是在校園中大聲起鬨要求圖書開放更長時間也是學生，學生人數眾多，但是圖書館經費花在學生身上並不佔應有的比例，這點在圖書館採購圖書學報時尤其顯著。❺雷爾（Guy R. Lyle）說，學生進入圖書館就好像他碰見一個生面孔的人一樣，他所看見的決定他的印象，在出納台值班的館員和學生招呼和參考館員和學生作正式的參考面談是有同樣作用的。圖書館對學生服務需要全館同仁在時間許可的情形下大家共同參與的，參考館員服務重點在於：

　　・提供所有學科的重要資訊。

　　・指導學生利用參考工具書、檢索目錄。

　　・協助學生找尋寫作研究報告的資料。

　　・新生訓練時介紹圖書館。

　　・準備書目，補充課室教學。

參考館員太忙，無法分身時，出納台值班館員也可以解答簡單、她能勝任的問題，編目館員配合教學和研究需求、儘快將書刊編目上架等。❺

---

❺　Ibid p.14.

❺　Guy R. Lyle *The Administration of the College Library.*（New York H. W. Wilson Co, 1961,）pp.353-354、134-137.

D.專業人員難為

　　大學圖書館館長本來就是一個地位崇高的職位，而其重要性正在不斷加強，林琪（Beverly P. Lynch）在〈轉變中的大學圖書館——1990年代計劃書〉（*The Academic Library in Transition -Planning for the 1990's*）中報導在芝加哥的伊利諾大學（University of Illinois at Chicago 簡稱 UIC）新聘的圖書館長爲院長級，出席院長會議（Dean's Council）❺。我國族美學人李華偉博士就擁有院長級圖書館長的頭銜（Hwa-wei Lee, Dean of University Libraries, Ohio University.）。《圖書館趨勢學報》（Library Trends）於1994年暑期出版的一期就是討論圖書館長的專集。在這一期的論文中更有幾篇以「領導者」（Leaders 或譯爲領袖）字樣替代圖書館長（Library Director）頭銜，或將這兩個名義交替運用，更有直接了當把「領導術」（Leadership）作爲篇名者，這些表達的方式都爲了強調圖書館長地位的重要性。馬丁（Don Martins）更指出領導者（Leaders）和經理人（Managers）區別。筆者將他的意見列表如下：❺

領導者	經理人
革新（Innovate）	治理（Administer）
發展（Develop）	繼續（Maintain）

---

❺ Beverly P. Lynch, *The Academic Library in Transition-Planning for the 1990's* (New York: Neal-Schuman Publishers. FNC. 1989,) p.3.

❺ Richard T. Sweeney "Leadership in the Post-Hierachical Library," *Library Trends* Vol. 43 No.1（Summer 1994）p.87.

指出方向（Set a Direction）　　　計劃（Plan）

此外在個性和特徵上，二者也有差異：❺

　　領導者　　　　　　　　　　　經理人

　　有遠見（Visionary）　　　　　重實際（Practical）

　　富於情感（Empathetic）　　　講求理智（Reasonable）

　　具備彈性（Flexible）　　　　較爲果斷（Decisive）

　　史萬來（Richavd T. Sweeney）對於領導術（Leadership）是採取高標準的。❺他說圖書館領導者要有扮演多項角色的功能：「圖書館長，是集策略家、傳播者、協調者、計劃者、引發動機者、教養者（nurturer）、能物色工作人員者（recruiter）、談判者、調停者和教師於一身。」他講來輕鬆但是眞正做到卻是難上加難。埃勁盛（Hagh Atkinson）曾經講過一個笑話來描述圖書館長的處境，他說：「每一個新上任的大學圖書館長都要準備三封信，裝在三個信封裏，到了發生危機時逐一折開，照着上面寫的話來做，當他遭遇第一次危機（Crise）時，他拆開第一封信上面有一句『把責任推在前任身上』（blame your predecessor），在第二次危機時他拆開第二封信，信紙上只有一個字『改組』（Reorganize），兩次危機平安無事渡過以後，如果碰到第三次危機，他拆開第三封信，裏面說『寫三封到別的機關求職的信』。」❺我想他一定看過英文版的《三國演義》學

---

❺　C. R. Hickman, *Mind of a Manager, Soul of a Leader* (New York: John Wiley & Sons, 1990) p.2.

❺　Sweeney op, cit. p.85.

❺　Atkins, op. cit. p.166.

會了諸葛亮的三個錦囊妙計，圖書館長的確難為。」藍因指稱「大學圖書館館長這個職位具有強烈政治性（Highly Political in Nature）的特性，政治手腕和圖書館專業知識、科學管理的技術同樣重要。」❺❾舉例來說，圖書館長以領導者的身份，他必需相當了解部屬的能力、知識、技能、需求和動機，這樣才可以積極發揮團隊精神，這樣的工作負荷使得他要比團隊中的成員花費更多的時間去學習。❻⓿在實際工作上由於篇幅限制，我只能略為提及經費這一個項目，大學圖書館經費不僅削減而且購買力削減，而系所拓充增加了圖書館採購需求預算的動用經常使圖書館長無法控制，設立院系分館規模愈大的大學圖書館這個問題更是嚴重。

圖書館員更有吐不完的苦水，待遇、職等都是迫切的問題，涉及面太廣，也不是我們圖書館界能夠「自力救濟」的，本文不擬討論。藍因（Line）認為「傳統圖書館依照功能組織（Functional Division）（如流通、參考、採訪、編目、特藏等單位）對圖書館員是不利的。」❻❶長期在一個單位工作會使上班枯燥、單調、無味，「每小時在終端機前死守40分鐘以上，任何人都承受不了。」依工作性質分工的文化，使得採編等部門成為封鎖的部門（Close Departments）。專業館員見不到讀者，因此編目人員做的都是閉門造車的工作，他們建立的書藏不能配合讀者的需求。此外，藍因（Line）還擔心這種文化造成館員心理方面（Psychological

---

❺❾　Line op. cit. p.12.
❻⓿　Sweeney op. cit. p.82.
❻❶　Line op. cit. p.167.

Aspect）的影響。如果同仁認爲某一個人是××部門的一員，會養成「我們」、「他們」的心態，很容易導致模糊的整體觀念（The Library as a whole）。**㊷**

2.支援研究——首要之「事」

無論那一種類型的圖書館，工作是永遠做不完的，大學圖書館自不例外，因此分辨「事」之輕重緩急是必要的考慮。

湯普生（James Thompson）一再強調研究工作的重要，他說：「一所大型的大學並不僅僅是一個教學單位，其主要的宗旨是研究與學術」（Research and scholarship），「偉大的大學之所以偉大並不是學生的人數，而是在研究和學術上的聲譽。」**㊽**大學重視「研究」還有一個好處就是可能加強教授對大學的情感和熱愛。「從事研究工作者認爲地位（Status）提升，對學校的忠實也會跟著提升，資深教授熱心研究工作對於學科和學校都會忠心耿耿的。」**㊾**研究工作可以使課室、教學更活潑生動（enlivens teaching），因爲教授對學科的研究愈深入，他對學生講學的內容也會愈充實，學生受益也更多。賴德（E. C. Ladd）說只有從事研究工作的才是好教授。**㊿**大學鼓勵教授從事研究，跟着來的就是大學必需提供經費、人員、設備、實驗室和一所好的圖書館，怎樣才算一所好的大學圖書館？前述的湯普生（Thompson）說：館

㊷　Ibid p.168.

㊽　Ibid pp.14-15.

㊾　Hardesty op. cit. p.82.

㊿　Ibid p.94.

藏圖書數字龐大並不夠成爲良好大學圖書館的條件，良好的大學
圖書館要在規模、深度、範圍和服務上都能支援第一線研究
（Front-line Research）和提升學術水準。」⑥但是大學圖書館的
資源是有限的，他又說：「你總不能讓大學和系所在不清楚圖書
館是否有能力支援的情形下推動野心勃勃的龐大研究計劃吧！」
因此他建議「研究精選」（Research Selectivity），不過大學圖書
館的困擾不僅如此而已，貝絲勒（Bessler）提出在1984年對47所
大學行政當局所作的調查，發現這些行政首腦對圖書館的要求不
是教學與研究，而是專業能力、技術程度和服務。⑥

3.館藏發展——「物」的問題

杜瑞（Peter Durey）在論及館藏發展政策時指稱：「有關館
藏發展政策的若干基本構想正在遭受不斷的質詢，其最顯著的檢
討就是針對着「大」就是「美」（Big is beautiful）的觀念。」⑥
他接着說：「誰也不能否認『質』、『量』並重的道理，但不幸
的是『量』經常被誤解爲『質』的同義字」。

印度學者阮甘納桑（S. R. Ranganathan）提出的「圖書館學五
律」，其中前三律爲：⑥

---

⑥ Line op. cit. p.15.

⑥ Bessler op. cit. p.77.

⑥ Peter Durey "Steady-state and Library Management," *Steady-state, Zero-growth and the academic Library* ed. By Colin Stecle (London: Clive Biwgley. 1978) p.68.

⑥ 廖又生，op. cit. p.22。又見 Shera op. cit. p.63及 Line op. cit. p.37。

(1)圖書是爲利用而存在。

(2)每位讀者要有他自己的書。

(3)每本書都需要有他的讀者。

都與館藏發展有關，加上圖書館保存文物的宗旨，社會中更流行「開卷有益」、「書中自有顏如玉」、「書中自有黃金屋」等成語，爲「大館思想」建立了理論的基礎，「大」而「美」的館藏演變成了圖書館聲望、地位的象徵（Status Symbols）。

我認爲「開卷」不一定「有益」，對於阮甘納桑（Ranganathan）的高見更不能苟同，將來我會在另外的文字中討論，在此時我願意提出幾項個人的看法。

・館藏無限制的增長違背了「生命有機體」的自然規則。圖書館是有生命的有機體。

・不同的圖書在書架上佔同等的位置（equal space），而不一定有同等或接近的價值（equal value）。

・圖書館採購圖書時就有意永久保存。

・圖書館員都是愛書的（不然不會在圖書館工作），在天性上不喜歡淘汰圖書，尤其反對因爲停止訂購而造成有欠完整的期刊學報（Broken set.）。

・只要經費不成問題，大量而且迅速的購置圖書是很容易做的事，麥考夫（Keyes Metcalf）特別指出這點。❼⓪

・供選擇大學用書而編製的書評書目沒有太大功用，例如 A. L. A.所編的《Choice》每年收集好書評6,000種，據施米特

---

❼⓪　Line op. cit. p.37.

（J. P. Schmit）和桑德斯（S. Saunders）的研究報導《Choice》予以佳評的188種圖書之中的1/4在柏都大學圖書館（Purdue University Libraries）三年之中從來沒有爲學生讀者使用。❼ 「康德（Allen Kent）等人在皮茲堡大學（University of Pittsburgh）所做的調查更爲嚴重，大學圖書館約有50％的書藏在1968-1975年間從未被讀者借閱過。」❼

　　關於眾所週知的80/20法則，本文讀者可參閱廖又生和湯普生（Thompson）的著作，我就從略了。出版品汗牛充棟也造成大館思想的沒落，以英國的出版情況而論：

1950年	20,000種圖書
1988年	62,000種圖書
2000年預計	90,000種圖書

湯普生（Thompsom）報導自1989年起，英國國家圖書館（The Brition Library）已經停止採購本國出版的全部圖書，主要是由於經濟的理由，據估計採購一冊圖書經過編目程序上架需要50英磅費用，而上架後每年維持費爲1英磅，而感覺到無法承受這樣沉重的負荷。澳洲國立圖書館（National Library of Australia）的《館藏發展政策報告書》中明白的指出「即令是世界上最大的圖書館，企圖盡收天下群籍的日子已經過去了。」又自我安慰的聲稱「減

---

❼　Hardesty op. cit. p.63.

❼　吳明德，《館藏發展》（臺北：漢美，民80年）p.197。

少採購並不一定負數發展。」❼

五、結　語

近年我國社會急遽轉變，爲大學教育帶來了衝擊。將來大學教育的走向值得我們注意者有下列數端：

1. 高等教育普及化，將來有更多的學生希望進入大學之門。
2. 由於學生增加，必然需要設立多的大專院校。
3. 因此在大學群之中，自然的形成一種和平、理性的競賽。
4. 教育革新的結果，聯合招生可能取消，學生修業年限必然縮短，新生入學可能不分系。
5. 大學行政自由化是一種趨勢，同時也增加了學校的責任。
6. 每所大學成立背景不同，因此教學、研究、推廣的工作也跟着不同。

依表面看，這些意見只是大學的事，但是大學圖書館和大學是生命共同體。大學受到影響，大學圖書館也脫不了關係，如何因應變局，圖書館應該要未雨綢繆早作準備。

尾　聲

陽明大學圖書館打算出版一份《圖書館管理學》的館刊，廖

---

❼　〈National Library of Australia：Collection Development Policy,〉1990. P10.

又生館長要我寫一篇文字。我欣然答應，爲甚麼？因爲陽明大學圖書館是一所優良的大學圖書館，在范豪英教授擔任首任館長時，已經爲這所圖書館奠定了堅固的基礎，第二任館長蔡文城教授是醫學專家，但是他關心圖書館愛護圖書館，因此也是一位好館長。最近我應邀到陽大圖書館，蔡教授也在場，他居然有耐心從頭到尾聽我一篇不知所云的一個多小時講話，他可以不必出席，更用不着聽我的廢話，我覺得一方面可以看出他修養，另一方面他以前任館長身份出席顯示他對這個單位，這個專業的愛好。現任館長廖又生教授與校長完全沒有關係。韓××校長不僅慧眼識人，而且這次人事安排凸現他的魄力，陽明大學聲譽卓著不是偶然，有一個好校長才有一所好大學，大學好大學圖書館也一定夠水準，圖書館三位主任王××、江××、葉××都是青年才俊學科專家，我和這三位小姐見面好幾次，留下深刻印象。我沒有甚麼好意見貢獻她們，我只想說一句話：「先要想到妳們是陽明大學一份子，其次才能想到你們是陽明大學圖書館的一員。」

公共圖書館社區服務管見

一、公共圖書館的功能受到質詢

「在我們的資訊社會中，爲甚麼公共圖書館不是社區中最重要的機構呢？」❶很多關心圖書館事業的人，心中都會有這個疑問，學者專家也經常在寫作中發表意見，通常是各說各話，似乎沒有取得共識。

這次提出問題者都非同小可，是鼎鼎大名的賴思可（Mathew Lesko），他創辦了四所資訊公司也是四十本參考書的編著者，其中兩種《被紐約時報》（New York Times）書評列舉爲暢銷書，他的近作《資訊權力》（*Lesko's Info-power*）更爲每月讀書俱樂部（Book of the Month Club），幸運圖書俱樂部（Fortune Book Club）和歷史書籍俱樂部（History Book Club）共同推荐爲必讀之書，這個問題是他寫一篇文章的篇名，他說：

---

❶ Lesko, Mattew, "In our Information Society, Why Isn't the Public Library the Mast Important Building in Our Community," *Public Libraries* March / April 1992. p.85-87.

如果資訊在我們社會中如此重要，爲甚麼公共圖書館在社
區中取得經濟支援會這樣艱難？如果在決策時需要適當
的資訊，爲甚麼公共圖書館很少出現人潮？❷

二、關鍵所在

賴思可（Lesko）所提出一連串問題，口氣略嫌尖銳，其實他
並無責難之意，如果讀完全文，我們可以看出他是圖書館之友，
處處爲圖書館著想，他的觀點和蘭開斯特（W. Lancaster）極爲接
近，雖然在寫作中他沒有引用「無紙資訊系統」（Paperless
information system）這個名詞，但是在字裏行間卻吐露出來他堅
定不移的信念——印製品已經不能滿足讀者的資訊需求，他說：

大多數圖書館員所受到的訓練只是從圖書中檢索讀者所
提問題的答案，……
圖書都是以歷史爲重點的，其功能在於顯示過去，但是人
們所關切的是今天和明天會發生甚麼事，而不是昨天曾經
發生過的事。❸

賴思可（Lesko）著作等身，如前所述，他自己竭力製作資訊創造
知識，大量消耗紙張，卻對圖書的用途打個問號，是值得我們仔

---

❷　Lesko 所指的是真正利用公共圖書館的讀者，並不多見，爲了準備各種
　　考試，在圖書館開門前大排長龍的青少年，嚴格的說不算讀者。
❸　Lesko, op. cit p.85.

· 134 ·

細思考的。

杜霖（Kenneth Dowlin）在十多年前就已經提出類似的主張，他說：

> 公共圖書館在社區的運作觀念有必要從「取得圖書的便利」轉變爲「取得資訊的便利」，他是大力主張公共圖書館應該向成爲密集技術社區資訊中心的方向發展的。❹

我舉出這兩段引用文獻，並不是企圖證明他們英雄所見略同，講這樣的話的專家比比皆是，尤其是在所謂開發國家圖書館界，一股科技狂熱正在流行，我的兩位好朋友范承源警告說「不要走火入魔才好」，李德竹更強調科技運作中「人的因素」，我並沒有「變節」，爲了時髦而參與「無紙」的陣營，我始終認爲圖書印製資料和現代科技共存共榮，圖書館事業才有光明的遠景，我選用杜霖（Dowlin）和賴思可（Lesko），是有深意的，十幾年來在「無紙」論者的圍攻之下圖書仍然健在，資訊社會的來臨反而增加了紙的銷路。「無紙社會」也許終將到來，也許永遠不來，我不敢隨便臆測，但是現在開出來的支票還不能兌現卻是事實，因此圖書館在現階段重視館藏發展（印製品仍然爲主）並沒有錯，讀者不踴躍有很多原因，如果把帳都記在印製品的頭上是有欠公允的。

我常說圖書館是弱勢組織，有些因素不受圖書館控制（beyond

---

❹ Dowlin, Kenneth, "The technological setting of the Public Library" Library Quarterly, 48 (4) 1978 p.432-446.

the library's control），例如使用圖書館是讀者自動自發的行為，是個人的選擇，懷特（Lawrence J. White）指稱：**❺**

> 圖書館是一個為少數人服務的機構（Minority Service），使用者只是社會中高階層，富庶的白領階級，這是一個基本的問題，同時與這個困擾俱來的，這種服務是全體人民提供經費支持的，而絕大多數人民對於圖書館所能做的服務漠不關心。

另一方面圖書館事業缺乏政治實力（Political Clout），在人們的眼光看來圖書館算是相當重要，卻不是絕對必要（Important but hardly essential），公共圖書館也不做攸關生死的直接服務，例如環保、核四、禁毒等經常可以見報。同時圖書館員選票有限，「在議會中聽不到有關圖書館事業的辯論」這句話是英國人說的，對象是英國國會。**❻**

圖書館本身也並非毫無瑕疵，在組織分工上專業圖書館員顯然分為兩派，主要職責在於管理系統（Manage the System）的館員的關切的是如何有效的運用資源，主要在於服務讀者的館員則特別注意專業責任和標準。**❼**另外一個缺點是圖書館心有餘而力不足，將自己有限的人力、資源分散到多種運作，到了難於運作

---

❺ White, Lawrence J. The Public Library in the 1990's, The problem of choice Lexington, Mass. Lexington Books 1983. 7.

❻ Martin, William J. Community Librarianship: Changing the face of Public Libraries London: Clive Bingley 1989 p.37.

❼ Ibid p.35.

的地步。馬丁（William J. Martin）以譏諷的口吻說公共圖書館企圖「樣樣出色」（Jacks of all trades），結果「件件落空」（Masters of none）。❽

三、社區圖書館學的出現

「圖書館在實質上是社區中重要公用事業之一，其功能和學校、鐵路、電話並無二致，都有改進社會景觀（Social Landscape）的作用」❾，這是前述的馬丁（Martin）在寫作《社區圖書館學：改變了公共圖書館的面貌》（*Community Librarianship: Changing the Face of Public Libraries*）一書的開場白。

「社區圖書館學」（Community Librarianship）這個名詞源出何處，他並沒有交代，《圖書館學文獻》（Library Literature）和《圖書館與資訊科學百科全書》（Encyclopedia of Library and Information Science）都使用〈社區與圖書館〉（Community and Library）作爲款目標題，《美國圖書館學會詞彙》（A.L.A. Glossary）祇舉出〈社區學院圖書館〉（Community College Library-Media Center）和〈社區服務〉（Community Services）兩個款目，這個情況頗使我驚訝。

馬丁（Martin）是就我所知，第一個把社區圖書館學這個名詞用爲專書書名的人，他說明了原因，他指稱：

---

❽　Ibid p.18.

❾　Ibid p.1.

社區圖書館學的涵意是模糊而不夠精確的，招致了不少物
議和批評，有人說這不過是創立「術語」（Jargon）的花
招，也有人關切過份強調「社區」是否意味著公共圖書館
的服務層面的緊縮，或是過份注意少數民族群（ethnic
groups）的福祉，更有認為社區圖書館學衹是公共圖書館
企圖簡化的藉口，將服務對象局部化（Certain sections of
Community）。❿

將公共圖書館的服務分裂（Fragmentation），在原則上是我們所
不樂見的，但是圖書館無力面面週到也是實情，貝克（Sharon L.
Baker）說：

運用分散銷售觀點（Using Market Segmentation）是有立場
的，首先，從經濟效益（Cost effective）的觀點來看，圖
書館在作服務設計時，小型讀者群和個人各有所好而組成
的大型讀者群是不一樣的，前者省錢省力，後者吃力不討
好看不出成效，其次，圖書館的服務運作會比較有深度
（depth），因此提高了服務品質，第三，推廣工作
（Promotion）容易進行。⓫

---

❿　Ibid p.49-50.

⓫　Baker, Sharom L. *The Responsive Public Library Collection.* （Engleword,
　　Colorado: Libraries Unlimited 1993,）　p.37.

四、誰是讀者？

在各類型圖書館之中，推動讀者服務最困難的莫過於公共圖書館了，這個問題就出在「讀者」這兩個字，大、中、小學圖書館的服務對象是學生，專門和機關圖書館的讀者是有固定興趣和需求的專業人員，儘管讀者群有流動性，但是他們的特徵、程度和需求都有相當程度的共同性，公共圖書館的情形都完全兩樣。

彭其多（Verna L. Pungitore）說公共圖書館從事社區服務（Community Library Service）陷入「進退兩難」（Dilemmas）的困境，主要的原因有二：

1. 當地人口（Local population）的分散特質（Diversive nature）。

2. 社會一般的認知希冀公共圖書館的服務擴展，不僅大量提高實際使用在社區人口的百分比，而且期待這些增加的讀者要從社區廣泛的層面（也就是各行各業，男女老少無所不包）（Cross-section）中爭取。**⓬**

強森（Gerald W. Johnson）在〈公共圖書館所扮演的角色〉一文中吐露出來他對公共圖書館同情的心聲，他說：「從事提供資訊業務的社會機構所承受的壓力是空前的」，由於公共圖書館重視便利使用，中立民主不受環境左右的傳統和性格，所受到的

⓬ Pungitore, Verna L. *Public Librarianship*（New York: Greenwood Press 1989,） p.103.

衝擊來自四面八方，讓公共圖書館難於因應，他進一步指出：

> 公共圖書館和很多社會團體、機構、組織有基本上的差
> 異，教會只對本身宗教信仰的約束，報紙電台只關心當前
> 發生的現象、演出，電視所考慮的是場地和鏡頭，學校培
> 植未來主人翁，接受教育者是否會成為社會棟樑是將來的
> 事。⓭

圖書館需要了解讀者是天經地義的事，然而知難行也不易，
藍琦（Janet M. Lange）認為公共圖書館行政當局所遭遇的困擾主
要原因是資訊不足（information gap），她說：

> 公共圖書館館長缺乏讀者目前如何利用圖書館的完整資
> 料，而圖書館學也沒有發展出來一套預測圖書館使用者、
> 非使用者和可能使用者的理論。⓮

公共圖書館事業（尤其是指美國）並非不知道讀者研究（User
Study）的重要，1940年間舉行的（美國）〈公共圖書館調查〉就
是一個「想做好」的例子，我在寫作《圖書館事業何去何從》中
予以報導⓯，這篇文字的副篇名就是「重讀（美國）公共圖書館調
查後的省思」。

⓭　Jonson, Gerald W., "The role of the Public Library," in *Public Library Purpose*. ed by Barry Totterdell （London: Clive Bingley 1978,）p.68.

⓮　Lange, Janet M, "Public Library Users, Nonusers and type of Library Use," *Public Library Quarterly* Vol 8 (1/2)　1987-8 pp.49-50

⓯　沈寶環，《圖書館事業何去何從》（臺北：臺灣學生書局，82年），pp.1-20。

這次大規模的調查提出六份專書報告，一部專書總結報告，總結報告的執筆者是當時芝加哥大學圖書館研究所所長貝聿聖（Bernard Berelson），總結報告的書名是《公共圖書館的讀者》（The Library's Public），其結論中有這幾句話：

> 讀者年青人比老年人多，受過良好的人比受教育有限的人多，女性比男性多而且興趣不同……單身的人比結婚的人多，白人比黑人多。**⑯**

二十年後，（美國）全國圖書館事業顧問委員會（National Advisory Commission on Libraries）對全美圖書館事業所作的調查也包含了有關讀者使用圖書館的資料，其結論和貝聿聖（Berelson）所作的調查結果大體相同。**⑰**

美國圖書館界後繼無力，自1970年以後，就看不到像樣的調查和研究，原因何在頗值得回味。

柏克蘭（Michael K. Buckland）說：

> 發展有關圖書館服務的理論常常有欠平衡的，例如：我們就不知道讀者帶到圖書館的問題是怎樣構成的（how to formulate the inquiries）。**⑱**

---

⑯ Berelson, *Bernard The Library's Public* （New York: Columbia University press 1949,） pp.49-50.

⑰ Pungitore, op. cit p.104.

⑱ Buckland, Michael K. *Library Services in Theory and Context.* （New York: Pergamon press 1983,） p.5.

齊維茲（Douglas Zweizig）和德芬（Brenda Dervin）更詳盡的指出：

> 除了教育程度以外，其他以人口統計學的變數（demographic variables）來預測為甚麼讀者會利用圖書館是毫無價值，勞而無功的。⓳

我們對使用者行為（behavior of users）所需要的研究不是把讀者（Library users）代替圖書館利用（Library use），不是誰利用圖書館，頻率如何？而是讀者從服務有無所得？可不可能因為這次服務而衍生更多的服務……，我們所要做的是設計新的服務，而不是日行故事，保持不變，要因應社區中散漫的族群，而不是儘量拉住現有的讀者。

現有的讀者是些甚麼人？范菲爾（Edward C. Banfield）的答案是中產階級，他說：

> 沒有人相信公共圖書館能夠為社會中窮人服務，從各方面來看圖書館是屬於中產階級，為了中產階級服務的（By and large, libraries are of the middle class, and for the middle class）……
>
> 那些社會中貧苦、低層人士（Lower class）教育程度嚴重

⓳ Zweizig, D and Dervin B., "Public Library Use, Users, uses,: Advances in knowledge of the characteristics and needs of the adult Clientele of American Public Libraries" in *Advances in Librarianship* 7 (1977): 231-255.

不足，加之意志消沉，無論公共圖書館如何努力爭取，都是徒勞無功的。❷⓿

麥銳（C. Bob Murray）說：

> 大量購置輕鬆讀物，西方武打、科技小說、偵探懸疑著作，甚至連環圖畫故事，我們（指公共圖書館）總是會提高圖書的流通統計數字，我們能夠這樣一直做下去嗎？目的是甚麼？成效在那裏？❷①

若干學者專家的話，遽然聽來好像對公共圖書館事業迎頭撥上一桶冷水，其實他們是站在「春秋責備賢者」的立場發表意見，並無惡意。

公共圖書館應該往那個方向發展？這才是我們應該澈底思考的主題，李度（David Liddle）肯定的說：

> 公共圖書館真正的業務是社區發展（Community Development），改善個人生活品質，並且鼓勵人民促進社區的進步。❷②

李度（Liddle）所倡導的在實質上就是社區圖書館學，近代

---

❷⓿ Bangfield, Edward C. Needed: "A Public Purpose" *in the Public Library and the City*. ed by R.W. Conant.（Cambridge: MA MIT Press 1965,）pp.102-113.

❷① Pungitore op. cit p.108.

❷② McKee, Bob, "Public Library in the 1990's," *Newcastle under Lyme Association of Assistant Librarians*. 1987 p.52.

公共圖書館常常借助於市場學（Marketing）的觀念來打開社區的門戶，貝克（Baker）說：

> 圖書館有意預測市場對象（target market）如何使用館藏資源，先決要件就是爲情形不同的分散族群（Segments）加上界說（define）以資區別。

他更進一步指出下列圖書館必須採取的步驟爲：

- ·列舉社區居民影響圖書館運用的特徵。
- ·決定顯示這些特徵社區居民的人數和組合情況（Size and Composition）。
- ·注意每一族群的館藏需求，以及他們運用圖書資源可能得到的裨益。[23]

貝琪拉（Marguerite Baechtold）和馬金妮（Eleanor Ruth McKininney）是兩位力主圖書館服務應該進入家庭的女學人，換句話說也是支持社區圖書館理念的要角，她們聲稱：[24]

> 所謂「社區」不限於大街要道（Main street）……
> 圖書館工作的環境的價值觀和興趣經常是互相衝突而且是彼此對抗的。

甘士（Herbert J. Gans）的主張極爲簡單明瞭，他的辦法有

---

[23] Baker, op. cit p.37.

[24] Baechtold, Marguerite and McKinney, Eleanor Ruth. *Library Services for families Library Professional Publications* 1983 p.14.

二：㉕

　　・圖書館應該將精力集中對具有某些特性的讀者群服務。

　　・圖書館要特別注意居住在圖書館鄰近的居民，因此分館的建立和運作特別重要。

五、生活方式和閱讀興趣

　　公共圖書館企圖深入民間，展開服務的層面，必須要了解讀者，這是誰都知道的常識，公共圖書館事業也曾經作過努力，例如前述的（美國）《公共圖書館調查》（1949），此後就看不見具有類似規模的研究，自文獻中我們可以發現幾個原因：

　　・在經濟情勢沒有好轉的情況，圖書館缺乏足夠的人力、物力、財力從事像樣的調查。

　　・研究的成果，容易遭受物議，我在本文前部曾經提到除了「教育」的因素受到認同外，其他以人口統計學作為根據的項目都受到懷疑得不償失，圖書館不願貿然嘗試是可以理解的。

　　・研究方法的轉向，這是本節討論的主題。

研究方法的轉向，1979年是關鍵年，我要鄭重的介紹兩項重要的研究。

㉕　Gans, Herbert J, "Supply-Oriented and User-Oriented Planning for the Public Library," in *Public Library Purpose* ed. by Barry Totterdell（London: Clive Bingley 1978,）　p.81.

麥登（Michael Madden）於1979年提出〈圖書館使用者和非使用者生活方式的研究〉（Library user/non user life style）一文，他的動機極有意義，他說：❷

> 雖然，從以往的研究中，我們能夠知道圖書館使用者教育、經濟和社會方面的特徵，但是與圖書館沒有直接關連的興趣、習慣、生活方式和態度卻一無所知，更無法將這些因素（指興趣等）和圖書館利用搭上關係。

幾年前 Leo Burnet 廣告公司曾作抽樣調查，企圖從生活方式中找出美國人民的興趣、意見和態度，其所發出的兩百問題之中，有一題是「在去年一年之中你運用了圖書館多少次？」

麥登（Madden）是美國伊利諾州 Schaumbery 鎮公共圖書館館長，而 Leo Burnet 廣告公司的地址是芝加哥，地理之便，麥登（Madden）將抽樣中很多縣市的資料淘汰，只剩下與 Schaumburg 鎮情況相近的社區，輸入電腦加以分析。這就是以後常為專家學者引用的《麥登研究報告》（Madden study），戴維斯（Hazel M. Davis）說：

> 麥登研究報告（Madden study）的主要缺失是抽樣太小（limited nature of his sample）。❷

---

❷　Madden, Michael "Library User, / Nonuser Life Styles," *American Libraries* vol 10. No.1 January 1979 pp.78-81.

❷　Davis, Hazel M. "Life Styles, Communities and Libraries," *Public Libraries* Vol.32 No.6 Nov/Dec. 1993 p.323.

平心而論，麥登（Madden）的研究頗有創意，他將抽樣對象分為六組：

A.不用圖書館的女性　　　　Female Non user
B.不用圖書館的男性　　　　Male Non user
C.使用圖書館情形普通的女性　Moderate Female user
D.使用圖書館情形普通的男性　Moderate Male user
E.大量使用圖書館的女性　　　Female Heavy user
F.大量使用圖書館的男性　　　Male Heavyuser

每組之下分別列舉正面（Positive）和負面（Negative）興趣和活動十五種，也就喜歡和不喜歡做的事，依照優先秩序排列，企圖找出正、負、喜、惡之間的關係，運用圖書館當然是項目之一。

為了遵重著者的智慧財產權，同時我並不完全滿意他提出來的項目，我只抽樣列舉，示意而已（號碼照原文秩序）。

A.不用圖書館的女性

正面的（Positive）活動、興趣和意見：
1.所有的男士都應該每天修面。
2.對於清掃房屋的工作感到滿足
3.電視是主要娛樂節目
14.女性的位置是在家庭
15.女性可以做老師或護士，從事貿易則大可不必。
反面的（Negative），也就是她們不喜歡的活動：
1.進圖書館
2.看完一本書

5.擔任義工

6.參加俱樂部會議

12.聽演講

B.不用圖書館的男性

正面的（Positive）活動、興趣和意見：

1.每天做同樣的工作

4.希望趕快退休

9.美國產品最好

11.喜歡午睡

13.寧可住在小城鎮，而不願意住在大都市

反面的（Negative），也就是他們不喜歡的活動：

1.進圖書館

2.看完一本書

4.大多數朋友有大學畢業的程度

6.到學校去

15.作一次演講

C.使用圖書館情形普通的女性

正面的（Positive）活動、興趣和意見：

3.希望有第二次蜜月

4.參與體育活動

12.能夠有一個假期最好

13.喜歡對男士有吸引力

15.比鄰居和朋友搶先一步用新產品

反面的（Negative）活動、興趣和意見：

5.所有的男性都應該每天修面

7.在鑑賞力和習慣上是守舊的

8.古典音樂比流行音樂更受歡迎

10.酒類是美國的禍源

15.進美容院

D.使用圖書館普通的男性

正面的（Positive）活動、興趣和意見：

1.多數朋友大學畢業

3.進入圖書館

8.喜歡看書

11.常做禮拜

12.參與俱樂部會議

反面的（Negative）活動、興趣和意見：

1.有點身體不適就留在家裏

2.睡午覺

7.不喜歡碰運氣

12.在工作，安定比金錢重要

14.買商品時喜歡付現

E.大量使用圖書館的女性

正面的（Positive）活動、興趣和意見：

1.進入圖書館

2.看完一本書

3.到學校去

7.喜歡聽演講

9.參與義工

反面的（Negative）活動、興趣和意見：

1.打掃房屋得到滿足的樂趣

2.電視是主要娛樂的節目

11.大多數夜晚留在家裏

14.婦女的地位是家庭

15.休閒活動的設備略嫌不足

F.大量使用圖書館的男性

正面的（Positive）活動、興趣和意見：

1.進入圖書館

2.看完一本書

11.大多數朋友大學畢業

12.開車總是用安全帶

13.作演講

反面的（Negative）活動、興趣和意見：

2.電視是主要娛樂的節目

4.工作時總是做同樣的事

5.婦女應該留在家裏

11.美國產品最好

12.希望快點退休　❷

　根據戴維斯（Davis）的觀察，麥登（Madden）對非使用者（Non-users）已經不存在任何希望，他的結論清楚的顯示非使用者是極端保守的，不敢冒險，心胸狹窄的族群，無論圖書館絞盡了腦汁來誘導他們都是無濟於事的，她又說麥登將希望放在使用圖書館只有普通讀者身上，❷這些有時來，有時不來的使用者，有人稱爲潛在的讀者（Potential readers）。

　另外一位研究生活方式和閱讀習慣的重要人士是海吉達（Jan Hajda），爲陸卡斯（Linda Lucas）鄭重推荐，陸卡斯（Lucas）本人就是研究生活方式和閱讀興趣的專才，這也是她博士論文的主題，後來她又根據博士論文的原理寫作〈閱讀興趣，生活興趣與生活方式〉一文❸（Reading interests, life interests and life style），這篇文字極有可讀性，她說：

　　海吉達（Hajda）的研究顯示，生活方式影響閱讀興趣和閱讀形態爲這項調查開闢了一個新天地，現在進行各種研究和調查都支持海吉達（Hajda）的結論。

　海吉達（Hajda）偉大之處在於他能以科學的研究方法證實，凡是生活方式能夠與人相處，理想超越家庭，姻親和工作的比較可能喜歡閱讀，讀者有很多項興趣，而且其行爲也牽涉到這

❷　Madden, op. cit pp.78-81.

❷　Davis, op. cit p.323.

❸　Lucas, Linda, "Reading Interests, Life interests and Life style," *Public Library Quarterly* Vol 3(4) Winter 1982 pp.11-18.

些興趣，他們是社會中的活躍份子。海吉達（Hajda）的觀念得到各方的認同，麥登（Madden）甚至於說，「閱讀是活躍的生活方式的一部份」❸，「不使用圖書館的人的天地侷限於他們的大門之內。」❸

如何因應教育水準參差的讀者需求，海吉達（Hajda）也有他的看法，他說：

> 教育程度不高的人所受的教育多半是實用的和職業化的，他們重視的讀物主題要和他們的個人生活和生活興趣有關，這是說，如果他們肯看書的話。
>
> 受過良好教育的人，他們經常接觸抽象的教育，我們可以想像他們不僅會閱讀和他們生活興趣有關的讀物，而且他們也會瀏覽和他們個人生活遠隔，毫不相關的圖書。❸

六、寫在後面

公共圖書館當前最重要的課題是要在社區生根，換句話說公共圖書館應該深入民間。

臺北市立圖書館館刊以圖書館與社區為主題，推出專刊不僅合乎潮流而且深獲我心，精明能幹的謝金菊館長點名以專函向我邀稿，儘管近來我冗事頗多，體力欠佳，也只好勉力應命，寫出這篇乏善可陳的文字，尚祈方家同道惠予指正。

---

❸ Ibid p.11.
❸ Madden op. cit p.78.
❸ Lucas op. cit p.17.

義工制度與公共圖書館

一、圖書館義工制度的興起

　　圖書館義工制度何時開始？專家學者殊無定論。羅嬡（Loriene Roy）在其極為重要的研究報告：〈公共圖書館運用義工之研究〉（The Use of Volunteers in Public Libraries: A Pilot Study）一文中祇能含糊的指稱：「圖書館運作時利用義工已經有很長一段時間了」，「但是有關圖書館義工的研究並不多見」❶。我們對於這位美國德州大學圖書資訊學研究所女學人的意見前一半可以接受，但是後一半則不敢苟同，這點以後再作交代。

　　人力資源專家艾里絲與羅伊斯（Ellis and Noyes）則認為喜歡從事義務工作正美國民族的傳統特性，因此她們合作的名著就定名為：《民治：美國人民擔任義工的歷史》（*By the People: A History of Americans as Volunteers*）❷。我認為她們將 voluntarism

---

❶　Loriene Roy, "The Use of Volunteers in Public Libraries", *Public Library Quarterly*. Vol. 8(1/2) 1987/88, p.127。

❷　Susan J. Ellis and Katherine H. Noyes, *By the People: A History of Americans as Volunteers* (Philadelphia: Michael C. Prestegord & Co., 1978), P.11.

和 volunteerism 分開，前者指自動自發的工作精神和行為（例如自
動加班），後者則由義工擔任的一切工作及有關義工的事項，頗有
澄清的功能。

二、何謂「義工」？

根據一般英文字典的解釋：義工是提供服務而沒有金錢報酬
的人❸。這點和專為殘障服務的 National Library Service for the
Blind and Physically Handicapped 在1980年研究報告中所下的定
義相同。

前述的艾里絲與羅伊斯則認為這種界說太簡單。他們指出義
工的要件有：

1.感覺有參與的必要；

2.充滿社會責任感；

3.不考慮金錢報償；

4.將個人福利置之於度外❹。

這種觀點當然站在義工的立場，根據義工的心態講話的，但
為簡化討論範圍，縮小文字篇幅，我決定採用美國教育協會
（National Education Association）所用的界說：

「義工是沒有待遇而參與圖書館運作的人」❺

---

❸　《論敏現代英語詞典》，（臺北：歐語出版社，民68年）。

❹　Ellis and Noyes, *By the People*, p.10.

❺　National Education Association. Research Division and American Associa-
tion of School Librarians. *School Library Personnel Task Analysis Survey*
(1969). p.18.

三、有關文獻備遭物議

自1960年代開始，圖書館學文獻有關義工制度的文字逐漸增加，據狄嬡勒（Detweiler）統計，在1964至1971年間由《圖書館學文獻》（Library Literature）收集的23篇論文中，僅有8篇討論公共圖書館的義工問題，其他篇文字則集中於研討專門及學術圖書館的義工制度，到1972年注意力略有轉變，在60個研討義工制度的文字中，有33篇討論公共圖書館的義工制度❻。

克爾與哈迪（Cull and Hardy）將1960年以來在《圖書館文獻》款目中出現的論文組編爲三類：

1.建議組訓義工方法者；

2.報導義工制度實施情況者；

3.鼓勵採取義工制度者❼。

而1982年在圖書館文獻款目中出現的12篇則全部爲敘述現狀的文字。羅媛對這種缺乏理論基礎的文字頗感不滿。她說在這些文字中很少看見評論的文獻，而能夠提出理論以發展一套適合義工制度的哲學基礎更是鳳毛麟角。❽我們同意她的看法。

---

❻　Mary Jo Detweiler, "Volunteers in Public Libraries: The Costs and Benefits," *Public Libraries* 21, no.3 (Fall 1982):80。

❼　Paul Ilsely, "Voluntarism: An Action Proposal for Adult Educators," Northern Illinois University. 1978, 1-21。

❽　Rog. *The use of Volunteers in Libraries*, p.35。

四、不能盡愜人意的美國圖書館協會圖書館運用義工指南

　　1960年末期美國圖書館界主張運用義工的聲音，此起彼伏，絡繹不絕，孟恩（Moon）在《圖書館學報》（Library Journal）的社評中（1968年2月號）大聲疾呼「解決人力問題，學習蘇聯的模式」。那時美蘇關係尚未和解，美國的動態一切都看蘇聯的作為，此公剛從蘇聯訪問歸來，有此主張不足為怪。但他謂的蘇聯模式，乃是指義工制度。他說「現狀發生問題，我們要澈底檢討我們的圖書館義工制度」❾。因應外來壓力，美國圖書館協會於1971年在《美國圖書館》（American Libraries）學報中發佈〈圖書館運用義工指南〉（A.L.A. Guidelines for Using Volunteers in Libraries）此一指南提出15點綱要供圖書館行政部門參考。

　　此一綱要的出現使圖書館義工制度向前邁進一步，但學者專家的評論仍然是瑕瑜互見。卡凡荷（Carvalho）認為圖書館義工制度的困擾有三：❿

　　1.領薪現職人員工作保障的顧慮；

　　2.專業人員角色的貶值；

　　3.義工人員適當職權範圍的劃分。

---

❾　Joseph Carvalho, "To Complement or Compete? The Role of Volunteers in Public Libraries", *Public Library Quarterly*, Vol.5 (1), Spring 1984。

❿　Eric Moon, "Manpower: A Soviet Solution." *Library Journal*. 93 (1 February 1968): 493.

他更進一步指稱 A.L.A.所訂的指南對前兩項祇有精神的鼓舞，對於實質並無多大幫助，第三項則完全超出指南的範圍之外。

五、圖書館義工制度的得失

㈠圖書館運用義工的理由

a.節省經費（尤其指人事費用）。

根據羅嬡在伊利諾州對52所公共圖書館所作的調查報告，其中34所圖書館共僱用義工411名。平均每館每週利用義工29.4小時。如果最低工資以每小時$2.3元計算。則一義工每週可節省薪金$67.62，或每年人事費用可節省 U.S. $3516.24。[11]

b.節省專業人員人力。

c.增加新的服務項目。

b、c 二項有連帶關係

d.加強公共關係。

e.提昇服務品質。

f.帶動單位朝氣。

e、f兩項請參見劉德勝著《如何建立義工制度》[12]。

---

[11]　Roy, *The use of Volunteers in Libraries* p.135-136。

[12]　劉德勝〈如何建立義工制度〉《中國圖書館學會》，民國79年，讀者服務專題研習班講義。

㈡圖書館不用義工的理由

a.沒有適合義工擔任的工作。

b.缺乏人力指導義工。

c.館員反對聘用義工。

d.過去運用義工有不愉快經驗。

e.負責人對義工制度缺乏信心。

㈢反對運用義工的理由（包括但不限圖書館）

⑴義工流動性大，圖書館訓練義工常有得不償失情況。

⑵圖書館對義工缺乏約束力。

⑶因為義工為無給職，常有遲到、早退或缺席情形。

⑷圖書館付託義工擔任的工作，常為重複的經常工作，或
  次要的工作，對義工缺乏挑戰性，易使義工感覺無意義。

上述各點由彭寄多（Pungitore）提出，詳情請參見其所著《公共圖書館學》（*Public Librarianship*）❸，此外更有激進份子組成的社團也參與反對義工的陣營。

例如：1.加州有一組織名稱為關心的圖書館員反對非專業化趨勢（Concerned Librarians Opposing Unprofessional Trends, 簡稱CLOUT），他們認為義工及非專業館員從事若干專業有關的工作

---

❸ Verna L. Pungitore. *Public Librarianship* (New York: Greenwood Press, 1989), p 71-72。

有降低專業水準的危險。❶此一組合所關切的是專業人員。但是義工問題也常使非專業工作人員感受到可能失業的恐懼。

2.美國婦女組織（The National Organization for Women, 簡稱 NOW）則根本反對所有的義工制度，他們指控「義工制度剝削人民，尤其是婦女」、「義工制度是拿不到工資，家庭奴役的延伸」❶。那鳳英（Levine）除了報導這項消息外更火上加油的指稱，「義工制度除了剝削婦女之外也對窮人不公，因為義工大都經濟情況良好。他們盡義務，卻搶去了窮人就業的機會。」

六、結論：我們要積極推動圖書館義工制度

圖書館義工制度是一個熱門討論主題。在本文中作者已經簡略的提出正反雙方（pros and cons）的意見，仔細衡量得失之餘，尤其站在一個中國圖書館專業人員的立場，我堅決的、積極的支持圖書館義工制度。

首先，我要強調中美國情不同。在外國行得通的，在我們的國家裏不一定通。而在外國行不通的在我們的國家裏不一定也跟著不通，以公共圖書館（包括文化中心圖書館）而論，公務員任免有法律保障，更加上考試制度，今天各級圖書館的主要問題是不容易找到專業館員，而不耽心非專業人員搶了專業館員的飯碗。

---

❶ Noel Savage, "News Report 1975." *Library Journal* 101 (15 February, 1976)。

❶ Levine, Ellen. "Volunteerism in Libraries." *Baystate Librarian* 69 (Summer 1980) p.585-587。

　　其次，我國經濟欣欣向榮，教育文化經費每年增加，和外國圖書館事業遭受到經濟不景氣的侵襲，捉襟見肘的困境比較，有天淵之隔，因此經濟因素的考慮並不是我國必需推動圖書館義工制的主要原因。

　　圖書館事業，無論在國內、國外，所遭遇最嚴重的問題在於很難拓大讀者群，進入圖書館的永遠是那些人。如何增加文化人口，如何使圖書館在社區中生根，是我們今天面對的主要課題，藉著義工一方面可以增加服務，另一方面也可以加強公共關係。

　　目前若干可喜的現象不斷出現，意味著全國上下都重視圖書館義工制度，使這個重要的運作落實。

　　1.行政院文化建設委員會訂定了表揚績優義務工作人員要點，每年由各機構自行評定，於一月底向文建會推荐。

　　2.若干圖書館自行訂定義工福利辦法，例如：

　　　「臺北縣立文化中心徵募志願服務工作人員及服務實施要
　　　點簡章」第五條

　　㈠青少年閱覽室闢區提供數個座位，由志願服務工作人員（以
　　　下簡稱志工）優先使用。

　　㈡視聽圖書館可憑志工證進入使用。

　　㈢圖書館圖書每次得享有借閱五冊之優待。

　　㈣本中心開辦之研習班得優先參加。

　　㈤連續服務滿一年以上者，另訂有獎勵辦法。

　　3.臺北市立圖書館一切運作，向不後人，館訊8卷1期（即本期）開風氣之先，以義工制度與公共圖書館為主題。

　　4.中國圖書館學會79年讀者服務專題研習會在班主任楊崇森

館長，及教務組長宋建成教授主持之下，率先開出義工制度課程由劉德勝教授主講。

由於上述，預期我國圖書館義工制度將有良好遠景。本人樂觀之餘謹提出下列意見：

(1)圖書館義工制度有其必要，利多於弊，但是義工制度並不是妙藥仙丹可治圖書館百病。圖書館主力仍然是專業館員。由此推論，

(2)專業館員和義工的人際關係必需和諧，二者相輔相成。為了到達此一目的，

(3)圖書館必需有一套合理的義工管理辦法。專業館員和義工各有不同的工作領域和職責。

一人圖書館──
圖書館事業發展的新方向
One Person Library：
New Direction of Librarianship
Development

摘　要

　　一人圖書館是近十年來國外圖書館界人士熱烈討論的論題，他們的觀點多半以專門圖書館爲重點。本文作者認爲這些說論頗有參考借鏡的價值，但需要略爲修訂以適應我國圖書館事業環境，我們全國上下大力推動的鄉鎮圖書館多半是一人圖書館，本文在內容上分爲四部份，分別討論一人圖書館產生的原因，一人圖書館的特徵，優秀的一人圖書館員，作者鼓勵專業新秀參與一人圖書館的陣營，共同努力建立書香社會。

Abstract

One Person Librarianship has been one of the hottest issues in library literature in the last decade. The emphasis is on special library services. Those studies have tremendous reference value. The author of this paper attempts to modify some of their views to meet the needs of rural libraries, more than three hundred in number in our country, a typical rural library is a one-person library.

一、與篇題有關事項的說明

㈠「一人圖書館學」（One-Person Librarianship）的出現

一人管理的圖書館早已存在，數字也很可觀，在從事圖書資訊專業人員的總數中佔有極重的比例。例如：

	1972	1981	
英國	32%	50%	（以機關爲調查對象）❶
	1986	1991	

---

❶ East, Harry，"Changes in the Staffing of UK Special Libraries and Information Services in the Decade 1972-1981: A Review of the DES Census Data", *Journal of Documentation*, 39(4) 1983, PP.247-265.

美國　　27％　　31％　　（以個人爲調查對象）❷

加拿大　24％　　27％　　（以個人爲調查對象）❸

　　以上英國的調查是根據英國政府教育科學部（DES）所頒佈的統計數字，美國和加拿大的調查則是由美國專門圖書館學會（SLA）從問卷中取得的結果，可信度是無庸置疑的。

　　令我們驚訝的是，社會人士，包括文教界對於這些孤軍奮鬥的一人圖書館員採取「漠不關心」（scant attention）的態度。孫克萊（Guy St. Clair）甚至正言厲色的指責圖書館界，他指出當我們提到這個問題的時候，我們的同行不是表示興趣不高（mild uninterest），就是聳聳肩膀（shrug of the shoulders）。「一人圖書館學」（One-Person librarianship）是圖書資訊服務的主要部份，但是他們卻不值一顧（meant little）❹。請讀者注意，他是第一個提出「一人圖書館學」的學人。

㈡何謂「一人圖書館」（One-Person Library）？

　　孫克萊（St. Clair）開風氣之先，提出「一人圖書館學」這個名詞，但是他的名著卻以《如何管理新一人圖書館》（*Managing the New One-Person Library*）爲書名，而迴避直接運用「一人圖書館學」字樣，這是他爲人謙虛的地方。我覺得這部偉大的作品雖無「一人圖書館學」之名，卻有「一人圖書館學」之實，值得

---

❷　*SLA Triennial Survey* 1986 P.32.

❸　*SLA Biennial Survey* 1991 P.33.

❹　St. Clair, Guy and Joan Williamson, *Managing the New One-Person Library*, （New York, Bowker Saur 1992,）　P.1.

我們參考和學習。

　　這部書是1992年修訂版，初版於1986年問世，這兩個版次都是孫克萊（St. Clair）和英國女學人威廉生（Joan Williamson）全力合作的成果，美國專門圖書館學會執行長（Executive Director, SLA）班德（David Bender）在序文中說這部書自1986年初版以來，公認為不僅具有綜合性、教育性和資訊性的特色，而且是不可或缺的。我完全同意他的評語，尤其值得我們注意的是「在1986年以前，很少看見有關一人圖書館學的寫作」，❺這句話是威廉生（Williamson）說的。我曾經在國立中央圖書館參考室經由蔣嘉寧小姐協助檢索 BIP, LISA, INTERNET 等參考工具書和資料庫，證明她實話實說毫不誇張，有關一人圖書館學的文獻幾乎完全由孫克萊（St. Clair）和她（Williamson）兩人包辦。最早的論文是孫克萊（St. Clair）於1977年在《專門圖書館學報》（Special Libraries）上發表的，專書則只有他倆合著的一種，1992的新版和1986的初版的不同之處在於書名多加一個「新」（New）字，內容另有修訂自不待言。

　　甚麼是「一人圖書館」？

　　孫克萊的界說極為精簡，他說一所圖書館所有的工作都由一個圖書館員擔任，就是「一人圖書館」。為了強調這個定義，他進一步解釋說：「一人圖書館員甚麼都要自己動手，從讀者服務到清除字紙簍（Emptying the waste-paper baskets）都是她的

---

❺　Ibid. P.8.

事」❻。這句話引起若干討論，本文後部將再作進一步的報導。

「一人圖書館」也有若干類似名詞，例如「最低工作人員圖書館」（Minimal-staff Library）、「單獨館員」（Single-staff Library），英國則用 OMB 簡寫字樣，其意義是「一人樂隊」（One-Man-Band），但是這個簡寫字和美國管理預算局（Office of Management and Budget，簡稱OMB）重複，英國朋友一向我行我素，不太考慮外國情況，將 OMB 歸納於 ASLIB 之中，我們不必理會。比較有創意的是雷茵（Martha Rose Rhine）所提出的「單飛圖書館員」（Solo Librarian），所謂「Solo」字樣多半用在獨唱、獨奏和單獨飛行的場合，英文原義比中文翻譯更具有傑出和與眾不同的讚賞意味。這個名詞為 SLA 欣然接受，而成立一個小組，定名為 Solo Librarians Caucus。因為以「一人圖書館」為書名的專著只有一種，多數論文也以「一人圖書館」為部份篇名，加之孫克萊（St. Clair）盛名的影響，本文採用「一人圖書館」為標準名詞。

㈢寫作本文的動機

1.孫克萊（St. Clair）的說論有商酌餘地

孫克萊（St. Clair）是世界知名之士，他曾出任美國專門圖書館學會（SLA）會長（1991-1992），榮獲 SLA 最高榮譽的傑出服務獎（SLA Professional Award），他的專著也成了圖書館員必讀的書，但是他究竟不是做「一言堂」的買賣，他的觀點還有商

---

❻　Ibid. P.2.

榷的餘地,例如他說:

> 在一人圖書館工作包括每一件事,粗工細活都要去做,任
> 何企圖將專業工作(Professional)和一般職員(clerical)
> 工作分開,像在大型圖書館一樣,是說不通做不到的❼。

圖書館界大牌學者懷特(Herbert S. White),本身也是專門
圖書館權威,就表示存疑的態度,他指稱:

> 以我在專門圖書館界服務25年的經驗,我對小型圖書館的
> 運作有相當了解⋯⋯ 在沒有非專業人員(clerical,即一般性
> 職員)支援的時候,專業館員不僅做非專業人員(clerical)
> 的工作,而且在使用者的眼光中看起來就像非專業人員。
> 專業圖書館員做非專業人員的事,不僅損害了自己的形
> 象,也傷害了圖書館專業的形象。而且用高薪的專業館員
> 來做低薪的職員工作是不合乎經濟原則的。❽

2.中外國情不同

孫克萊(St. Clair)和威廉生(Williamson)都是將畢生精力
奉獻與專門圖書館事業的學者,在寫作中自然而然的流露出他們
的心聲。以1986年初版的《*Managing the One-Person Library*》和
1992年修訂版的《*Managing the New One-Person Library*》比較,

---

❼ Ibid. P.12.

❽ White, Herbert S. "Small Public Libraries-Challenges, Oppotunities and
Irrelevancies.", White Papers, *Library Journal* 15, 1994, P.53

我們可以輕易發現他們企圖將討論的範圍跳出專門圖書館學的圈子，但是「萬變不離其宗」，他們常常在自然而然、不知不覺之中回到自己熱愛的基地。他們提到公共圖書館的分館、學術圖書館的院系分館、學校圖書館、鄉鎮圖書館都是輕輕帶過，最有趣的是他們仍然忍不住冒出一句出自肺腑、真正想說的話——「只有在專門圖書館裏，一人圖書館才能保持標準」（It is in special libraries that the single librarian has remained the standard）❾。

也許我的觀點有些偏差，我覺得美國的一人圖書館遍地開花，過去圖書館事業採取不聞不問的態度，現在有識之士，如孫克萊（St. Clair）之流，藉助於 SLA 之力，統籌、組合、輔導，希望一人圖書館得以發揮最高功能，多少有點由散漫而集中的意味。

我國的情況恰巧相反，人員精簡是全國性的政策，文化下鄉建立書香社會，圖書館進入社區，計劃由上而下發展，由點、線而拓張到面。對於孫克萊（St. Clair）的卓見我們可以借鏡，他的經驗我們可以參考，但是不必也不可照單全收。

二、「一人圖書館」產生的原因

「一人圖書館」的出現，有正（Positive）負（Negative）兩方面的因素。

---

❾　St. Clair, op. cit. P.2.

㈠正方（Positive situations）的因素，也是我們樂觀
　其成的現象。

1.業務需求

　　機關、社團或母機構（Parent Organization）為推動業務發現
需求，在編制又無法（或沒有需要）聘用多的圖書館員。例如：駐
外使領館、代表團附設的圖書室或資料中心。

2.組織必要

　　新成立的中小學校，根據教育法令，必須設立圖書館，這類
型的圖書館規模不大，祇需要館員一人（已有相當歷史的中小學圖書
館，應該聘用專業館員至少一人，不在討論範圍之內）。

3.文化下鄉，深入民間

　　為了建立書香社會，政府正積極在300個鄉鎮中設立圖書館，
由於人力資源和經費問題，這些圖書館絕大多數是一人圖書館。

4.推廣服務滲透社區

　　近年我們的大型公共圖書館，因應人民資訊需求，有時更主
動出擊，大量增加分館和社區使用者密切結合。臺北市立圖書館
在這方面可謂成績卓著，寫到此處，我必須加個註釋，我對「一
人圖書館」的觀念和孫克萊（St. Clair）略有不同，我所謂「一人
圖書館」是指圖書館只聘雇專業圖書館員一名，並不排除派用非

專業人員（Clerical help），尤其是運用義工或工讀生以減輕專業館員不合理的負荷。我殷切的希望大型圖書館以試探（explore）的心態，派遣專業館員一人或少數人組織臨時性的圖書站（Station），以為是否成立分館的決策考慮。

㈡負方（Negative Situation），也是不願意看見的現象。

1.需求減少

機關、社團或母機構（Parent Organization）有時以需求不足、同仁使用興趣不高之類的理由縮小圖書館或資料中心員額編制，在現代資訊社會中資訊的需求只會增加，不會減少。如果單位人員少用圖書館，單位的功能可能發生問題，單位本身或許應該裁撤，將圖書館兩個專業館員該做的服務推到「一人圖書館員」的頭上，只有降低圖書館的功能，對單位沒有好處。

2.曲解「一人圖書館」的意義

上級主管對於圖書館的功能、性質、特徵了解不夠深入，尤其危險的是他可能認為推動「一人圖書館」是順應潮流，這也是我不太想寫這篇文字的原因。精簡人事的原則我絕對贊成，但是硬性裁減圖書館工作人員，我會竭力反對，「要錢容易，要人免談」是國家進步的絆腳石。

三、「一人圖書館」的特徵

㈠「一人圖書館」、「專門圖書館」和「傳統圖書館」性質的分野

　　「一人圖書館」和「傳統圖書館」（Traditional Library）有甚麼不同？「一人圖書館」和「專門圖書館」常常混淆在一起，他們的基本差別在那裏？這是我們必須了解的課題。

　　柯辛生（Elin B. Christianson）等學者提出專門圖書館的六大特點，在《專門圖書館管理指南》（*Special Libraries: A Guide for Management*）❿一書中他說：

1.專門圖書館重視提供資訊的功能。

2.專門圖書館所在地（即館址）顯示了與其他類型圖書館不同的特徵。

3.專門圖書館服務的對象是特殊族群。

4.專門圖書館的學科範圍受到限制。

5.專門圖書館的編制只能雇用一個專業館員。

6.專門圖書館以「小」（smallness）為特色。

　　華莊（Helen J. Waldron）將專門圖書館和傳統圖書館比較，

---

❿　Christianson, Elin B. and David E. King, Janet L. Ahrensfeld, *Special Libraries : A Guide for Managent*（Washington D.C. Special Library Association 1991,）　PP.1-2.

下列幾點是我揣測她的觀點❶寫出的，不是她的文字。

　　1.專門圖書館比較重視人際間個別（Personalized）的服務。

　　2.專門圖書館強調專業館員與使用者之間經常溝通和接觸的結果，建立了良好的人際關係，這是傳統圖書館不容易做到的。

　　3.專門圖書館注重「新穎」和「專精」的程度遠在傳統圖書館之上。

　　亞斯班（Grieg Aspnes）站在專門圖書館哲學理論專家的立場提出下列補充⓬：

　　1.專門圖書館在運作時常不墨守成規，習慣以不正式（Less Formal）的方式處理業務。

　　2.專門圖書館具有「試試做再說」的實驗精神（Experimental）。

　　3.專門圖書館為了達到新穎和快速的目標，有時會走近路（Use shortcut），而不遵守一定程序。

　　上述這些意見都有參考價值，亞斯班（Aspnes）的觀點尤其值得考慮，如果他願意變動兩個字，將「專門」更改為「一人」就會讓我喜出望外了。

⓫　Waldron, Helen J., "The Business of Running a Special Library" *Special Libraries* February, 62（1971,）P.63.

⓬　Aspnes, Grieg, *A Philosophy of Special Librarianship in Speical Librarianship*（London : The Scarecrow Press 1980,）P.1.

㈡一人圖書館員——挑戰性的工作

1.「好人才能做好事」

「一人圖書館」是以「小」（Smallness）為特色的機構，我們千萬不可「小看」了「小」這個字。從「小」我們可以聯想到「小巧玲瓏」而推論到「質重於量」。如果將大型圖書館看成百貨公司，「一人圖書館」就是「精品商店」。

懷特（White）指出：「專業圖書館員人數越少，選擇真正優秀的專才越重要，在大型圖書館裏偶而收留少數不稱職人員，也許可以暫時忍受和隱瞞過去（endure and hide mediocre professionals）。越小的圖書館，越強調『選賢與能』，因為關係重大，一人圖書館經不起這種風險。……」

「在沒有大量書籍資料的有利情形之下，如果別的條件相同，（一人）圖書館專業人員一定要比只會在架上找書，檢索目錄的同行能幹，他們必需更有創意（more innovative），更有主見（more assertive）、更關切（more caring）、更精力充沛（more dynamic）、更會為別人著想（more people oriented）。」❸

2.「事選人」，「人也選事」

理想的工作是勞資雙方都滿意的結果，單位固然是「求才若渴」，求職者何嘗不是「良禽擇木而棲」？因此，我們也要為一人圖書館員著想：

---

❸　White, Ibid. P.53.

⑴一人圖書館的吸引力在那裏？為甚麼專業圖書館員會接受
　這份工作？

根據舒特（Janet Shuter）和康寧斯（Judith Collins）兩位女
學人的調查❹有下列原因：（經筆者重新改編）

・工作的獨立性。

・上班時可以自己安排時間如何運用（organizing one's own
　time）。

・有較大變動運作先後的自由（setting priorities）。

・能夠試驗新的觀念和做法。

・有機會多與使用者接近。

・工作有挑戰性。

・欣賞這樣的工作環境。

・訓練自己如何因應突發的問題。

⑵一人圖書館的困擾在那裏？為甚麼專業圖書館員會拒絕這
　份工作？

舒特（Shuter）和康寧斯（Collins）發現下列原因❺：

・專業孤立感。

・專業訓練不足，不勝工作負荷。

・上級支持發生問題（缺乏支援，過份依賴母機構指導）。

・常有時間不夠之苦。

---

❹　Shuter, J. and Collins J. "The Isolated Professional" *Information and
　　Library Manage*r 3：4（1984,）P.106.

❺　Ibid..

· 沒有足夠經驗。

· 工作環境不理想。

· 職等不高，待遇偏低。

· 很少，幾乎沒有升等的機會。

· 很難滿足使用者需求。

（筆者註：舒特（Shuter）和康寧斯（Collins）的研究報告原則上尊重她們的調查結果，內容及文字都由筆者重新修訂）。

四、優秀的一人圖書館員

㈠基本條件

圖書館員本來就不是一項輕鬆的工作，一人圖書館員更是難上加難，他至少應該具備下列條件：

· 單獨工作的能力。

· 善於和人溝通。

· 能夠適應不斷變動的趨勢。

· 相當可靠的記憶力（曾經提出的問題，無需再多花時間檢索）。

其他條件將在以下文字中補充，為了避免重複，此處從略。

㈡性向（Aptitude）的考慮

有些工作並不是任何人都可以做的，有無學科背景都不會有太大的差別。在大型圖書館中考勤考績都名列前茅的優秀專業館員，轉移陣地到一人圖書館服務並不一定能勝任愉快，這就是我

們常聽到說的「對的人安排在錯的地方」（The right person in the wrong place）。

接手一人圖書館的專業館員要有「自知之明」，孫克萊（St. Clair）提出「自我分析」（Self-analysis）的方法，這是極爲簡化的性向測驗（Aptitude test），以幾個問題詢問自己❶，希望取得率直而又客觀的答案來評估自己。例如：

· 爲甚麼我要在這所一人圖書館工作？

· 我的精神、體力能不能承受？

· 爲了圓滿完成工作目標，我是否願意作若干犧牲？

· 我能否得到母機構或上級的支持？支持到甚麼程度？

· 假使遭遇挫折，我會不會遷怒他人？

這一串的問題，可以看情形增減、修改。

(三)獨立而不孤立

在前文中舒特（Shuter）和康寧斯（Collins）主辦的一人圖書館員工作意願調查發現，願意在一人圖書館工作的原因，「工作的獨立性」排在榜首，而不願意在一人圖書館工作的原因，第一項是「專業孤立感」，因此如何在心態上讓一人圖書館感覺「獨立而不孤立」是我們需正視的問題。

我認爲參加專業組織（Professional Association）是唯一而又必要的方法。我在美國丹佛市立圖書館（DPL）擔任專業館員讀者顧問期間（1951-1955），一直是美國圖書館學會（ALA）會員，

---

❶ St. Clair op. cit. PP.43-44.

沒有中斷❶。記得我的申請入會表是 DPL 人事室主任華特小姐
（Margaret Ward）親手交給我的，她是我的好友，也並沒有給我
壓力要我入會，但是我不能不填，我不入會並不會讓我丟掉這份
工作，而是我會受不了同仁會以「非我族群」的異樣眼光看我，
專業館員必然加入學會幾乎是不成文法，現在講出來，我認爲我
加入 ALA 是100％正確的決定。在我們國內加入專業組織的風氣
並沒有展開，這是我頗感遺憾的事。

　　加入專業組織，例如：「中國圖書館學會」、「中華圖書資
訊學教育學會」、「A.S.I.S.臺北分會」都是值得鼓勵的。

　　成爲專業組織的一員，至少有下列好處：

　·出席年會。

　·參與學會各種委員會。

　·有機會參與學會主辦的各項講習會、訓練班。

　·可能參與學會主持的若干研究計劃。

　·接受專業出版品。

　·發表專業論文或研究報告。

　·認識更多的圖書館界人士。

　　一人圖書館員加入專業組織的各種活動也有困難，下列情形
只是幾個例子。

　·活動與辦公時間衝突。

　·工作太忙，不能分身。

　·不便請假。

---

❶　*Who's Who in Library Service* 3rd. ed.（New York; Grolier 1955）．

· 距離太遠，交通不便。

上述各項困難有些不是一人圖書館員能夠解決的，學會也應該找出專業人員不參加學會的原因，在可能範圍內遷就會員的方便。例如：早餐會報（Breakfast Meetings）、夜間會議（Evening Meetings）等。

一人圖書館員也要有所作為，例如：

· 選擇性的參與活動。

· 說服上級參與專業組織活動的利益。

· 仔細衡量參與學會某項活動得失。

（例如犧牲一天工作是「失」，認識某一特定對象的人，對自己的業務爭取支援是「得」。）

· 參與學會活動，不僅是聽講、投票、聚餐，應該掌握休息時間，有時在走廊中舉行幾分鐘接觸和面談（我們稱為 Corridor Meetings）就值得來回交通票價。

四「一人圖書館員」的教育和訓練

1.正規專業教育（Formal education）

正規專業教育也就是圖書館學系所提供的教育，可能是最難討好的教育工作。近年來我所看到的文獻幾乎都是責難之聲，主要的研究報告如席爾（Hill, 1990）、羅斯田（Rothstein, 1985）、馬特祖（Matarazzo, 1990）得到一致的結論：圖書館碩士班課程（MLS curriculum）是失敗的，教育出來的學生不能因應第一項專業工作（First Professional Job）的需求。狄思（Miriram Tees,

1986）列舉十項必要的知識與技能⑱：

　(1)與圖書館學研究所課程有關係的只有四項

　　·基本參考資料的知識。

　　·進行參考問答的能力。

　　·發展檢索策略的能力。

　　·服務圖書館所藏特色學科資料的知識。

　(2)與圖書館研究所課程毫無關係者六項

　　·口語通訊的能力。

　　·寫作的能力。

　　·與同仁溝通的能力。

　　·服務的態度。

　　·能夠作決策的能力。

　　·指出問題的能力。

　　威廉生（Williamson）則專門爲「一人圖書館員」發言，她說「許多一人圖書館員對圖書館學校教育不滿，課程中沒有適當的研討有關專門圖書館的爭論（Issues）。也有畢業生說學校從來沒有教育他們如何單獨的工作」⑲。

　　對於這些學者的意見，雖然他們出之善意，也有我不能苟同的地方，圖書館學教育重視核心課程（Core curriculum），無法

---

⑱　Fisher, William and James M Metarzzo, "Professional Development for Special Librarians: Former Education for Excellence" *Library Trends* V.42. No.2（Fall l993.）

⑲　Williamson, Joan, "One person Library and Information Units. Their Education and Training Needs", *Library Management* 9：5（1988.）

也沒有必要開出多門太過於專門的課程，我們透過學習的轉移
（Transfer of Learning），學生能由學到的原則，舉一反三。狄思
（Tees）所提出十項必要的知識與技能，我都贊成，我國的圖書
館研究所課程之中幾乎每門課程都有學生口頭報告、書面作業和
討論（以臺大為例）。我在二年級所開的西文參考資料課程內容包
括服務的態度，甚至訓練學生用英文寫作作業的能力。將來教育
部有意讓大學自行安排系所必修課程，我們的圖書館學正規教育
將會邁進一大步。

2.職前教育（Induetion Training）與繼續教育

⑴職前教育的目的和大學的新生訓練類似。
孫克萊（St. Clair）說職前訓練的目的為：
・了解母機構的宗旨。
・認識同仁。
・開始接近讀者及可能成為使用者的人。
・聽取別人對圖書館的意見。
⑵繼續教育（continuing education）
魏嘉德（Darlene Weingard）以警告的語氣說：

> 教育，不管是學校教育、職業教育或技術教育，得來的資
> 格（Qualifications），其有效期只有五年。[20]

---

[20]　Weingard, D.C., "The Information Hotseat, Continuing Education in a Changing World", *Journal of Education for Librarianship* 24(4) 1984.

　　換句話說，她認爲離開學校五年之後就應該再回到教室充電。其功能如下：

　　　·學習新的技能。

　　　·了解新的趨勢。

　　　·增進工作效率。

　　　·接觸專業同行。

　　　·提升自己地位。

五、結　論

　　一人圖書館在西方國家，尤其是英、美，是近十年來極受注意的熱門論題，我們的政府正在大力推動鄉鎮圖書館的建設，在三百多所鄉鎮圖書館中絕大多數會是一人圖書館，因此對英美朋友而言，只是一個「講」的問題，對我們而言則是一個「做」的問題。

　　由於篇幅之限，我不便再寫下去，但我必須要講一句話，我鼓勵圖書館界的新秀深入民間同心協力建設書香社會，「一人圖書館員是獨立的，而不是孤立的。」

　　「You are on your own, but not alone.」

聽！仔細的聽：
「圖書館員與讀者之間
如何溝通」問題之研究

摘　要

圖書館學本來就重視溝通，在資訊時代裏圖書館學、資訊科學和通訊學的科際整合更形成了一種潮流，「溝通」的重要性在圖書館工作中更形加強，面對此一趨勢圖書館員應如何因應？

圖書館讀者服務成敗的關鍵在於館員與讀者之間對話是否順利，圖書館員不僅要能說會道，更要能「洗耳恭聽」。

本文討論「聽」的重要，困難以及如何加強「聽」的功能。

一、溝通（Communication）的重要

1、近代圖書館學強調「溝通」

圖書館學大師西拉（Jesse H. Shera）在其名著《圖書館學概論》一書中討論圖書館與社會的關係時指出：「交通（Communication）意即同享，當兩個或兩個以上的人交通時便成了共享體。文化又可以說是人民相互交通共享習俗，行為和信仰。因為交通對社會結構、組織、社會活動，以及個人性格的重要性，它是圖書館學中心課題之一」❶。西拉所謂的「交通」也就是本文中所指稱的「溝通」。

西拉的說明為近代圖書館學指出了發展的方向。圖書館學、資訊科學與通訊學的科際整合為大勢所趨，Rutger University 甚至將其金字招牌的圖書館學研究所改名換姓為通訊資訊及圖書館學研究所（School of Communication, Information and Library Studies），夏威夷大學急起直追，於1986年將圖書館研究所的名稱中加入 Communication 字樣。

※英文 Communication 一字涵義甚廣。

李德竹編著《圖書館暨資訊科學字彙》譯為「通訊」、「通信」。

---

❶ Jesse H. Shera, *Introduction to Library Science* (Littleton, Colo.: Libraries Unlimited, 1976), P.46.鄭肇陞譯，《圖書館學概論》，（新竹：楓城出版社，民國75年），頁35。

鄭肇陞譯《圖書館學概論》中則譯爲「交通」。

兩種翻譯均甚正確。

本文強調「人」與「人」間的接觸因而採用「溝通」。

上述 Rutger U.和 Hawaii U.的兩個例子，並不表示祇有這兩所大學重視通訊更不意味其他圖書館學最高學府都漠視通訊，爲了避免誤解我想比較合理的解釋是圖書館學本來就是一種重視「溝通」的科學，而重視的程度正在不斷加強。

圖書館學強調「溝通」，圖書館事業焉能怠忽？現代化圖書館服務的關鍵字是一個「通」字。

A 資訊與資訊之間要「通」

B 館員與資訊之間要「通」

C 館員與讀者之間要「通」

D 讀者與資訊之間要「通」

在「四通」之中 D 項：讀者與資訊之間要通乃是指將讀者與資訊結合起來，這也是圖書館界人士多年以來一直追求的目標。

2、「通」的觀念有待溝通

將讀者與資訊結合起來已經形成了圖書館學理論的金科玉律，圖書館文獻中絕大多數的文章都是圍繞著這個熱門主題兜圈子。

A.阮加納桑（S. R. Ranganathan）的定律（Laws）

印度學者阮加納桑提出圖書館學五項定律(西拉 Shera 稱爲五則

（Precepts）） ❷。其前三則爲

    a.圖書以使用爲目的

    b.各書有其讀者

    c.讀者各有其書

    阮加納桑「各書有其讀者」「讀者各有其書」的主張，頗能打動人心，但他並不是爲「建立書香社會」做宣導工作，他的本意在於鼓吹圖書館事業應當著重「功能」（Function）。圖書館資源既要「合用」更要「活用」，爲了到達這個目的圖書館尤其是公共圖書館必需努力建立一個不大不小的「核心書藏」（Core Collection），但是讀者如何知道圖書館收藏有他所需要的書？「各書」是否一定要有「其讀者」？前者要仰仗圖書館員穿針引線。後者則是一個值得熱烈討論（Contraversial Issue）的問題，美國國會圖書館收藏資料以億萬計件，大衛魔術也無法使各書有其讀者。就「溝通」而論阮加納桑並沒有明白的交代。

    B.西拉（Shera）的三角形底線

    傑西，西拉這位偉大的美國學人對於圖書館學哲學的貢獻可謂「前無古人」，他的三種主要著作《公共圖書館基礎》，《圖書館學教育基礎》以及《圖書館學概論》有系統的闡述，以服務爲中心的圖書館學理論的體系。《圖書館學概論》是西拉在七十三歲高齡時完成的，也是他生前最後一部專書（1982年逝世）。這部經典鉅著已由我國旅美青年學人鄭肇隆君譯爲中文，爲研究圖書館學理論必看之書。在此一著作中，西拉提出圖書館員領域的

---

❷   同前註，頁63，鄭肇陞，頁51。

三角形圖解❸，我曾一再引證，他認為三角形底線即圖書館員世界所在。西拉立意甚佳，他指出圖書館員的神聖使命——作為讀者與資源之間的橋樑，但三角形（見圖一）沒有將「黑字寫在白紙上」確切顯示圖書館員扮演的角色，文字裏也沒有解說溝通的流程，略嫌美中不足。

圖書
（圖文記錄）

個別讀者

圖書與讀者

圖一　西拉的構想

C.補遺？　畫蛇添足？

西拉和阮加納桑都是大牌學人，他們的著作影響深遠。我曾再三閱讀他們的文章，受益良多。欽佩之餘，我總覺得「五則」和「三角形底線」少了點甚麼。既像「點到為止」，又像「有所保留」。因此不揣冒昧提出我的修正建議，求證於國內外專家學者。

---

❸　同前註，頁65，鄭肇陞，頁53。

(1)「五則」的補充

阮加納桑的原案	補充建議
・圖書以使用爲目的 ・各書有其讀者 ・讀者各有其書	・圖書館員各有專長學科領域 ・圖書館員應儘可能接近讀者

(2)「三角形」與「三連環」

　　西拉於1976年提出「三角形」圖解（見圖一）與1974年我在〈圖書館學趨勢〉❹一文中所提倡的「三角形」理論在精神上是大體一致的。所不同之處在於西拉將注意力集中在三角形底線（base-line）而我卻將重心放在三角（Angles）尖端的三點，象徵圖書館事業的三大構成要素——讀者、資源、館員。此一三角形是變動的，可以爲直角、銳角或鈍角以解釋「讀者爲中心」「資源爲中心」和「館員爲中心」等三種不同的圖書館學思想。

　　時過景遷，十幾年前的寫作（西拉11年，本人13年）已經不能適應當前的局勢。因此將我所提出的「三角形」修正爲「三連環」。

---

❹　《圖書館學》（臺北：臺灣學生書局，民國63年），頁3-13。

圖書館三大組成要素位置圖

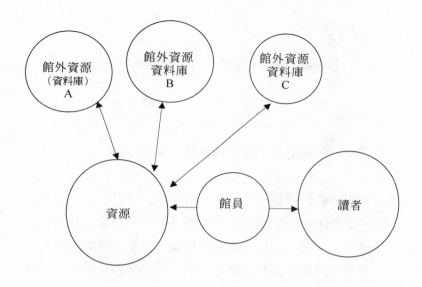

圖二　資訊與資訊溝通

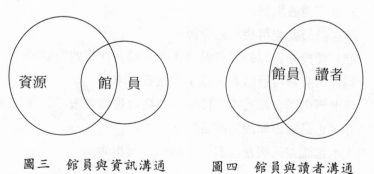

圖三　館員與資訊溝通　　圖四　館員與讀者溝通

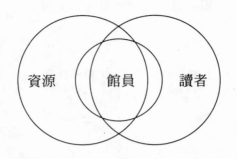

圖五　讀者與資源溝通

「三連環」的特徵如下

· 圖書館是有生命的有機體，因此會「動」，由「動」而「變」。

· 「動」、「變」的目的是便於接觸，也就是有助溝通。

· 三連環所有圖案都是不斷運行的，靜止狀態是現代化圖書
　館的死敵。

· 惟有圖書館自動化完成，資訊網建立以後圖書館才能眞正
　的展開讀者服務。

· 圖書館員要儘可能掌握資源。

· 唯有能控制資源的圖書館員才能對讀者作有效的服務。

· 圖書館必需接近讀者，以了解讀者需求。

· 讀者經由圖書館員的支援與資源結合是讀者服務的理想境
　界，也是圖書館設立的目的。

由上所述圖書館服務要有一定的秩序與步驟：

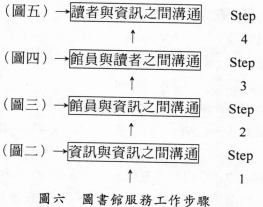

（圖五）→‖讀者與資訊之間溝通‖　　Step 4
　　　　　　　↑
（圖四）→‖館員與讀者之間溝通‖　　Step 3
　　　　　　　↑
（圖三）→‖館員與資訊之間溝通‖　　Step 2
　　　　　　　↑
（圖二）→‖資訊與資訊之間溝通‖　　Step 1
　　　　　　　↑

圖六　圖書館服務工作步驟

二、「溝通」問題

㈠此「通」非彼「通」

所謂「通訊」是由四個因素組合而成。

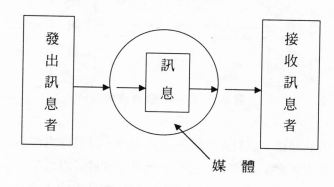

圖七　一般的通訊

· 發出訊息者　　　（Communicator）
· 通訊媒體　　　　（Medium）
· 訊息　　　　　　（Message）
· 接收訊息者　　　（Recipient）

以上所述為一般性的通訊，其關鍵字在於「發」和「收」，頗有「單程」（One Way）的意味。（例如賀電），其過程如上圖七：

雖然一般的通訊也有「雙程」（Two Way）（例如謝函），圖書館學中所謂「通訊」則一定是「雙程」，在讀者服務中圖書館與讀者雙方都是發出訊息者也都是接收訊息者。由於本文討論範圍限於「人」與「人」間的接觸，因此媒體不在考慮之內，請參見圖解八：

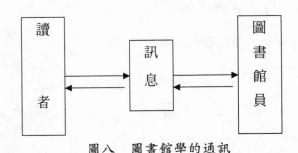

圖八　圖書館學的通訊

一般的通訊，訊息送到任務即告完成，我們圖書館界的「溝通」不止以「發」「收」為目的，而是寄望於「增進了解」，更進一步到「完全了解」，在通訊中是屬於高層次的「通」。由於我們的通訊涉及館員與讀者雙方，也是對流的，因此稱為「溝通」。

㈡「通」與不「通」

通訊可能發生故障，人與人間的交往更屬不易。美國傑出的行為科學專家哈瑞斯（Thomas A Harris），在其名著《行為分析指南》中指出「人際關係」❺——「人」與「人」接觸時可能發生下列四種情況：

甲　我不ＯＫ　　　你ＯＫ

乙　我不ＯＫ　　　你不ＯＫ

丙　我ＯＫ　　　　你不ＯＫ

丁　我ＯＫ　　　　你ＯＫ

哈瑞斯所提供的排列組合為我們帶來若干啟示。如果以「正數」（Positive）代表「通」，「負數」（Negative）代表「不通」，人與人相處ＯＫ或不ＯＫ時，可能產生如下後果：

A 任何一方不ＯＫ，結果是負數。

B 雙方都不ＯＫ，結果還是負數。

C 祇有雙方都ＯＫ，結果才是正數。

D 甲、乙、丙，都是失敗的經驗，祇有程度的差異，四種情況之中唯有丁是成功的，不ＯＫ的機會多於ＯＫ的機會。

在現代化圖書館參考工作中圖書館員與讀者之間的對話極為重要，賈合達 Gereld Jahoda 與布奈及耳 Judith S. Braunegel 就曾在合作編寫的專書《圖書館員與參考問題》（*The Librarian and*

---

❺　Thomas A. Harris, *I'm OK-you're OK: A Practical Guide to Transactional Analysis* (New York: Harper & Row, 1966), pp.95-96.

Reference Queries）中提出他們研究的成果。爲了節省紙張祇引用
哈瑞斯的排列組合以說明圖書館與讀者溝通時可能發生的情況。

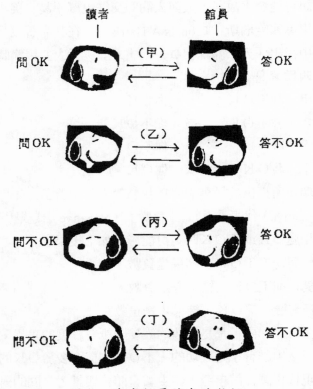

圖九　參考館員讀者的對話

(甲)「問對」「答對」爲最圓滿的服務。

(乙)「問對」「答錯」爲最嚴重的缺失。

(丙)「問錯」「答對」爲最幸運的表現。

(丁)「問錯」「答錯」爲最荒謬的情況。

　　由圖九所得到的聯想祇是說明圖書館員與讀者對話謀求溝通時可能發生的現象，並不表示我承認這些現象的正常性，王爾德（Oscar Wilde）曾有一句名言「沒有錯問的問題，祇有錯答的答案」❻。這句話圖書館員，尤其是參考部門的工作人員應該視爲座右銘。

(三)何以「不通」？

　　通訊的困難在那裏？通訊學權威杜克（Peter Drucker）認爲毛病都出在我們本身，他以諷刺的口吻指稱

　　　　我們不知道
　　　・說甚麼
　　　・甚麼時候說
　　　・如何說
　　　・對誰說
　　　是由於我們的愚昧無知。

　　說話需要技巧，「技巧」不能仰賴天賦，後天的培養才是正當的途逕。「圖書館員難爲」！一方面不能做「鋸了嘴的葫蘆」，另一方面又怕人家看成「王媽媽的裹腳」。如何才能做到恰到好處？我建議圖書館員不妨多參考佛來其（Rudolf Flesch）所寫的暢銷書「實話實說」（The Art of Plain Talk）❼。

---

❻　William A. Katz, *Introduction to Reference Work* (New York: McGraw-Hill, 1982), p.42.

❼　C.N. Parkinson & N. Rowe, *Communicate—Parkinson's, Formular for Business Survial* (Prentice—Hall, 1977), preface by Peter Drucker.

　　杜克的論調似乎針對主動的發言和片面的發言（如演講）而來，圖書館員眞正關心的是與讀者面對面時的「對話」。要由被動（發問者多半是讀者）轉爲主動（圖書館員反問讀者以取得知己知彼的地位），演變爲雙方交談的行爲。

　　杜克注意「說」

　　圖書館員注意的是「說」與「聽」。

三、聽 !

㈠聽覺不靈

　　「姑妄言之，姑妄聽之」，我國這兩句先賢佳言，主要的涵義在於表示有風度的人應有的修養。你講甚麼，我聽甚麼，我不太喜歡「姑妄」二字，予人過於消極的印象，是不理想的通訊。因爲對是否聽了進去，而不至於「左耳進右耳出」，沒有肯定的表示。

　　近年來，有一個可喜的現象是通訊學者不斷從事有關對「聽覺」的研究。華勒（H.W. Warner）❽於1981年曾經完成兩項調查研究。第一項調查顯示我們經常在聽覺上要接收兩千項各式各樣的訊息，而我們能記憶的至多爲六十五項。此一調查以「聽」的本能爲主體而不是以「記憶」爲目標。另一研究除了證實了前項研究的結論之外，更進一步的實驗各種通訊方法（Means of

---

❽　H.W. Warner, "The Reader, Listener, Viewer," *Vital Speeches of the Day*, 47 (1981), pp.603-606.

Communication）的記憶持久力 Retention 層次：其結論

讀	10％記憶保持程度
聽	20％記憶保持程度
看	30％記憶保持程度
聽與看	50％記憶保持程度

華勒的研究顯示了視聽技術（Audio-Visual Technique）的重要性，我有一信不成熟的看法（也許是曲解），圖書館員與讀者交談時，眼睛要望著讀者，溫和而同情的眼神加上屏息靜聽是否也可與視聽技術扯上一點關係。圖書館學名家諾蘭（Arthur R. Rowland）認為：

> 圖書館員在讀者提出問題時所表現的態度，和能不能回答問題，同等的重要。❾

(二)臨床診斷

聽覺何以會發生問題？管理學者伊凡維琪（J.M. Ivancevich）❿認為講者（即發出通訊者）習慣於賣弄自己專長，以致造成通訊困擾，他指稱「現代企業組合，喜歡將不同學科的專家結合成為工作小組（task force），結果，這些要人在集會時，常常各說各話。好像各自代表一個不同的機構」，例如：

---

❾ Authur Ray Rowland, *References Services* (Hamden, Conn.: The Shoe String Press, 1964), p.154.

❿ J.M. Ivancevich, J. H. Dannelly & J.c. Gibson, *Managing for Performance* (London: Business Publisher, 1983).

- · 會計師　　　動不動引用數字。
- · 工程師　　　經常賣弄他在學校學來的術語。
- · 律　師　　　偶而冒出一句拉丁。

　　伊凡維琪將責任完全推到「說」的一方，我個人頗不以爲然，圖書館是以售貨員精神服務社會的，讀者就是顧客，而顧客永遠是對的。儘管文化背景、種族、鄉音使得「講」既困難「聽也不易」，圖書館員仍舊要以無比耐心接受考驗。

　　「聽」與「說」的關係密不可分。根據卡班達（O.P. Kharbenda）的研究報導，普通人講話速度約每分鐘一百字（英文）而我們的聽覺吸收力約爲四倍，頭腦接受能力則高達十二倍，時速差異（Time Gap）並不是資產（Asset）而是負債。因爲速度不調和，聽者會分心外務而不能聚精會神。

　　聽力不強的另一原因是我們缺乏這種訓練，凱茲聲稱⓫：「有人教我們怎樣讀書，怎麼寫字，甚至怎樣說話，但是從來沒有人教我們怎樣聽。而如何的聽，絕對是可以教的」。下圖，不僅支持凱茲的意見而且更強調「聽」的功能。

	學習秩序		運用機會		教育與訓練	
聽	1	（最先）	1	（最多）	1	（最少）
說	2		2		3	
讀	3		3		2	
寫	4	（最後）	4	（最少）	1	（最多）

圖十　聽，説，讀，寫比較

⓫　同註❻，頁48。

㈢大家都要「聽」

二十世紀八十年代是一個重視通訊的時代，通訊在過去的缺失也及時受到注意。「聽」本來是最受到冷落的一環，目前已經搖身一變轉爲熱門。

· 《幸福》雜誌（Fortune）1982年12月號在封面左上頁登載有下列訊息

　找尋解決方法，而不「聽」（Listening）問題之所在，等於在黑地裏工作。

· 封面右下頁則登載如下文字

　如果你想找出解決問題的最好方法，請試與那些題意先「聽」後講的人講話。

· 舉世聞名的3M公司在其產品目錄中登載有下列文字

　請儘量說出你的意見、3M正在聽……
　「聽」是一種藝術，
　「聽」比「說」困難，……「聽」會打開我們的場面，刺激成長，……
　在3M「聽」的藝術就是我們的經商哲學……

· 英國的一家銀行（The Midland Bank）甚至在招牌下端加上一行「洗耳恭聽銀行」（The Listening Bank）。

四、仔細的聽

(一)「聽」的重要

重視「聽」已經成了世界潮流。克勞斯❷（R. Klauss）於1982年對四百名工程業主管所作的調查發現他們80％的時間都是花費在和人面對面接觸上。另一項調查列舉二十項單位主管認為必要的條件，請由三百位經理級人員依照重要次序排列，其結果至為驚人，其次序為❸

A 注意的「聽」

B 發出有效指示

C 接受責任

D 辨識問題

……

「聽」已經成了美國大企業，例如最近三年以來成立的請聽我說（Lend me your ear INC）顧問公司❹是與資訊有關的。

---

❷ R. Klauss &. B.M. Bass, *Interpersonal Communication in Organizations* (London: Academic Press, 1982)

❸ Training (H.R.D.)，The 20 Activities that brings 80% payoff Training HRD June 1978.

❹ E.A: Stallworthy &. O.P. Kharbanda, *Total Project Management* (Aldershot: Gower, 1983).

㈡圖書館員的責任

圖書館學，資訊科學和通訊學的結合，將圖書館事業推動到一個新的境界（New Frontier），也為負荷不輕的圖書館員帶來額外的工作和更重的責任。

圖書館自動化是以機器代替部份人力。線上檢索並不能完全取代人與人間的溝通。我國圖書資訊學專家李德竹教授不止一次對我說「圖書館自動化最主要的問題是人的因素」（Human factors）。這句話我「聽」得進，而且深以為然，「機器」與「人」應當保持平衡，「機器」應當「精益求精」，圖書館員更要「自強不息」。

圖書館讀者服務的重心在於圖書館員與讀者之間的「溝通」，人與人間的接觸使讀者感覺到有「人情味」。以參考工作而論，中間要加上「聽」，仔細的聽！我試擬了「聽」的十則，供圖書館員參考：

圖書館員「聽」的十則（草案）

A 注意力集中。

B 以溫和、同情的眼光望著讀者。

C 不可打斷讀者的話。

D 不要催促讀者。

E 不懂的問題，以委婉的口吻請求讀者澄清。

F 對於離譜的問題不可發笑。

G 不可以諷刺讀者。

H 要控制自己的情緒。

I 比較複雜的問題，要做速記，或簡單的筆記。

J 有時要用身體語言（Body Language）（如點頭微笑，輕拍對
方肩頭，手示等動作）以表示贊許，鼓勵詢問的讀者儘所欲
言。

講！好好的講：
圖書館員與讀者如何「溝通」問題

一、「講」的重要

(一)「講」是人類的基本本能

人類和其他動物的差別在那裡？

遠在幾千年以前，孟子就曾經說過：「人之所以異於禽獸者幾希」（離婁章句下）。「幾希」的意思是「差別有限」。

英國學者藍瑛（Margaret Lane）認為這種「差別」是基本的，同時是顯著的。她說：「有一個非常奇妙的事實，就是一直到現在我還沒發現有其他動物有足夠的口語溝通能力，而地球上任何一個人類社會都不缺乏自己的語言」❶

孟子的話和藍瑛（Lane）的觀點並沒有矛盾，孟子是有感而

---

❶ Margaret Lane Daily Telegraph Feb. 22. 1985

發，他的哲理偉大精深，但卻不在本文討論範圍之內，藍瑛（Lane）所指的「口語溝通」在立場上和我寫作這篇文字的精神是吻合的。

湯瑪士曼（Thoms Mann）直截了當運用「講」（speech）這個字。他說：「講就是文明，講出來的許多字，那怕前言不符後語，也造成接觸（contact），而「沈默」的結果是孤立無援。」❷

黑幼龍強調「溝通」的重要。他說：「如果有人問我，當今臺灣最需要的是什麼？我會回答：我們最需要溝連」他所謂的溝通主要指「講」，這句話是他在《樂在溝通》一書序中的開場白。這部書的副書名是《做個會說話的上班族》。他接著指出：「別人能否接受我們的意見，是否熱衷與我們合作，泰半取決於我們怎樣表達意見，也就是說『怎麼說』比『說什麼』還重要。」❸

賀姆思（John Andrew Hulmes）進一步的指出：「講很輕易的安排在思想和行動的中間。在這個位置上，講經常取代了思想或是行動，有時甚至於完全取代了思想和行動。」❹

(二)「講」是溝通的主力

英文 Communication 一字有多種中文翻譯，在不同的運用場合下，可以譯爲通訊、傳播、溝通。讀者，尤其是學生讀者在翻

---

❷ Thomas Mann *The Magic Mountain* 1924（以上兩件附註見*20 century Quotions* ed. by Frank S. Pepper）

❸ 白克著，顧淑馨譯：《樂在溝通：做個會說話的上班族》（臺北：天下文化，1989年），頁 I-II。

❹ John Andrew *Hulmes, Wisdom in Small doses in The Mcmillan Treasury of Relevens Quotations* ed. by Edward F. Murphy.

譯這個名詞時應先查詢李德竹所編著《圖書館學暨資訊科學詞彙》，在本文中我採用「溝通」。

溝通的能力（Communication Competence）是能夠在資訊社會中生存、活動的要件。

藍錦（Paul Rankin）經過研究的結果，將通訊活動依照需用時間編組為四大類：**❺**

活動項目	需用時間百分率
聽（Listening）	42.1％
講（Speaking）	31.9％
讀（Reading）	15％
寫（Writing）	11％

祝振華說：「人類思想傳播的主要形式有二」：

‧書面傳播

‧口頭傳播**❻**

如果依照祝振華的形式，藍錦（Rankin）的四大類別的需用時間可以合併重新計算為：

聽42.1％＋講31.9％＝74％

讀15％＋寫11％＝26％

就溝通的功能而論，書面傳播不如口語傳播至為顯明，葛羅根（Denis Grogan）說：「絕大多數人類是不識字的，閱讀是人

---

❺ Paul Tory Rankin "The Measurement of the ability to Understand Spoken Language" *Dissertation Abstracts* 12 1952 PP. 847-48.

❻ 祝振華：《口頭傳播學》（臺北：大聖，1973年）

為的（artificial）單獨性質的（solitary）而且是過於靜態的（static）的活動。」❼

　　就口語傳播來分析，「聽」的作用又不如「講」，前述的藍錦（Rankin）在另一項研究中發現，底特律市（Detroit）中學課室教學閱讀佔用時間52%，而聽覺的訓練只有8%❽。他的解釋極為重要，他說：「這是因為人們缺乏自知之明，他們以為自己不會有聽的問題，在溝通時，大家願意「講」而不大喜歡費神去聽，聽的時候，注意力放在別人身上，講的時候注意力的焦點（Focus）在於自己。」❾

　　在聽、講、讀、寫四大溝通本能之中，「講」是必然佔有優勢的，盲目的人在半夜可以聽到歌聲，在白天裡卻看不見一幅張大千的名畫，不識字的文盲看印製出版品好像在看天書，但卻會在電視裡欣賞相聲和大陸尋奇節目中熊旅揚的國語介紹，身體語言（Body　Language）更可以幫助重聽的人了解口語。

㈢與「講」有關的兩個歷史故事

　　我們中國人是重視口語傳播的民族，歷史上記載有很多關於應對，說客的佳話，以下兩件故事就是例子：

　　1.鍾毓，鍾會少有令譽，年十三，魏文帝聞之，語其父鍾繇曰：「可令二子來」，於是敕見，毓面有汗，帝曰：「卿面何

---

❼　Denis Grogan *Practical Reference Work*　（London: Library Association Publishing 1992,）P.29.

❽　Paul Tory Rankin "The Importance of Listening Ability" *English Journal* 17, Oct. 1928, PP. 623-30.

❾　Gragan op. cit P. 76.

以汗？」毓對曰：「戰戰惶惶，汗出如漿」，復問會：「卿
何以不汗」，對曰：「戰戰慄慄，汗不敢出」。❿

2.張儀已學而游說諸侯，嘗從楚相飲，已而楚相亡璧，門下
意張儀，曰：「儀貧無行，必此盜相君之璧」，芳執張儀，
掠苔數百，不服，釋之，其妻曰：「嘻！子毋讀書游說，
安得此辱乎？」張儀謂其妻曰：「視吾舌尚在不？」其妻
笑曰：「舌在也」，儀曰：「足矣。」⓫

上述兩件故事都以白話文改寫成為兒童故事，前者收集在兒
童教育研究會主編的《中國兒童故事》之中，後者則有兩種白話
文版，吳涵碧著：《吳姐姐講歷史故事第一集》，篇名為〈張儀
的舌頭〉和姜如琳編寫《史記故事》，題目是〈舌頭在嗎？〉都
很受小朋友喜愛。

兒童讀物是公共圖書館最主要的書藏，我認為讓小朋友認識
「能說會道」的重要性越早越好。

二、「講」是參考服務的重心

參考工作是圖書館成敗的關鍵，范聿克（B.F.Vavrek）在寫
作中甚至於說：

「參考工作就是圖書館」（Reference is the Library）⓬，這

---

❿　余嘉錫：《世說新語箋疏》（臺北：華正書局，1984年），頁71。
⓫　史記傳七十，張儀列傳第十。
⓬　B.F. Vavrek. *A Theory of Reference Service Coll. Res.* Libr. 29 (6), November 1968, PP.508-10.

句話略嫌語氣太重，而且是「一家之言」，我們暫且不去管它，但是參考工作之重要，一定會得到圖書館界的認同，我想把他這句「名言」，略爲修正爲「一所好的圖書館，一定能提供良好的參考服務」，因此我在訪視圖書館時，無論那種類型，總是先看參考室，如果參考室資料、服務，都在水準以上，我會有留連下去，不想離開的感覺，假使這一方面差勁，圖書館其他部門，儘管富麗堂皇，漂亮美觀我也不想看了。

參考資料的強弱，不在本文討論範圍之內，我的重點放在讀者服務中的「溝通」，也就是「講」，用我們專用術語就是「參考對話」（Reference Dialogue）和「面談」（Interview），如何面談，怎麼對話，本文以後會提出我個人的淺見，在此我想先討論「對話」和「談」。

「對話」和「談」都是「講」，「講」是口語傳播中的基本架構，範圍極爲廣泛，演講、爐邊閑話、課堂或在電視中授課，朗誦，談話，自言自語，吳姐姐講故事都是「講」，都和圖書館運作有關，本文限於篇幅，我將範圍縮小到「問題」和「問」。

寫到這裡，我心中突發兩點疑問：

・爲什麼我們說肚子裡裝滿了墨水的飽學之士是有學問的人，「學」和「問」怎麼會連在一起！

・古代有學問的人是不是眞的在「問」和喜歡「問」！

先從後者說起。

(一)孔老夫子常常「問」

我讀書有個習慣，喜歡重讀若干書籍，論語是其中之一，我

沒有太多時間，大約每星期一次，每次一個小時，不多也不少，
我發現論語中好幾次提到「問」：

- 子入太廟，每事問（八佾第三）
- 敏而好學，不恥下問（公冶長第五）
- 子曰：「吾有知乎哉？無知也。有鄙夫問於我，空空如
  也，我叩其兩端而竭焉」（子罕第九）
- 樊遲請學稼，子曰：「吾不如老農」，請學為圃曰：「吾
  不如老圃」（子路第十三）

　　這些經典語句本來只是表達孔聖先師治學和做人的道理，我
卻想以圖書館學的觀點作另外的解釋，我極為敬佩孔子以「問」
來取得資訊的習慣和決心。「每事問」「不恥下問」在精神上和
我們專業所謂的「諮詢」（Query）沒有什麼不同，「叩其兩端而
竭焉」也可以解釋為「徹底檢索」（intensive search）。至於「吾
不如老農」、「吾不如老圃」，是尊重專家，道道地地的「參考
轉介」（Referral service）。我想如果孔子是現代的人，他會是受
歡迎的圖書館讀者，也有資格從事勝任愉快的參考服務。

㈡「學」和「問」連在一起

　　孔子是歷史上最有學問的人，他的偉大是世界級的，也是永
恆的，但是「學」和「問」有甚麼關係？為甚麼兩個字會連在一
起？我以讀者身份在電話中向中央圖書館參考室提出問題，蔣嘉
玲小姐很快的提供下列資料：❸

---

❸　《文史辭源》（臺北：天成出版社，1984年）

　　【學問】學習和詢問。〈易·乾〉：「君子學以聚之，問以辯之。」〈荀子·大略〉：「詩曰：『如切如磋，如琢如磨』，謂學問也。」學與問本為兩事，後來學問聯稱，指有系統的知識。《世說新語·文學》：「褚季野（哀）語孫安國（盛）云：『北人學問淵綜廣博』。孫答曰：『南人學問清通簡要。』」

　　這段文字，內容人人都懂，有自行解釋（Self-explanatory）的特徵，我特別重視「學以聚之，問以辯之」這兩句話，其涵義是知識是彙積的（cummulative），藉著「問」才可以區別什麼是有用的，那些是應該排斥的，真正有價值的知識，由「問」才能得到，這就是我們圖書館參考服務重視面談（interview），也就是「講」的原因。

㈢參考工作中「問」是關鍵字

　　參考面談是參考館員和讀者之間的雙向溝通，這種過程我曾以下列公式表達。❶

$$\overset{\xrightarrow{\hspace{2cm}} X}{\underset{\xleftarrow{\hspace{2cm}}}{A \hspace{3cm} B}}$$

A 代表原來提出諮詢的讀者
B 代表接受信息，提出問題詢問讀者的館員
X 代表對話（Dialogue）

---

❶　沈寶環：《參考工作與參考資料》（臺北：臺灣學生書局，1993年，頁6-7。

　　傑合達（Gerald Johoda）和巴那基（Judith Braunagel）認為，館員和讀者在互問互答之中才能發現讀者詢問的真意。因此，他們提出「呈現資料」（Given）和「需求資訊」（Wanted）的觀點，並將各種可能出現的類型（例如：人物、地名、日期等）編製成索引式名詞（indexing terms），並定名為「描述語」（Descriptors）。⑮

　　在此，我必需指出：「面談」絕不是單純的「讀者問」，「館員答」的行為，而且「問」的重要性並不稍讓於「答」。葛羅根（Grogan）引用愛因斯坦（Einstein）的話說「如果仔細和正確的提出問題，就好像已經走到取得正確答案的中途」。⑯

　　「在美國瑪里蘭州（Maryland）的六十所公共圖書館所作的調查證實在參考館員和讀者面談時，由於館員領會問題發生偏差，讀者取得正確資訊的機會，不到55％」林琦（Lynch）曾將參考問題製作記錄，她發現讀者原來提出的問題（Original Question）和經過參考館員面談後所找出來真正問題（Real question），至少有13％是不同的。⑰

---

⑮　Gerald Jahoda and Jadith Braunagel *The Librarian and Reference Queries*, （New York: Academic Press 1980,）　P.11.

⑯　Grogan op. cit P. 64.

⑰　Lbid P.65.

三、「講」與「不講」──參考問題中的問題

(一)讀者問甚麼？

凱茲（Bill Katz）將問題分組為四類：**⑱**
- 指示性的問題（Directional Questions）
- 快速參考問題（Ready Reference Questions）
- 需要檢索問題（Specific Questions）
- 深入研究問題（Research Questions）

他如此分類我想他有兩大依據：

A.問題難易的程度

B.檢索資訊需要的時間

我所關切的是為甚麼讀者有的問，有的不問，甚麼怎樣的問？

(二)問與不問

據 Grogan 報導：**⑲**

- Loughborough 大學圖書館估計在英倫三島公共圖書館約每
  年接受參考問題約四千萬件。

- 郭爾荷（Herbert Goldhor）在伊利諾大學（University of
  Illinosis at Urbana-Champaign）所作的對照估計，美國公共

---

⑱ *Reference Services Today: From Interview to Burnout.* ed. by Bill Katz and
Ruth A. Fraley （New York: The Haworth Press 1981,） P. 9.

⑲ Grogan op. cit P. 36.

圖書館所接受的參考問題超過一億件。

這兩個數字雖然龐大，並不驚人，因為以人口數字計算，英國讀者平均一年才提出一個參考問題，美國情況更在英國之後，平均兩個美國讀者在一年之中提出一個參考問題，但是我注意的是「內容」不是「數字」，是「質」而不是「量」。

1.問題的性質

參考服務的主要目的是解答讀者提出來的問題，然而問題的內容五花八門，無奇不有，參考館員必需有判斷的能力，才能決定服務的程度。

一般而論，「問題」的性質可以分為五種情況：

A.容易解答的問題

這類問題就是凱茲（Katz）所指稱的指示性問題和快速參考問題，解答不需要參考館員花費太多時間，這是由於問題本身獨特（Specific）、精確（exact）和有固定範圍（finite）的特徵。這是我們所謂「自限的本質」（Self-Limiting Nature）。❷⓪

問題如：

· 1994年奧斯卡（Oscar）男女主角演員獎，給了誰？

· 喜馬拉雅山的高度是多少？

· John Smith 在波士頓的住址和電話號碼？

除了很快可以提供答案之外，參考館員對於答案的正確性有絕對的把握。

---

❷⓪　Lbid P.39.

B.沒有答案的問題

問題如：

‧我要中國大陸熊貓的確切數字。

C.不該提出的問題

問題如：

‧明天股票會不會漲價？ Yes or No？

除了上述三種形式以外，真正值得參考館員注意的是下面兩種情況：

D.不肯提出問題的讀者

E.需要在參考面談中磋商（Negotiate）的問題

2.沒有問題就是大有問題

這是圖書館參考館員感覺到最大的困擾。綜合多種研究和報導，均有下列原因。所謂讀者主要指青少年學生。

‧不知道參考館員是做甚麼的。

‧館員正在幫忙別人，不願意排隊等候。

‧對館員沒有信心，怕館員不會回答。

‧覺得問題太小，或不夠重要，不好意思提出來。

‧性別年齡引起來的歧視。

‧把館員和老師，看成一類型的人，不敢太接近。

‧對某些館員有反感，但是講不出道理。

‧沒有利用圖書館的經驗和習慣。

‧沒有隱私性。

‧不喜歡，圖書館過於寧靜的氣氛和環境。

- 寧可找自己朋友、同學，甚至社團幫忙而不願意驚動參考館員。
- 不好意思、害羞。
- 怕傷害到自己的尊嚴和自尊。
- 想自己試。

在社會間流行的一句口語——「沒有問題」，對於本來就不願意，或是不習慣發問的人有負面的影響。有位外國朋友曾經以開玩笑的口吻對我說：「西方人的鼻子是鉤形的，好像一個 question mark，因此喜歡亂問，中國人則是良好的聽眾（goodlis－teners）」。我聽了這話大不以為然，我說「中西文化誠然有差異，西方朋友在宴會時，如果不多講話，就認為反交誼（antisocial），甚至加上粗野無禮（rude）的帽子，我們的先賢有「食不言，寢不語」的話，但那是過去的事，現在在演講之後的問答時間，問題此起彼落，欲罷不能，課室教學也強調學生參與，我們只是不喜歡在正式的場合裡信口開河而已」。赫曼（Lillian Hellman）說：「除非在發言時有備而來，我喜歡那些婉拒開口的人。」❹

當然文字的翻譯和表達也造成問題，英文中「No problem」和「No question」，我們都譯為「沒有問題」而混淆不清，前者有表示承諾和信心的涵義，後者多半是指不打算詢問的「沒有問題」。

---

❹　Lillian Hellman. *An unfinished Woman in the Mcmillan Treasury of Relevent Quotations* ed. by Edward F. Murphy.

四、參考問題面談（講）的功能

㈠參考面談的作用

物理學家賈士特（Barbara Gestel）指出口語傳播對於科學家對社會大眾介紹科學有三項優點：㉒

· 對科學家產生「人性」興趣（Human Interest）。

· 可以運用聽、看等本能充實表達的效果。

· 不同於閱讀，立刻展開雙向接觸。

她的意見，我們圖書館大可借用。

圖書館參考面談有幾項特點，與賈士特（Gestal）的意見有關，我想加以說明。

1.圖書館參考館員和讀者面談時，不僅是為了輸送資訊，葛羅根（Grogan）說這也是交誼活動（Social Action）㉓，參考服務不是館員讀者間唯一僅有的一次接觸，圖書館事業常常被譏諷為少數知識分子的樂園，圖書館運作要能抓住讀書，讓他們成為固定客戶。

2.圖書館工作人員有企業形象問題

杜南斯（Durrance）說：「醫生、護士等若干專業從來不擔心社會人士對他們會產生形象問題，這種人際接觸完全

㉒　Diane O. Casagrande and Roger D. Casagrandc. *Oral Communication* （Belmont, Calif. Wodsworth. Publishing Co. 1986,）p.12.

㉓　Grogan op. cit P.89.

掌握在專業人員手裡，因此也增加了服務的成效」❷，顧客在餐廳、百貨公司、博物院都輕易過關，「圖書館館員難為」，他們經常與資料、書籍為伍，在若干讀者的眼光看來，他不是害蟲，就是走路的百科全書（A Walking encyclopedia）。

3. 在資訊時代裡，圖書館進入自動化的結果，為圖書館帶來了電腦，和大批終端機之類科技設備，有人擔心受了工作環境的影響，專業館員逐漸養成了機器導向（Machine－Oriented）的心態，而慢慢沖淡了讀者導向（Patron-Oriented）的信念。因此如何將人的因素（Human Factor）和高科技產品調和成為現代化圖書館不能忽視的課題。不完全仰賴機器，參考館員自己的投入，會對讀者產生 Human Touch 和 Human Hand 的溫馨之感。

4. 巴倫（Dean Barlund）說：「溝通和整個人格（Total Personality）有關，儘管我們用盡力量想把身和心、理智與感情、思想和行動分開，但是『意義』（Meanings）還是由有機體的總體（Whole Organism）形成」❷。我完全同意這種觀點，照我看來，「參考面談」是「包裝交易」（Package deal）。一個走路迷失了方向的人在向另外的路人詢問之前，往往有意無意的先打量這個人是甚麼樣子才

---

❷ Virginia Massey-Burzio Reference Encounters of a different kind: A symposicem in the *Journal of Academic Librarianship* V.18 No.5 P.277.

❷ Grogan op. cit P.101.

開口問話，參考室中提出問題的讀者多半是陌生人，（如果讀者都是熟面孔，是很悲哀的事。）館員會先看看這位讀者，讀者也在打量館員，這種「打量」的行爲（Size up）是自然而免不了的，此後才是館員和讀者建立良好關係（Rapport）的開始。

(二)參考面談的類型

參考面談的目的在於：

· 建立彼此的信心，尤其指對對方的信任。

· 造成良好溝通氣氛，資訊交流得以暢通。

· 決定適當資訊的內容，因應讀者的需求。

因此亨特（Gary D. Hunt）將面談分爲五種❷⑥：

1.親密型（Intimate style）

2.自然型（Gasual style）

3.諮詢型（Consultative style）

4.正式型（Formal style）

5.凍結型（Forzen style）

其中：

1.親密型使友好關係（Rapport）越過界限爲服務業倫理不容許的事。

4.正式型，不是平等關係，多半見之書面，無論由上而下，

---

❷⑥ Gray T. Hunt and William F. Eadie *Interviewing: A Communication approach.* （New York: Holf, Rimehart and Wimstm 1987,）PP.59-61.

　　或是由下而上，都是缺乏人性的，圖書館不是衙門，這種
型式自不足取。

5.凍結型，就是正常的所詬病的「晚娘面孔」。圖書館員一
　不小心就會遭遇到這種批評。

3.諮詢型是專業作為，提供資訊是參考館員的職責。

2.自然型比較輕鬆，讀者很多是對溝通不自在，不安的人
　（Communication Apprehensives），不好意思和不肯講話
　是雙生姊妹（Conseptual twins）❷❼。因此讓讀者解除緊張
　的情緒是必要的。

　　良好的參考館員可以由 Casual 轉到 Consultative，或者由
Consultative 轉到 Casual，或是兩種類型同時施行、運用之妙，存
乎一心，我就不必多說了。

五、講！好好的講！

　　圖書館是為讀者而設立，也是為能夠提供讀者需求的資訊而
存在，在資訊時代裡，圖書館的重要性日漸加強，但是這句話「你
知」、「我知」而「他不一定知」怎樣讓「大家都知」，是一個
「溝通」的問題。

(一)讀者的滿意度

　　我最近看到一篇文字上面有這樣一句話：

---

❷❼　Casagrade op. cit P.13.

我們一定要做到一點，不要讓讀者把圖書館看成一個裝滿
資訊的儲水庫，他們應該知道圖書館是一個方便，易於使
用（user-friendly）的資訊系統。❷❽

狄塞（Judith A.Tessier）則更為具體，她指出可能讓讀者滿
意的四個條件：

· 檢索的數量
· 讀者對於圖書館的整體印象
· 圖書館能夠提供的特別服務
· 讀者和圖書館館員接觸的情況❷❾

這四點都和參考工作有關。

圖書館事業雖然是非營利機構，但是很多做法和術語都是和
工商企業界亦步亦趨❸⓿。《參考圖書館館員學報》（*Reference
Librarian*）指出：

「消費者研究發現90％不滿意的顧客不再回來了，同時他
會把不愉快的經驗告訴他的九位朋友，不高興的顧客記得
他的不滿長達二十二個半月，而滿意的顧客記憶力只能維
持十八個月」。換句話說，顧客不能觸怒，得罪了一位顧
客，會讓九個人產生敵意，顧客懷恨的時間長，記得好處
的時間短。

---

❷❽　Editorial: Gatelceeper or Geteway *The Journal of Academic Librarianship*.

❷❾　Grogan op. cit P.89.

❸⓿　*Reference Librarian* No.31, 1990.

這兩項調查雖然是針對著工商企業的立場而舉行，卻引起了圖書界的警惕，這也是《參考圖書館員學報》報導的原因。

(二)我們對於讀者究竟了解多少？

這個問題不僅我不能回答，我想沒有人能夠提供讓大家都心服口服的答案，而圖書館界現在所推動的統計，問卷等調查表面上讀者研究（user study），但是在實質上卻是使用（use study）研究，自從1940年代美國圖書館界舉辦（美國）公共圖書館調查 Public Library Inquiring 以來，我還沒有看見一件有規模的讀者研究。（《圖書館的讀者》（The Library's Public）只是其中一冊）

最近十年來比較有價值，值得一讀的有兩項報告，華伊士（Alma Christine Vathis）在1983年指出讀者對於圖書館是否滿意的評鑑，顯示以人際關係爲第一優先，其次才是學術層次。❸❶

馬塞波（Virginia Massey-Burzio）說：「在傳統性參考室中有兩類讀者沒有得到參考服務應有的照顧，一方面是手足無措的新手（be-wilded novice），他們亟需廣博的圖書館使用指導，另一方面是高水準的研究者，他們的問題都是複雜，深入，眾多的❸❷。」她說的是實情，不過我要加兩點註解，第一、她講的是大學圖書館，第二、她服務的約翰霍浦金斯大學（John Hopkins University）密爾頓·艾生豪圖書館（Milton-Eisenhower Library）已經將這種情勢大爲改善。

---

❸❶　Grogan op. cit P.90.

❸❷　Massey-Burzio op. cit P.279.

資訊檢索系統的進步為絕大多數讀者帶來便利，但對少數讀者，有嚇阻作用，葛羅根（Grogan）說「著名的《最低勢力法則》（*Priniciple of Least Effort*）⓷也搬到圖書館了，如果讀者覺得取得資訊比得不到資訊還要更痛苦（painful）和麻煩時，他寧可不用資訊檢索系統（Information Retrieval System）。艾默（Charles D. Emery）解釋說：⓸

‧資訊使用者企圖將勞力貶低到最低限度（minimize their effort）。

‧使他們自己痛苦和不安的風險，他們企圖減少。

‧消耗最低的勞力，他們尋求如何避免痛苦。

(三)怎樣「講」！才算「好好的講」

伊沙生（David Issacson）以嚴厲的口氣指出：

> 只有頭腦不清楚的參考館員才會相信讀者自己會想出辦法應付一切，或是，我們必需對他們解說每一件事。⓵

他這句話寓有深意，但是我們不能衹看文字表面，要從字裡行間去推敲，因為參考服務不可能對讀者放手不管，期盼「讀者和資訊溝通」是有先決條件的。（請參見我所寫〈聽！仔細的聽〉一

⓷ Grogan op. cit P.91.

⓸ Charles D. Emery *Buyers and Borrowers* （N. word N. J. Ablex Publishing Co. 1985）.

⓵ David Issacson: An educationally and Professionally appropriate Service *Journal of Academic Librarianship* May（1990）P.81.

文），就後面一點而論麥可為（Michael McCoy）說：「當面對三個等候的讀者，電話不停的響，報紙要從樓下拿上來，有人發現電腦故障，參考館員怎樣進行有效的參考面談呢？」**㊱**這種不好受的滋味，我在丹佛市立圖書館（D.P.L.）嚐過，他講的話，我不僅同意而且同情。

伊沙生（Issacson）的本意是指在「不管」和「包辦」兩個極端之間，為參考館員留下很大的活動空間，勝任愉快的參考館員在和讀者稍一接觸就要能擬定解答計畫，也就是工作策略（strategy）。這種和讀者商議的過程，我們稱之為「洽商」（Negotiate）。

1.洽商（Negotiate）的必要

參考面談不是簡單的事，我在 D.P.L.工作時的上司閱覽部主任康貝爾（Surie Campbell）在參考館員朝會時曾經說：「如果讀者問你「鳥」（Bird）這個字怎麼拼，你們不可以直接了當的說 B.I.R.D.，而應該把字典翻開給讀者看，因為 Bird 這個字，進圖書館的讀者應該都會拼，可能他真正的目的是想買一隻鳥做寵物，而拿不定主意究竟是買金絲雀（Canarg），還是鸚鵡（Parrot），又怕館員見笑，因此時間許可還要拿《北美洲的鳥類》（Birds of North America）之類參考書給他看」。

㊱ Michael McCoy "Why don't they teach us that?" The Credibility Gap in Library Education. in *Conflict of Reference Services* ed. by Bill Katz and Ruth A Fraley（New York: The Haworth Press 1985）, P.173.

　　經過磋商才可以查明詢問的真正主題，名詞往往需要辨識（identified），闡述（elucidated），有時有必要找出界說，除了決定資訊需求的量（amount）、形式（form）和程度的層次（level）以外，還有一個好處，由於若干讀者用語模稜兩可（Ambiguity），容易引起誤解，磋商可以澄清，因此參考館員經常重述（restate）讀者提出來的問題。

　　2.「面談」時所用的方法

　　參考面談可能是所有面談（interview）之中最困難的一種，求職面試往往要事先提供學經歷資料或是證件，考試面試也先有一定範圍，圖書館參考館員對於陌生讀者則一無所知，問題中「提供的資料」（information given）好像冰山露在海面的一角，經常是不完整的，加之在面試進行時還要受到若干約束，舉例來說，圖書館學者專家對於參考館員應不應該問讀者「為甚麼問這個問題（why）」，就有正反兩方的主張，孟特（Mouwt）說：「他的經驗是讀者不願意講出他為甚麼需要這種資訊」，傑合達（Jahoda）在他的著作中指稱參考館員絕對不可以問「Why」，古倫（Norman J. Crum）認為「找出讀者為甚麼需要這種資料可以節省檢索一半的時間，而且對於決定優先次序，深度和形式都有益無損。」❸

　　因為讀者人既不同，提出的問題也有差異，這種差異不僅是實質的，更有方式、態度等多方面的區別。面對著各式各樣的讀者，五花八門的問題，參考館員的因應必需要能適應，不能一成

---

❸　Grogan op. cit P.79.

不變。

依我個人管見，擬將面談的方法編組爲下列三項：

A.火車車廂式（Train Sequence）

這種形式有如列車長查驗車票，他到那一輛車，乘客才將車票拿出來供他檢驗，他還沒有去的車廂，乘客坐著不動，圖書館參考館員扮演了列車長的角色，讀者是被動的。參考館員必需採取積極而又主動的態度，才能完成任務。

火車車廂式面談示意圖

B.寶塔式（Pagoda Sequence）

讀者提出的問題像一座高塔，參考館員留住有用的部份，節節升高，排斥無關的材料，最上一層是問題的重心，指出讀者眞正的需求。

寶塔式面談示意圖

C.漏斗式（Funnel sequence）

讀者提出問題時講話內容散漫、零碎，沒有組織，參考館員集腋成裘將點點滴滴的資料，有如古代計時的漏斗。

漏斗式面談示意圖

值得注意的是漏斗式面談是由開放性問題轉移為封閉式問題，寶塔式則由封閉式問題轉變為開放式問題，在火車車廂式時開放和封閉問題同時運用，也可以選一種運用。

所謂開放式問題是指誘導讀者繼續發言的問題，用字為7個（What, When, Who, Where, Which, Why, How）。封閉式問題是希望讀者不要東扯西拉，講到題外，同時表示館員已經有了一個假定。

3.參考面談的技巧

會講的人不僅能掌握「講甚麼？」，更知道「如何講」。

A.「講」聲音不大不小

湯蘭（Deborah Tannen）在《善用你的談話風格》中說：「當你聽到別人說話的音量比你預期大時，他們看起來像在咆哮──而且好像在生氣或性子很急；當你聽到別人說話的聲音比你預期溫和時，他們好像在喃喃自語，彷彿在壓抑什麼或沒自信」。❸❽

她又說：「速度及停頓，音量大小，聲音的高低，這些組成了所謂的腔調，磁性輕軟的腔調總是比較受歡迎的，這點在電話中作參考問答時尤其重要，因為在電話中，你的儀容是隱藏的，對方看不見你，用腔調彌補是必要的。

B.「講」的速度要不快不慢

庫爾（Lisa Collier Cool）說講話速度平均每分鐘140個字，在打電話時前35個字最為重要，可以決定口頭傳播的成敗，關於建立印象無論是面對面，或用電話前5秒鐘是關鍵。❸❾

如果要在「快」「慢」之間作一個選擇，則寧可取「慢」而排斥「快」，以放機關槍的速度講話會令聽者厭惡。以一般速度講話時將速度緩慢下來，往往與聽者暗示現在講的是重點所在，而聽者會感覺到這些慢慢講的內容是經過仔細思考才說出來的。

怎樣算快？怎樣算慢？最好測驗的方法用5分鐘唸700個字，如果剛好就是合情合理的速度。

---

❸❽　黃嘉陸譯：《善用談話的風格》（臺北：遠流出版社，80年），頁47。

❸❾　Lisa Colier Cool *How to give good phone* （New York: Donald, I. Fine INC. 1988,）　P.8.

C.「講」的時間不長不短

解答參考問題；使用多久時間才算正常？這一方面人言人殊，雷琦（Rosemarie Riechel）說每一個參考問題需用時間為2－15分鐘❹，英國在1973年抽樣，6,000個問題，每一問題需用6.23分鐘，1982年更抽樣11,000個問題，發現其中70％約需8.24分鐘，美國底特律市（Detroit）的調查報告則為平均每一問題需用10分鐘。

參考服務對象是多數人，因此參考館員必需有控制時間的能耐，其最重要的原則是不要節外生枝，將面談的範圍擴充到不可收拾的局面。有時好心的館員常常猜測讀者是不是有另外的需求，而自告奮勇的額外服務。Grogan 曾說我們照應一個盲目的人過街，先要弄清楚，他是不是打算過街。

D.「講」時以「身體語言」（body 1anguage）補口語之不足

「身體語言」可以使口語傳播更為完美，葛羅根（Grogan）說，兩人的友誼，65％的時間是運用身體語言表達的。❹ 林奇（Lynch）說從讀者的穿著、儀表和動作可以為參考館員從事面談時帶來若干與問題有關的線索（Clues），依同理讀者是否也從參考館員的衣著、儀表和動作來打量呢？他們也要發現參考館員是否有幫助他找到資訊的能力呢？

雷普（Mary Knapp）以眼睛的動作為例說明身體語言會帶來

---

❹ Rosemarie Riechel Improving Telephhone Information and Reference in Public Libraries *Library professional Publication* 1987 P.24.

❹ Grogan op. cit P.101.

什麼訊息，她說眼睛向下看顯示謙虛，眼睛睜大表達驚奇，無辜和懼怕，眼睛轉動顯出態意，「冷眼釘人」（Cold Stare）有拒人千里之外的形象。

E.講時要留心所用的字樣

首先，在面談時，參考館員要避免使用抽象的字句，講話時，所用文字越能使聽者領會，抽象的層次（level of abstraction）越低，如果用字不當，離開聽者觀察的細節（detail of abstraction）越遠，抽象的層次越高。**❹❷**

用字另一個問題是不要引起誤解，下面是一個例子。**❹❸**

一位女讀者在電話中提出參考問題。

她問：

你可以告訴我 Lemming（一種北冰洋的小鼠）的懷孕期嗎？

（Can you tell the gestation period of a lemming?）

參考館員一面走生物類的參考書架一面在電話中說：

"Just a minute"

這位打電話的女讀者很愉快的說：

「謝謝你」

接著就把電話掛斷了。

筆者按：參考館員的本意是說請等一分鐘，但是女讀者誤會

---

❷ Casagrarde op. cit p.66.

❸ Bill Katz ed. *Conflict in Reference Service*.(N.Y. The Haworth press 1985), p.73.

以為 Lemming 的懷孕期只要一分鐘。

參考館員不好好的講，行嗎？

「五十而知天命」
我會前途光明，萬壽無疆
At Age 50, With Impressive Accomplishment, Many More Happy Returns for the Library Association of China

一、寫作緣起

中華民國92年欣逢中國圖書館學會五秩華誕，這是臺灣文化史中一個無比重要的年代。我圖書館資訊界同仁都是社會菁英、國家棟樑，大家毋怠毋忽埋頭苦幹的結果才有今天欣欣向榮的局面。

我會林文睿理事長和各位理監事發起以「走過半世紀，與中國圖書館學會同壽」爲題的專刊，當然是合理的、正確的、應該

的，值得鼓掌、值得響應、值得追隨。因此，我這個大病不死的專業老兵，也拿起來近年不常用的筆，由於身心健康都有問題，這篇文字乏善可陳，希望海內外專家學者不吝指教。

二、重點「五十」

在人生里程中「五十」是重點也是關口，孔聖先師說：

> 吾十有五而志於學；三十而立，四十而不惑，五十而知天命，六十而耳順，七十而從心所欲，不踰矩。（論語為政第二）

這段話中比較需要解釋的部份是「五十而知天命」，何謂「知天命」？四書讀本的語譯是「知道自然道理的精微」。我初看之時，一頭霧水。我是論語忠實讀者，每進書房必定翻閱論語五至十分鐘，慢慢地我也能接受讀本的語譯，不過我仍要提出我自己的淺見。「知天命」是「不可逆天行事」。以現在的用語來說就是「順應世界潮流」（Following world trends），「適合地方需要」（Meeting Local Needs），他又說：

> 加我數年，五十以學易可以無大過矣。（論語述而第七）

我認為「五十而知天命」，和「五十以學易」，不妨對照來考慮，人的健康和取得的知識在五十歲時達到巔峰狀態。有了這樣成熟的條件才能夠勝任愉快的「讀易」。孔聖先師沒有說「四十以學易」或「六十以學易」。因為前者功力不足，後者「夕陽

無限好，可惜近黃昏。」他又說：

> 後生可畏，安知來者之不如今也，四十、五十而無聞焉，
> 斯也不足畏也已！（論語子罕第九）

　　這一句話比較好懂，他認為如果一個人，活到了四五十歲，還不能揚名立萬，這個人的前途也就很有限了。孔子講的這幾番話是有很深的哲理的。他不僅教人治學、求知，更指出來做人做事的道理。人是有生命的。我深信圖書館也有人性，是有生命的有機體。我曾提出生命的要素和圖書館活動比照表來說明（空大用書，《圖書館學概論》第一章，〈圖書館學的基本觀念〉）。

　　這次學會慶祝走個半世紀出版專刊，計畫極為週全（本會會訊11卷2期），等於把50年代學會的運作，來個總結清算，我的這篇書面報告，希望不會離題太遠。

三、不堪回首話當年

　　光陰如白駒過隙，「五十年間似反掌」（杜甫），許多有關圖書館事業篳路藍縷，堅苦卓絕的故事，在莊道明教授所寫的〈圖書資訊學造塔人——沈寶環教授〉（本會會訊11卷1期）一文中表達出來，道明是我得意門生，學生贊譽老師，我愧不敢當，使我訝異的是他找到的若干史實，我都已經記不得了，謝謝道明提醒了我。我鼓勵大家閱讀這篇文字，因為在我國圖書資訊學文獻中很少從事早期臺灣圖書館事業史的研究（五十年前是「零」），從莊文字裏行間我們可以體會到若干胼手胝足，捉襟見肘的故事，例

如：

- 「圖書即財產」的保守、落伍的觀念。（鐵絲環繞書架）
- 圖書館行政不考慮 User Friendly。（閉架制度）
- 專業出版品的缺乏。（專業圖書只有 Teacher-Librarian Hand book）
- 專業人手不足。（獲有圖書館學碩士以上的專業人員只有一人）
- 圖書館在大學編制之中沒有地位。（當時圖書館編制隸屬於教務處，圖書館設立館長，行政系統隸屬校長之下，只有臺大、東海兩校）

四、人傑地靈

五十年來，臺灣上下一心，群策群力的結果創造了圖書資訊事業起飛的奇蹟，限於篇幅我僅列舉下列項目：

- 美輪美奐的館舍建築
- 理想夢幻的學術環境
- 雨後春筍的專業著作
- 優秀整齊的教師陣容

我想如果一位圖書館界人士出國五十年後回到臺灣，在參觀了淡江大學覺生圖書館、國立臺灣大學圖書館時，一定以為是「李伯大夢」（Rip Van Winkle）。過去，臺大圖書館學系所辦公室位於文學院二樓一角，我曾笑說這是「偏安」局面。臺大舊館好像一座破廟。國外同行學人來到臺大舊館我很不好意思陪他們參觀，現在的情況大不相同。系所新址和新的總館為鄰，成了臺大神經中樞。前年我從僑居地回到臺大出席系所主辦的慶祝會時，

我下意識的覺得大家都抬頭挺胸，滿面笑容。一向溫文爾雅的陳雪華教授、吳明德館長說話的聲音也比較過去宏亮一點，那時我有說不出來的感慨——七分羨慕，三分嫉妒，這種心情是很難形容的。我只埋怨自己，為甚麼我不遲生幾年呢！

現在主修圖書資訊學的學生是幸福的。他們的老師大多是青年才俊、博學之士，陣容的整齊凌駕國外學府（例如美國）。孔聖先師說：「後生可畏」，他講的話是一點也不錯的。

說到專業著作，我初回臺灣是貧血時代。進入21世紀則是多產時代。我在僑居地爾灣（Irvine）家中的書架已經擺不下了，我曾經閉眼抽查（好像美國海關的 Random check），隨手拈來的兩本書是王梅玲教授領導編著的《圖書選擇與採訪》。這本書是林孟玲講師寄來贈送我的。另外一冊是賴鼎銘教授、黃慕萱教授、吳美美教授、林珊如教授合著的《圖書資訊學導論》，這兩部書都很有份量，我尤其高興的是合作著述。自古文人相輕，這些青年學人能夠合作無間，就是值得喝采的。許多朋友都知道我在五月底生病，住院開刀。大家不知道的是我住院前一天還在閱讀林志鳳教授所寫的《圖書資訊的出版與行銷》。我的病情很嚴重（腸子開刀，割去四寸），我在心中自言自語：「我還不能駕鶴西歸，我還沒有看完這一章！」記得我曾經說過我反對述而不作的，不出版研究算不得研究。

五、展望未來

臺灣圖書資訊事業的前途無限光明，統計數字指出近十年來

公共圖書館從344所增加到512所，書藏由1200萬冊增加到2062萬
冊（世界日報2003年9月23日報導），這是一個可喜的現象。爲了
防止讀者流失，國家圖書館莊芳榮館長指出政府採取三大措施：

 ·每一鄉鎮圖書館補助40萬元購書經費。

 ·代購聯合知識庫等中文資料庫。

 ·編列12億元經費改善公共圖書館環境。

他並且透露國家圖書館將在明年幫助鄉鎮圖書館統一訂購實用的
中文資料庫，這一連串好的消息在他口中講出來好像很輕鬆，只
是政府德政。但是我想事情不會如此單純，莊芳榮館長一定扮演
了不少設計、建議、影響和推動的角色，我們圖書資訊事業有這
樣一位中流砥柱的領航人是我們三生有幸。

　　學會是大家的，我們當然不應該將所有的責任、重擔都丟給
少數領導的人，我覺得學會有幾樣必需要做的工作：

 ·爭取會員

以美國爲例，專業館員一定是 A.L.A 會員，50年前我由書僮
升遷爲專業館員，我的主管 Miss Campbell 問我第一句話就
是「你是不是 A.L.A 會員？」

 ·重北不輕南

現在絕大多數的圖書資訊系所都集中在臺北。中部只有一所
中興大學圖書資訊研究所，由范豪英教授孤單奮鬥，我們圖
書資訊事業，專業人員都要遍地開花，將我們的服務伸展到
臺灣東南西北每一角落。

 ·Library without walls

沒有牆壁的圖書館原來是推廣的故事，例如巡迴車，將圖書

資料推出館外。我想這句話的含義要略爲修改。圖書館沒有牆壁，讀者也可以進館，現在美國若干學校圖書館也發揮了公共圖書館的功能，運用之妙存乎一心。我想我們學會似乎每年都有人出席 A.L.A 年會。是否可以組團參觀若干發揮公共圖書館功能的學校圖書館。

今年學會年會喜氣洋洋，我打算回臺參與，向學會同仁致敬。另一方面我和一位青年才俊的教務長有約，我們要去參觀林文睿館長的新館。

松柏長青——慶祝
國立中央圖書館臺灣分館
八十週年館慶感言

一、前　言

　　國立中央圖書館臺灣分館成立八十週年了，青年才俊的林文睿館長要我寫一篇紀念的文字，「天理」、「國法」、「人情」，無論從那一個角度來考慮，我都沒有拒絕的理由，我慨然答應下來，我的承諾必然兌現，緊接下來的問題是：

　　　·決定題目
　　　·那天動筆
　　　·內容重點

(一)點　題

　　看過我所寫文字的朋友都知道我和臺灣分館（包括他的前身）有不可分割的關係和「血濃於水」的情感，四十年來我眼看這所

圖書館「由小而大」、「由弱轉強」，心中有說不出來的欣慰和喜悅。林館長對我說：「本年十月廿二日是臺灣分館成立八十週年……」，不等他說完這一整句話，我領會到他要我寫一篇文字作爲紀念，我心中立即的反應是「歲寒知松柏」，在他還沒有說出要我動筆的要求，我已經下意識的決定了本篇題目──「松柏長青」。

(二)良辰吉日，動筆大吉

林館長向我邀稿已經是一兩個月的事了，他做事極爲謹慎，爲了怕我忘記，曾經幾度提醒我注意，我答應他七月十五日交卷，但是遲遲不肯動手，我選定七月十日動筆並不是因爲習於懶散，能拖則拖，而是受了個性頑固笨倔（Stubbon）的影響，今年七月十日欣逢文睿榮任館長三週年，我要在這一天對他的政績作客觀的評估（Appraisal），提前幾天有偷工減料之嫌，不合「三年有成」的古訓，我這種「死心眼」外人很難領會，我卻心安理得，誰知瞎子誤撞，這天也是文睿的生日，事後我才知道，這不是有意，完全是巧合。

(三)一得之愚，請教高明

依據常理寫作慶賀一類的文字，大概都是採用「鵬程萬里」、「大展鴻圖」等吉祥的語句爲重點，這種意圖當然是善意的。記得在兩年前爲了慶祝國立中央圖書館臺灣分館建館七十八週年暨改隸中央二十週年，我曾寫了「無限的懷念，虔誠的祝福」一文，內容雖然乏善可陳，但是卻約略表達了我內心深處的情感。

本館建館八十週年是一件無比重要的大事。「爲政在人」，因此我打算對文睿三年執政的成效作一個評估（Appraisal），我不用評鑑（Evaluation），這個名詞太正式，過份嚴重而且有點由上而下，考核的意味，官氣太重，與我的個性，寫作本文的目的都不能吻合。

臺灣分館有八十年奮鬥的背景，不僅在我們的圖書館事業裡是中流砥柱，在世界圖書館史中也有屹立不搖的地位，圖書館事業即將進入二十一世紀，環境之「變」，可以預期，因此這一所圖書館如何因應，何去何從，我想提出個人管見，敬請海內外專家學者，不吝指教。

二、未來的圖書館

㈠誰也不是先知先覺

自從 F. Lancaster 於1978年發表他的經典著作《進入無紙資訊系統》（Toward Paperless Information Systems）以來，研究未來圖書館的文字，好像雨後春筍，不斷出現，其中 Betty W. Taylor 所寫的《二十一世紀，技術對學術圖書館和法學圖書館的衝擊》，是一本頗有見地的專書；Charlene S. Hurt 的論文，《二十世紀圖書館的幻影》，也很受學術界的重視。

我選用這兩位學人的寫作，因爲他們有一個值得尊重的共同之點，以負責任的態度來解說未來的圖書館。Hurt 說：「未來的圖書館是個甚麼，我們一直不清楚，我們所作的研討祇是在『想

像未來的圖書館』（Imagining the library of the Future）的過程中
向前走了一步而已。」❶ Taylor 則直截了當引用了 Lancaster 自己
所說的話：「預測（Forecasting）是困難的工作，從事預測的人
必需認清部分的未來是不可知的（Unknowable），因此必需準備
碰到想不到的變化，和意料之外的變動。」❷

　　儘管如此，Hurt 指出過去十年的若干現象，我們可以假定在
未來還會延續下去：❸

　　・沒有一所圖書館有能力建立完整的書藏
　　・我們要提供取得資訊的便利，而不必在乎是否有資訊的所
　　　有權
　　・加強電子型式的資訊
　　・電子出版品對於連續出版品，特別是學術性刊物和參考書
　　　比傳統圖書更有影響力
　　・印製的圖書在資訊套裝中仍然有其價值

　　值得一提的是 Hurt 認為印製資訊（Print）是數位資訊（Digital
Information）中使用者方便的一種形式（User Friendly Form）❹。
Richard T. Sweeney 則不以為然，他說：「傳統式圖書館和圖書館

---

❶　Charlene S. Hurt, "A Vision of the Library of the 21st Centure", in Price G.
　　Hobrook ed., *Library management in the Information Technology
　　Environment*（New York: Haworth Press nc., 1992）p.7.

❷　Frederick W . Lancaster, Laura Drasgow and Ellen Marks, *The Impact of
　　the Paperless Society on the Research Library of the Future*（Urbana,
　　University of Illinois, Graduate School of Library Science 1980,）p.8.

❸　Hurt, op. cit., p.8.

❹　ibid p.8.

員是以文字起家的（Character/Word Based），他們用已有的工具製作，提供書寫文字，因此他們是以讀者方便（Readers Friendly）為主的，不一定考慮到使用者便利（User Friendly）。」❺

㈡重建工程（Reengineering）圖書館事業的新構想

1.傳統圖書館的沒落

何謂圖書館，幾乎所有一般性字典所下的界說都大同而小異，丟開文字不談，都涵蓋兩點意義：❻

・圖書館是收藏圖書資料的地方
・圖書館員是在圖書館裡工作的人

Sweeney 說：「這種界說代表一般人民對圖書館的看法和印象」，也就是傳統圖書館（Traditional Library）的觀念。圖書館員對於傳統圖書館各部門的運作是熟悉的，而過去一百年來也確實發揮了若干功能。但是當前組織體制並不能保證未來繼續讓讀者滿意圖書館的服務。資訊時代的來臨，加速了傳統圖書館的沒落，美國圖書館協會出版品《進入資訊時代》（*Into the Information Age*）中指出，圖書館正承受裁減館員、減少採購、縮短開放時間，追求以最經濟、精簡的方式運作，其結論說：「這是一個奇怪的世界，在這裡無論如何努力奔跑，還是在原地打轉，也只有

---

❺　Richard T. Sweeney. "Leadership in the Post-Hierarchical Library," *Library Trends*, Summer 1994, p.78.

❻　ibid., p.75.

一個有好運氣的圖書館才能留在起步的地方。」**❼**

2.重建工程（Reengineering）觀念的出現

傳統圖書館的運作發生問題已見前述，但是傳統圖書館有多年存在的背景，完全推翻談何容易，因此如何在不傷元氣澈底更新的條件下，重建工程（Reengineering）應運而生。

所謂「再建工程圖書館」（Reengineering Library）並不是僅僅轉變（Change）傳統圖書館，而是澈底改變圖書館的概念（Concept of a Library）。

M. Hammer 指稱：

「重建工程是將作業過程（Process）作基本的重新思考（Fundamental Rethinking）以及全力再行設計（Redesign），以達到在成本、素質、服務與時效方面有戲劇化改進的目的。」**❽**

重建工程圖書館，Sweeney 稱之為後階層圖書館（Post-hierarchical Library），他的理由是所謂「階層」（Hierarchy）的觀念，在我們文化中已經深入人心（Ingrained in Our Culture），社會大眾很難接受其他組織型態（Structure）。因此他不用「非階層」（Nonhierarchical）字樣，而採用「後階層」名詞，以突現超越階層心態（Beyond the Hierarchial Mind Set），我覺得這個名詞過於標新立異，比較贊成他所說的後階層圖書館也就是反官僚

---

❼ Vincent Giuliano, Martin Ernst, Susan Crooks, and James Dunlop. *Into the Information Age* (Chicago: A.L.A., 1978,) P.108.

❽ M. Hammer and J. Champy, "The Promise of Reengineering", *Furtune*, 127(9), p.94-97.

化圖書館（Antibureaucratic Library）比較有反對墨守成規的意義。

3. 重建工程圖書館的特徵

重建工程的特徵主要有兩方面：
- 重建工程必然變動圖書館的性質（Nature）、圖書館的服務、圖書館的日常工作以及領導者的運作方式
- 重建工程涉及新的資訊技術、資訊高速公路以及國家資訊通信基本建設（NII），這點和電子圖書館（Electronic Library）、虛擬圖書館（Virtual Library）、智慧圖書館（Smart Library）是相同的

不過圖書館自動化，例如流通工作自動化並不等於重建工程，只是改變了流通紀錄保存的方法而已，惟有大量的改善讀者服務才是眞正的重建工程。

更以 CD-ROM 爲例，唯讀型光碟和印製索引比較，的確節省了使用者檢索時間，當然是一種成就，但是以根據主題取得論文時並不能顯著的改善使用過程，因此也不是重建工程。❾ Sweeney 說圖書館建立 CD-ROM 特藏，可以遙控檢索（Remotely Search）專門索引，如果圖書館不能及時將找到的論文送到使用者手中，這種過程是否改善了呢？

重建工程如果要成功必需注意下列幾項：
- 運用大量時間分析和計劃，謀定而後動
- 掌握時機（Timing of Implementation）和「改變」同樣重要

---

❾　Sweeney, op. cit. pp.68-69.

- 減輕阻力（Inhibitor），加強動機（Motivation）
- 機構組織不是一成不變的，要能適應（Adaptive），更要有彈性（Flexible）
- 圖書館員應同時具備「專」（Specialist）和「通」（Generalist）的能力，一般性知識要有保持核心程度（Core Level）的水準。換言之，專才必需能夠隨時接辦核心運作（Core Process）
- 館員本位主義，必須糾正，「這不是我的職責」、「我是採編部門的人」之類推脫責任的話都是不合乎重建工程精神的，只有每一份子都有若干共同的責任與經驗，才能將全副精神（Empathy）投入工作
- 「千里獨行」是功夫電影，武俠小說中的英雄人物，在重建工程圖書館中，「孤軍奮鬥」是不鼓勵的，因為這種作風違背了團隊精神
- 重建工程中理想的館員要不斷的充實自己，時時刻刻考慮如何增強讀者的滿意度
- 重建工程的領導者（Leader，即館長）必需是有決心、有堅強意志的人，他不僅對自己有信心，更要讓全館同仁知道他的決心
- 領導者必需對同仁的能力、知識、技術、需求和動機有深入的了解，這樣他才能有效的將「群策群力」組合起來，因此他必需要用比任何同仁更多的時間去學習
- 領導者要有幽默感，偶而可以開自己的玩笑，讓同仁享受溫馨的氣氛

總而言之，重建工程的座右銘是「讀者至上」、「服務優先」。

三、三年有成

㈠卓越的成績

國立中央圖書館建館八十週年了，是圖書館事業（全球性的，不限於臺灣寶島）一件天大的喜事，值得歡欣，值得慶祝，或謂世界各國圖書館歷史在八十年以上者大有「館」在，何必如此大張旗鼓，沾沾自喜呢？我覺得這句話大謬而不然。

首先，本館是改制最多次數的大型圖書館，圖解如下：

| 臺灣總督府圖書館 |..........................（日據時期前身）

↓

| 臺灣省長官公署圖書館 |................（併入南方資料館）

↓

| 臺灣省立臺北圖書館 |..................（我回臺灣後第一份工作）

↓

| 國立中央圖書館臺灣分館 |............（現狀）

↓

| 國立臺灣圖書館 |........................（光明的遠景）

本館館史示意圖

圖書館是有生命的有機體，生物的特徵是能動善變。本館的

歷史是一部有生命有機體的進化史，充份顯示了適應（Adaptation）的本能，「窮則變，變則通」是順應圖書館學世界潮流的，而蛻變之中「始終保持地區性」❿（見簡報），顯見重視鄉土文化，這當然是符合地方需要的。

其次，我覺得本館改制的歷史好像一場運動會中的接力賽，每一棒都盡了運動員的責任，跑出了不錯的成績，而一棒勝似一棒，最後，棒緊握在林文睿館長的手中，古人說「行百里者半九十」，林文睿的三年執政是致勝的關鍵，他將帶領這座圖書館跑到最後的目標——建立國立臺灣圖書館。由於篇幅限制，我只能在幾個方面對他的政績作一評估（Appraisal）：

1.藏書增加

本館藏書類別及用數

類　　　別	上年度冊數	增加冊數	合　　　計
中日韓文圖書	564,707	20,457	585,164
西文圖書	50,413	1,386	51,799
盲人有聲圖書	34,297	3,441	37,738
盲人點字圖書	11,613	522	12,135
縮影單片	35,094	4,896	39,990
縮影捲片	12,776	1,007	12,783
共　　　計	708,900	31,709	740,609
附　　　計	兒童圖書43,797冊		

館藏統計（至八十四年五月底止）

---

❿ 八十四年教育部督學視導，〈國立中央圖書館臺灣分館簡報〉，84年7月6日，頁1。

2.閱覽人數

　282,212人次

3.閱覽冊數

　266,052冊

4.辦證人數

　5,162人

（註：以上四項統計數字均取材於84年本館簡報）

我並不是迷信統計數字的人，但是我也認爲圖書館應該保存若干統計，上舉統計可以看出：

·本館藏書正在不斷充實

·讀者利用本館情況極爲良好

5.研究與出版

國立中央圖書館臺灣分館始終保持一個優良的傳統——不斷的研究。除館刊外，連續的出版工具書與文獻，多年來數字龐大不及列舉，我只能提出最近三年間的部分，即令有這種限制，書目也不可能完整，如眾週知，圖書出版時間常有落後情況，若干出版品推出日期雖然在林文睿館長就任以前，但實際情形則可能在他接任後才完成。

最近三年國立中央圖書館臺灣分館出版品簡目（不完整）：

·《國立中央圖書館臺灣分館館藏外文期刊目錄》

- 《國立中央圖書館臺灣分館珍藏民俗器物圖錄》 第四輯
- 《中文臺灣資料目錄》
- 《石緣：國立中央圖書館臺灣分館篆刻研習班會員集刊》
- 《臺灣地區現存碑碣圖誌——澎湖縣篇》
- 《館藏臺灣文獻期刊論文索引》
- 《臺灣文獻書目解題》 第二種：地圖類，第三種：族譜類，第四種：傳記類，第五種：語言類，第六種：公報類。

此外並拍攝縮影資料：

- 《省府公報（民國四十二年至七十年）》已完成拍攝縮影微捲，可與日據時期之「臺灣總督府報」及「臺灣總督府官報」合成臺灣最完整省府公報，本館則為全臺唯一之庋藏者
- 《日臺大辭典》等臺灣文獻資料乙批，已由清華大學借用以拍攝縮影微捲，計三十八捲
- 《中國時報》已完成北市版至民國八十三年底，地方版至八十四年五月十五日，除逐送新聞局拷貝片外，本館也已提供讀者查閱
- 《高厚蒙求》三、四兩冊已拍成微捲贈送清華大學，以補該校館藏之不足
- 續拍日據時期臺灣資料，包括各府、廳公報及工商名錄等珍貴舊籍，計完成二〇九捲

㈡不凡的領導

在我們社會文化中，正負、好壞、贊成、反對都喜歡淡化處理，在機關正式公文中我們經常看到「尚屬可行」、「並無不合」

（以上贊成），「礙難同意」、「未便照准」（反對）字樣，從來不肯將話說滿，預留轉圜餘地，我認為這樣做代表不負責任的心態，我對林文睿館長三年來的表現評估，也許是違常情，不容易得到社會認同，但是「內舉不避親」，而且事實俱在，老師心在中間考核，鼓勵學生又有何不可！我的觀察如下：

1.他是一個極有能力的行政者，在人事管理部分

(1)修正本館職務出缺人員甄補原則，強調新進聘任人員須具圖書館學科背景，並對資訊科學動向有所了解。

(2)為提振士氣，鼓舞服務熱忱，暢通內部升遷管道，本年度內升三人；分別為升補助理編輯一人、幹事二人。

(3)為提昇專業知能，鼓勵汲取新知，由本館荐送參加訓練計圖書館研習七人、教育部電算中心電腦研習四六人、政大附設公務人員教育訓練中心研究班一人；荐送參加進修計師範大學外語進修班一人、空中大學附設行專一人。

(4)推動行政革新，設置行政革新信箱，並於每季舉辦擴大館務會議，鼓勵機關全員參與及建議，以凝聚共識，提昇本館服務效能。

(5)本年度辦理自強活動乙次三天二夜，分兩梯次舉行，以紓解同仁工作壓力，促進機關和諧。

(6)照顧退休人員。

2.他是一個極為用功的讀書人

在公務繁忙的環境中，他仍然找出時間研究，寫作，最近三

年他寫了下列幾篇重要文字：

- 〈談圖書館的定位及館員服務的新觀念〉
- 〈國立中央圖書館臺灣分館的定位及其發展探討〉
- 〈我國圖書館組織溝通問題之探討〉
- 〈讓我們一起享用知識盛宴〉
- 〈美日圖書館建築設備概況〉
- 〈拓展圖書館經營管理的新視野：評《圖書館管理定律之研究》〉

這些論文，都有可取之處，值得一讀。

3.他強調「溝通」，是具有領導者條件的人

在〈我國圖書館組織溝通問題之探討〉一文中他指出：

- 因權責不明確引致的業務推諉
- 因程序不明確所引起的爭執
- 因法律未規定所引發的歧見
- 因行政裁量的適切性所滋生的異議
- 因法令過時，規定不合理所引來的抗爭
- 因法令間彼此規定矛盾、牴觸，所造成適用的疑義

4.他是極有可能接受再建工程（Reengineering）觀念的人

在討論圖書館組織溝通問題一文中他引用鄭雪玫教授的話說：「組織之溝通直接影響生產力，且組織中的『官僚習性』易造成溝通障礙」，這句話顯然是「反官僚圖書館」（Antibureaucratic Library）作風，林文睿引用這句話表示他接受這種觀念，而「反

官僚圖書館」正是推動再建工程的原因。

5.他對圖書館事業是有歷史使命感的人

對於他所主持的臺灣分館,他了解過去,對過去的事,他講起來如數家珍,他澈底掌握現在,對當前的情勢瞭如指掌,對於遠景,他能著眼將來,國立臺灣圖書館的一幅美麗圖案在他心中已有輪廓。

青出於藍,我對他有厚望焉。

四、人生八十才開始

西方人的諺語說:「人生四十才開始」是對少年時期春風並不得意的人說的,有「大器晚成」的意思,我國一位大老將這句話改爲「人生七十才開始」,在長春社會來臨的時候,鼓勵年長者爲了他們自己的福祉,社會的詳和,努力去創造第二春,這是佳話,更是值得我們肯定和讚美的。

國立中央圖書館臺灣分館積八十年的寶貴經驗爲後盾,加之富庶的資源、優秀的同仁、卓越的領導,前途無限光明。這座圖書館似乎青春長駐充滿了朝氣,西文形容詞典中"You are as young as you feel"（你自己覺得有多年輕,就有多年輕）,而在祝壽時說:"Many more happy returns"（你的未來日子長得很,將來要渡過很多快樂的誕辰）,中文勉強譯爲「萬壽無疆」這四個字,意思雖好,卻有點俗氣,因此我說:

「人生八十才開始」。

無限的懷念，虔誠的祝福

在我國圖書館事業大事詳表中，本年十月廿二日是一個極為重要的日子，因為這一天欣逢國立中央圖書館臺灣分館建館七十八週年暨改隸中央二十週年紀念日。臺灣分館為了「緬懷前賢……策勵來茲」❶出版館慶特刊意義「至大且中」當然是值得支持的，林文睿館長要我寫一篇紀念文字，「為公為私」我都不能推辭，這是我動筆的背景。

一、前　言

我們中國人的社會倫理強調「天下為公」，包青天「鐵面無私」因此收視率遙遙領先，欲罷不能。「陽光法案」也成為當今的熱門論題。在這種環境裡，我使用「為公為私」四個字，雖然還沒有嚴重到「冒天下之大不韙」的程度，至少是不合時宜的，那麼我何以要這樣寫，「瓜田李下」讓別人以為我公私不分？

這個問題的答案極為簡單，我和臺灣分館有歷史的淵源，看

---

❶　林文睿館長八十二年七月十七日徵稿函。

過圖書館一個老兵的自述❷的朋友，都知道，我於1955年從美國來到臺灣，第一個工作是，被委派爲國立中央圖書館遷臺後第一任閱覽部主任，兼臺灣省立臺北圖書館研究員。省立臺北圖書館是國立中央圖書館臺灣分館的前身，這是極爲特殊又不合常理的安排。那時國立中央圖書館不對外開放，閱覽部主任只支薪而不上班，省立臺北圖書館的研究員有三位，何聯奎先生是行政院顧問，我在館裡從來沒有看見他，何日章先生曾任國立中央圖書館館長，是我的父輩，偶而會來館長室和我聊天，我是唯一上班而不支薪，代行館長職權的研究員，這一段時間的細節，高碧烈兄比誰都清楚，我就不必多作報導了。

二、從歷史說起

國立中央圖書館臺灣分館的「前身最早可追溯到民國四年成立之臺灣總督府圖書館，因此臺灣分館已是少數和民國同壽的資深圖書館」❸，這句話並沒有錯，但必須要加以附註以免誤解。

宋建成教授在〈國立中央圖書館臺灣分館沿革史〉一文中指出：

> 溯自清雍正十二年（西元一七三四年）臺灣府任官袁宏仁捐
> 款修朱子祠講學，又購書六百餘本，供人閱覽，請優生兩

---

❷　〈圖書館老兵的自述〉，《國立中央圖書館臺灣分館館訊》，八十二年四月一日，頁7-9。

❸　林文睿，〈國立中央圖書館臺灣分館的定位及其發展探討〉，《國立中央圖書館臺灣分館館訊》，八十二年一月一日，頁1-5。

人管理，成爲本省有文獻可稽最早的圖書館事業，本省書院，如仰山書院、文開書院、登瀛書院均備置典籍供眾閱覽，私人藏書亦有，如留玉英、洪士暉、辛齊光、方景雲、呂炳南等，當時圖書館事業已具基礎❹。

此一研究報導的內容是完全正確的，連日本學者也不得不同意他的觀點，宇治鄉毅在《現代日本圖書館之變遷》一書中說：

> 臺灣圖書館的淵源可由清朝統治下在臺灣各地設置的儒學及書院附設支庫中一窺端倪，大量的圖書被收集，典藏於此文庫，提供學者、學生閱覽之便❺。

由於上述，足見我臺灣同胞遠在臺灣總督府圖書館成立之先，早已自動自發推動圖書館事業。

三、臺灣總督府圖書館簡評

國立中央圖書館臺灣分館（以下簡稱臺灣分館）是由臺灣總督府圖書館蛻變而來，因此了解現況必須「追溯」過去，爲了寫作這篇文字，我曾經多次前往臺灣分館參考室檢索文獻，得到專業館員余慧賢小姐的熱心支援，並且專訪張圍東同學，他是我的學生，他的碩士論文題目是《臺灣總督府圖書館之研究》，「三人

---

❹ 宋建成，〈國立中央圖書館臺灣分館沿革史〉，《國立中央圖書館臺灣分館館訊》，七十九年六月十五日，頁3-4。

❺ 宇治鄉毅原作，何輝國譯，〈近代日本圖書館之變遷——臺灣圖書館篇〉，《國立中央圖書館臺灣分館館訊》，八十一年十月十五日，頁16-18。

行，必有我師焉」我和這兩位青年才俊合作研究的目的是企圖在
印製資料中找出證據以解答下列問題。

　　·臺灣總督府圖書館建立的背景
　　·臺灣總督府圖書館運作的目的
　　·臺灣總督府圖書館客觀的評估

㈠臺灣總督府圖書館之建立

1.對外的宣傳

　　根據張圍東君的研究，「明治四十五年（1912）年六月，由
東洋協會臺灣支部長內田就臺灣文庫開設委員會所提議決，建議
臺灣總督府成立官立圖書館：其建議文如下：

> 「本島（臺灣）改隸以來我（日本）政府當局爲銳意勵精圖
> 治，建設各種設施，結果使臺灣的政績日漸昌隆、耳目一
> 新，諸如島內治安良好，各種產業日益勃興，島民的福利
> 也日漸增進，在此時，本島一般居民最渴望有更完善的教
> 育機關，進而設立官立圖書館設施，東洋協會臺灣支部與
> 圖書館經營有密切的關係，今日鑑於時勢的要求及支部總
> 會之決議茲請設立官立圖書館，至今公開陳情本建議，願
> 臺灣總督府儘速作詮議決定之。」
>
> 臺灣總督府對此請願，予以接納並確認發展圖書館事業之
> 必要性……❻。

---

❻　張圍東，《臺灣總督府圖書館之研究》，文化大學歷史研究所碩士論文，
　　八十二年六月，頁43。

　　上述引用日本官方文件，寫來好看，好像一切是爲臺灣人民作想，但是骨子裡卻不是這一回事。

2.真正的目的

　　宇治鄉毅所寫的〈近代日本圖書館之變遷——臺灣圖書館〉篇經何輝國先生，譯爲中文，何先生翻譯本文的目的是「由於本館（指臺灣分館）之前身爲日據時代臺灣總督府圖書館，且爲讓國人一睹日人對臺灣圖書館與其發展情形之觀點，特譯此稿」，這篇譯文極爲重要，有澄清史實的作用，本人閱讀之餘受益甚多，謹藉特刊篇幅對何先生表示敬意和謝忱。

　　譯文中指出日本帝國主義在臺灣成立總督府圖書館眞正的野心。

> 臺灣近代公共圖書館事業是在1895（明治28）年4月馬關條約簽訂，臺灣從清朝割讓給日本以後開始直至1945年8月日本戰敗爲止，將臺灣當成其最早的殖民地，統治達五十年，在嚴屬的殖民地支配下，雖然貫徹了政治、經濟、社會文化之各個層面，然而臺灣總督府施政的基礎欲置於對臺灣經濟榨取與臺灣人「皇民化」之上，臺灣的教育亦同，不論學校教育或社會教育都是以達到該目的而存在。❼

圖書館是社會教育最主要的一環，日本統治者的社會教育政策既

---

❼　同註❺，頁16。

以「皇民化」為目標,圖書館,尤其是臺灣總督府圖書館的運作
目標就可想而知了。

㈡臺灣總督府圖書館的運作目的

在日本帝國主義殘酷的殖民政策導向下,臺灣的社會教育以
消滅我臺灣同胞的民族意識為主要目的,因此臺灣總督府圖書館
的運作極力配合「皇民化」的施政方針是可以預料的。

何輝國先生的譯文進一步指稱,當時臺灣的教育政策可大略
區分為三個時期❽。

1.同化時期

從1895年到1919年3月臺灣教育令公佈為止,此一時期為日本
統治者鞏固臺灣統治時期……,圖書館事業進入了萌芽期。

2.過渡期

從1919年到1931年9月「九一八事件」為止,所謂過渡期指進
入「皇民化時期」的過渡階段而言……。在此時期,圖書館政策
由上往下推動。

3.皇民化時期

從1931年到日本政府戰敗為止,此一時期的教育政策是將教
育的範圍和「南進政策」與「皇民化政策」合而為一……,圖書

---

❽　同上註,頁16-17。

館為了響應當局政策，積極扮了幫兇的的角色。

　　我大量引用何輝國先生譯文是實話實說，並沒有故意抹黑臺灣總督府圖書館的用心。本來，圖書館的建立並不是 100％出於善意，例如 Totterdell 在《公共圖書館的目的》一書中就有下列語句：

> 圖書館員 Countryman 小姐說：我深信圖書館應該是一個達到美國化的機構（Americanizing Institution）。
>
> George Ticknor 也曾經說過「讓那些外國移民不接受教育是做不到的」❾。

　　Williams 在《美國公共圖書館和宗旨問題》一書中也有類似的文字……。

> 圖書館的運作就是教導美國化生活（all party teaching the American way of life）。
>
> 圖書館的使命就是教育移民做「對」的事（to behave in the right way）。❿

---

❾　Barry Tofferdell, *Public Library Purpose* （London:Clive Bingley 1978,）p.47。

❿　Patrick Williams, *The American Public Library and the Problem of Purpose*, （NEWYORK:Greenwood Press,）1988, p.31。

㈢臺灣總督府圖書館客觀的評估

臺灣總督府圖書館之建立是以「皇民化」，也就是「奴化」我臺灣同胞為目的，但是這種陰謀並未得逞，臺灣文獻專家高志彬教授在〈揭開朦朧的面紗，呈現歷史的真貌〉一文中指出：

> 臺灣淪為異域五十年，在此五十年中，日本殖民統治臺灣……，使臺灣大地面貌為之變型，但是生於斯，長於斯的臺灣人民的本質始終未曾稍變……，一般民眾，穿的仍是漢衣，講的仍是漢語，白天在日語講習說學日語，課餘及晚間仍入私塾讀漢文，……臺灣何曾被日本「同化」臺灣人何曾被「奴化」？⓫

從高志彬教授流暢的文字中，不僅可以看出，我臺灣父老對於祖國的忠貞，而且明確的指出臺灣總督府圖書館在日本帝國主義支使下，作為「皇民化」工具的任務是失敗的。

我說臺灣總督府圖書館的運作，有成為日本統治者幫兇之嫌，不是隨便為這所圖書館加頂帽子，有宇治鄉毅自己的話為證，他說：

> 本島的圖書館與內地（日本）的圖書館大異其趣，身負有內臺（日本與臺灣）融和之根本──國語（即日本語）普及的重大使命，亦即經由圖書館注入內地（即日本）的文化，同

⓫ 高志彬，〈揭開朦朧的面紗，呈現歷史的真貌〉，《國立中央圖書館臺灣分館館訊》，八十年四月，頁2-4。

時多賜予與內地（指日本）親近的機會。

在此強調殖民地圖書館的特異性，其內容以當局認爲經由國語（日語）的普及與內地（日本）的文化注入來達成「內臺融合」是圖書館的使命，此思想在進入1930年代的「皇民化」時期後，更加明顯地被貫徹於圖書館政策中。❿

在日本帝國主義統治下，臺灣的圖書館被牽著鼻子走，成爲「奴化」臺灣人民的工具，自無怪宋建成教授指稱「本省淪陷日本，圖書館事業大受影響」。❸

臺灣光復後「臺灣省圖書館接收總督府圖書館舊藏約十六萬冊，南方資料館約八萬冊，羅斯文庫一萬冊，總約二十五萬冊。」❹奠定了臺灣分館書藏的基礎，其中「南洋資料」臺灣文獻資料，或爲臺灣分館的特色。臺灣總督府圖書館的努力徵集，造成了今天的局面，雖然「南中國南洋」等資料收集，即「所謂的日本國策推行的任務」❺事已過去，我們就不必追究動機了。

四、「緬懷前賢」

林文睿館長指出「本館是一所成長的圖書館」⓰，「成長」

---

❿　宇治鄉毅，op. cif. pp.18-19。

❸　宋建成，op.cif. p.3。

❹　Ibid, p.5。

❺　同註❺，頁18。

⓰　林文睿，op. cif. p.1。

區區兩個字，在圖書館學詞彙中，本來就是最重要的關鍵字，但用來形容臺灣分館更有不平凡的意義，包含了多少「血」、「淚」、「汗」。

高志彬教授所寫〈臺灣文獻守護神，劉金狗先生事略〉一文是專業圖書館員必需再三閱讀的文獻。

謹節錄部份以供讀者參考。

> 民國三十四年，日本戰敗，臺灣得重歸祖國，是館初更名為臺灣省行政長官公署圖書館，嗣改臺灣省立臺北圖書館，光復之初，百廢待舉，原有館舍毀於炮火，二十萬冊典藏乃分散於各處，復館後二十年間，館藏書籍四處遷移二十餘次， 先生以資深館員肆應其中，拯圖書於雨陣之中，力免搬遷時之散佚，歷經千辛萬苦，先生每一言及無不深致感慨；時參與其事者，每歸功於 先生，謂如無 先生，恐今已無完書矣❶。
> 先生於民國五十八年八月屆齡退休。退而不休，回館繼續服務，此後十七年間，先生窩處書庫之一隅，夏季以七、八十歲之高齡，忍受酷暑之煎熬，汗濕衣襟污塵滿面，冬季，以羸弱之病軀，承受嚴寒之侵襲，鼻紅手僵而雙腳抖顫，既拾殘頁於亂書之中，復比對拼合組合遊戲，人不堪其苦且乏味， 先生獨甘而樂之。

---

❶ 高志彬，〈臺灣文獻守護神，劉金狗先生事略〉，《國立中央圖書館臺灣分館館訊》，八十二年四月一日，頁11。

高先生動人的文字寫活了劉金狗先生，我閱讀之餘百感交集，劉金狗先生的影子也跟著湧上心頭，我認識劉金狗先生近四十年，在臺灣省立臺北圖書館時代，劉金狗先生是穿著汗衫拖鞋辦公的（高碧烈先生等早期同仁也是一樣）。下班時方穿上襯衫、皮鞋，作為這篇充滿感情文字的讀者，我可以作證，高先生所寫的字字真實，我的反應有三點：

1. 這是一篇專業館員以克難精神埋頭工作，內容可歌可泣的傳記。

2. 臺灣分館現在館址是民國五十二年落成的，劉金狗先生於民國五十八年退休，換言之，高教授所描寫的是在現址劉金狗先生工作的情形，博物館為館址的時期，工作環境的惡劣，遠非文字可以形容。

3. 高志彬教授的大作，我們要以擴大的眼光來看，這篇劉金狗先生的傳記，同時反映出來當時圖書館同仁篳路藍縷的工作環境，劉金狗先生是傑出的專業人員值得讚揚，但是在他左右，追隨他的還有一群無名英雄默默的耕耘。創業維艱，我們不能忘記他們，從博物館一樓的破廟蛻變而成今天新生南路一段一號美輪美奐的大廈不是偶然的。

五、光明的遠景

國立中央圖書館臺灣分館是我國最富有潛力，前途未可限量的現代化圖書館，我這句話不是脫口而出隨便講的，也不可能講得清楚，因此用以下圖解示意：

```
┌────────┐   ┌────────┐   ┌──┐
│出自內心│──→│情感的因素│──→│私│
└────────┘   └────────┘   └──┘
                            │
                            ↓
┌────────┐   ┌────────┐   ┌──┐
│通過大腦│──→│理智的考慮│──→│公│
└────────┘   └────────┘   └──┘
```

由於歷史的淵源（我也曾經吸取省立臺北圖書館的灰塵，聞過博物館一樓廁所的芬香），使我關懷臺灣分館，熱愛臺灣分館，基於上述圖解的立場，我儘力「私人情感」昇華爲「公義」。因此，我說臺灣分館「富有潛力」，「前途未可限量」是撇開「私」的因素，客觀評鑑的結論。

㈠千錘百鍊，玩鐵生輝

臺灣分館在戰爭之中出生（1915年大正四年臺灣總督府圖書館開館）在動亂中成長，到今日的茁壯，是世界圖書館史中的奇蹟，誠如孟子亞聖所說：「天將降大任於是人也，必先苦其心志，勞其筋骨，餓其體膚……」，我民間也有「吃得苦中苦，方爲人上人」的諺語。

宋建成教授說：

> 因爲原有館舍被炸毀，借居博物館一樓，一半作閱覽室，一半作爲辦公室和書庫，致書庫可容納圖書有限，原疏散書籍選擇急用實用者，陸續運回，加以整理。最難最煩的工作，先將原中日文書籍混合歸類的書，先析出中文圖書，俾便讀者利用，其餘的書分別寄存許多地方，例如總

督府書庫、臺灣書店二樓、南方資料館、成功中學、文山
中學等十幾個地方，寄存的空間若被迫搬遷，又得另找房
子搬書，如此先後搬出搬入，一共大小搬了廿次以上，其
後又因奉政府防空疏散的命令，及博物館要大加修理，又
再他遷，新店檳榔坑疏散……，木柵馬明潭存放……，木
柵坡內坑置……。

宋建成教授的報導如數家珍，一筆帳清清楚楚，因為他是實
際參與工作者，吃過苦頭，他心平氣和寫出的文字，不知蘊藏了
多少辛酸，我們不妨閉著眼睛想像那時的情景，幾十萬冊圖書搬
東搬西，需要多少人力，流了多少汗水，臺灣分館過去的「健身
運動」，恐怕要打破金氏世界記錄了。

㈡咨爾多士，眾志成城

這所圖書館的歷史是「動」的記錄，我是喜愛圖書館「動」
的人，曾經一再提出：

> 「圖書館學是一種偏重行動的科學、圖書館學是一種不斷
> 變動的科學、圖書館學是一種進入自動的科學」的主張，
> 但是臺灣分館成長過程中的「動」卻使我不敢領教。圖書
> 本身是不會「動」的，需要人的幫忙，搬動十幾萬冊圖書
> 達廿次以上是駭人聽聞的奇譚，我在美國丹佛市立公共圖
> 書館，東海大學圖書館都有搬家的經驗，但和臺灣分館的
> 搬家史比較成了小巫見大巫。如果沒有圖書館員全體大力
> 支持，不要說大搬，連小搬都是不可能的，在東海大學，

中山大學擔任館長時，看到同仁流著汗水搬運書籍，心中
有說不出的憐惜，但是想到臺灣分館，過去的「大搬」除
了謝謝你們，我就無多話可說了。

臺灣分館有史以來，一直有一群忠貞，優秀的同仁「少說話，
多做事」為圖書館服務，他們不僅勞「力」而且勞心，這是需要
高度智慧和服務熱忱的。

在現有專業同仁之中我極為欣賞邱煇塘主任的工作態度和抱
負，在一位圖書館員的〈受想行識〉一文中，他說：

「犧牲享受」、「享受犧牲」是個人對成家立業的最起碼
的自我期許。「在工作中學習」，「在學習中不斷成長」
則是個人對工作的執著與要求，自忖在工作方面雖已竭盡
棉薄庶幾無愧，然則在做人處世方面，深感距離自己理想
的目標尚遠，……❶。

這種謙虛的胸懷和追求至善的人生哲學值得大聲喝采，這才
是理想的圖書館專業人員服務守則，我特別提出邱煇塘主任的觀
點和心態，不過是代表性的舉例為證而已。臺灣分館臥虎藏龍，
群賢畢至，我就不必一一點名列舉了，我認為有怎麼樣的圖書館
員，就會有怎樣的圖書館，臺灣分館有今天的地位，就是因為有
一群合衷同濟，為公忘私的頂尖專業館員。

---

❶ 邱煇塘，〈一位圖書館員的受想行識〉，《國立中央圖書館臺灣分館館
訊》，八十二年四月一日，頁83。

　㈢領導得人，方向正確

　　林文睿館長到職時間不久，只是一個「新鮮人」但是已經表現得有聲有色，可圈可點，他是我的得意門生，但是我決不是因為這種「私」的關係對他捧場，我是根據古人「內舉不避親」的立場來評估他的施政。

　　在何光國教授的大作《圖書資訊原理》一書的序中，我曾經寫了下面一段話：

　　　林衡哲在《讀書的情趣》的序中引用約翰生的話說，「你要瞭解一個人，最好是看他讀的是甚麼書」，我套用這句話說：「要瞭解一個人，要看他寫的是甚麼書」⓳。

我現在要把這句話略為修改，

　　　「要瞭解一位圖書館長要看他寫的施政報告」

　　在短短的幾個月中，林文睿館長寫了兩篇極為重要的文字：
　1.國立中央圖書館臺灣分館的定位及其發展探討
　2.談圖書館的定位及館員服務新觀念
前者等於他做館長的施政報告，後者則是他的圖書館學理論基礎。

　　我極為欣賞這兩篇文字，決不是因為這兩篇是我的學生林文睿同學寫的，請相信我，我是以所讀的內容的客觀立場來看臺灣

⓳　沈寶環，《圖書館事業何去何從》，（臺北：臺灣學生書局，82年），頁258。

分館青年才俊新館長的寫作。

　　由於篇幅限制我無法詳細評論，祇能指出幾個重點略為說明：

　　甲、在寫作中顯示出來他特別重視讀者和讀者服務

　　在前篇中〈定位及發展探討〉他說：

> 「本館是一擁有大讀者群的圖書館」舉出詳細數字為證，
> 在後篇中（〈定位及館員服務新觀念〉）他說：❷

基本觀念：

一、專業化形象，

二、理性待人處事原則，

三、活潑的方法，

四、創新與變革。

服務內涵：

一、正確而純潔，

二、淡泊而寡慾，

三、使對方受到尊重，

四、技術的傳承。

　　我是專門講授「讀者服務」這門課程的，看了林文睿館長這篇文字後，我覺得「吾道不孤」，如果「世代交替」，他應當代替我去上課。

　　乙、在寫作中顯示出來他已經完全進入情況，在前篇中他指

---

❷　林文睿，〈談圖書館的定位及館員服務的新觀念〉。

出：

　　「本館……建築空間已嫌不足」。

　　「本館是一極具專業人力素質，但人力結構尚嫌不足」。

　　「本館有輔導臺灣地區圖書館事業的責任」。

　　從他報導之中，可以看出林文睿館長對於臺灣分館的實力，缺失和責任瞭如指掌。

　　丙、在寫作中顯示林文睿館長對於未來發展不僅能夠指出正確方向，心中更有一幅精密的藍圖。

　　在今後努力的目標部份，他不厭其詳的指出遷建和改制的大要項工作。

　　看完這兩篇文字之後，我覺得臺灣分館由林文睿館長掌舵可說深慶得人，也對臺灣分館的前途深具信心，謹致虔誠的祝福。

十年樹木，二十年樹人

　　我有幸參與了國立中山大學創校建館的陣營。

　　人生不相見，動如參與商；
　　………
　　焉知二十載，重上君子堂；
　　………

杜甫　贈衛八處士

一、喜訊遠來

　　國立中山大學成立二十周年了，這是中華民國教育史上的一件大事，值得紀念，值得慶祝，最先告訴我這個消息的是秀薇。

　　近幾年來，我因為年老多病，在國外依親復健，含飴弄孫，過著「飄飄無所似，天地一沙鷗。」❶的生活，平日不問世事，淡出圖書資訊專業。為了打發時間，我蓄意養成「舊書重讀」的、

---

❶　杜甫，〈旅夜書懷〉。

習慣，這種情勢自然而然的結果讓我忘掉了飛馳的歲月。唐詩中「山中無曆日，寒盡不知年。」❷和千家詩中「閒坐小窗讀周易，不知春去幾多時？」❸充分描述了我這時的心情。秀薇，人如其名，秀外慧中，是我在中山大學圖書館最倚重的青年同仁，她的來信除了提供這項重要的資訊之外，還進一步要求我寫一篇紀念文字，她的語氣似乎是無法討價還價的，她說：「今年是中山大學成立二十週年，圖書館將發行紀念特刊，也一定要您惠賜大作以為勉勵，…甚盼您在百忙之中能為後生晚輩訓勉。」請問讀者，我能說「不」嗎？

二、逼上梁山

當我還在猶豫不決的時候，中山大學的邀稿函已接二連三不斷而來，緊接著秀薇的兩封信之後，我的得意門生顏彩雲也寫來兩封極有感性的信。彩雲在三月三十日信中指出出版紀念文集的兩大原因：「一則是以誌校慶，二則是有感於二十年了，是可將歷年來的點滴記錄下來，緩緩的述說中，也必有驚心動魄的歷史，且讓我們留下清楚的軌跡…，因此已在積極的進行中。當然，在這場盛宴中，沈教授是絕不能缺席的，我們大家都祈禱　您身體健康，為這文集賜稿。」她怕我忘記了她這個學生，她還說：「前幾年您回中山時，曾隨同李館長等和您聚餐，當時數人中，還只有我真正上過您兩年的課呢！」我雖不敢說「桃李滿天下」，

---

❷　太上隱者，〈答人〉。
❸　葉采，〈暮春即事〉。

但在教育界任教多年，學生數字也頗可觀，老實說，學生的名字和儀容或無法拼湊在一起，但我卻有把學生姓名和優異成績結合起來的本事，顏彩雲就是一個例子。

中山大學的邀請函綿綿不絕，就像戰場上一波接一波的攻勢，讓我倍感壓力，最後蘇其康館長親自函邀，主將親自出馬，氣勢不凡，他的來信言簡意賅，敬業樂群的精神充滿字裡行間，我不願捨棄片紙隻字，僅錄全文如下。

沈教授鈞鑒：

　　　　最近拜讀　《沈公八秩榮慶祝賀論文集》一書，深表景仰與祝福之。中山圖書館同仁每一提到您，都與有榮焉。

　　　　光陰荏苒，學校今已邁入第二十年，圖書館為配合設校二十周年校慶活動，擬編印一本《國立中山大學圖書館二十年光影》（暫訂名），希望能重現二十年來館務進展的過程，以及同仁們共同為這座圖書館打拼的種種事蹟，尤其是　沈公在任館長期間對圖書館的貢獻、當初的篳路藍縷，因此至盼　您用1500字以上的篇幅，寫下在創立圖書館時的甘苦，和對圖書館的期許等等。

　　　　不知　沈公近況如何，甚念之；耑此邀稿，實是有無限的期盼。並請預留今年十一月十二日返校團聚。謹祝

大安

　　　　　　　　　　館長

　　　　　　　　　蘇其康　敬邀

　　我和蘇館長見面次數不多，只是在學會、年會和國際學術會議開會期間幾次簡短面談而已，但卻留下深刻印象，我覺得他是一個樸實無華、學有專長的青年學者，我何以如此肯定？一方面我自信老眼不算昏花，另一方面秀薇對他這位上司欽佩不已，認為蘇館長是有行政才幹的好主管。秀薇的觀察多少對我有點「先入為主」的作用，在這情形下，有關寫紀念文字這件事，我覺得說 Yes 比說 No 容易多了，於是我戴上了我的老花眼鏡，手裡拿著我不常用的筆。

李校長與部份同仁合影
（前中）李校長 錫公　　　　　（前右二）趙金祁 博士
（前右一）程抱南 主任秘書　　（二排中）林基源 博士
（二排左一）本文作者

　　當家人以不太習慣的眼光看我時，我說：「不要奇怪，我這是被逼上梁山了。」我這句話有語病，頗有被迫勉強和被動的意

思，其實大謬不然，我是一個「念舊」的人，我喜歡「舊友重逢」、
「舊夢重溫」、「舊地重遊」、「舊事重談」，和前面提到的「舊
書重讀」。水滸傳、東周列國志、封神榜等舊小說，我已經不知
道炒現飯多少次了。千家詩中：「攜取舊書歸舊隱，野花啼鳥一
般香。」❹別有一番樂趣，孔聖先師說：「溫故而知新，可以爲
師矣！」❺是有道理。我每看水滸傳一次，就會更加強我的觀點，
宋江等一百零八條好漢上了梁山，何嘗是被逼，他們的集合更是
志同道合的結果，就像我們圖書分類法中「物以類聚」的原理。
我能爲中山大學建校二十周年紀念特刊寫一篇文字使我深感榮
幸，由於中山大學人才濟濟，校史輝煌，紀念文集中必然有多篇
精心傑作，因此爲了節省寶貴篇幅，我這篇囉唆冗長的文字將把
重心放在圖書館。

三、創業維艱

爲了紀念　國父中山先生，同時打破在教育上多年來重北輕
南政策，政府決定在高雄建立國立中山大學。

民國68年7月教育部核定設置中山大學籌備處，並聘李煥先生
爲主任，以錫公的聲望地位和社會關係，他是眾望所歸，也是不
二人選。（錫公是我們對李煥先生的尊稱。）籌備處假借臺北市敦化
北路臺北學苑爲辦公地點，臺北學苑是救國團單位，如何能借到
這樣理想的辦公地點，大家都心裡有數。

---

❹　陳摶，〈歸隱〉。
❺　論語，〈爲政第二〉。

　　我到籌備處擔任顧問是由於錫公徵召，當時我在省立教育學院任教，擔任教授兼語文教育學系系主任。內人在美國在臺協會專門訓練外交官的華語學校擔任教師兼計畫專員（Program Specialist, AIT Chinese Language School），地點在臺中，女兒沈梅在東海大學念書，我家住在臺中旗興二村新建的屋子，我已經打算在臺中定居，無奈更動職業，除了錫公，沒有任何人能調動我，在〈二千九百個春天〉一文中，我曾經簡略指出經過：「我離開教院，並非我的主動，錫公於68年上半年兩度專函張植珊院長借調我去中山幫忙，因為我到教育學院是錫公推薦的，錫公的徵召我義不容辭。❻」

　　我在籌備處的主要責任是籌畫建立一個有水準的圖書館，這項工作大體上可以分成兩部分：採購必要圖書館資料和物色勝任專業同仁。前者需要時間閱讀，《Subscription Books Bulletin》，《Book Review Digest》，《Choice》，《New York Times Book Review》等選書工具成了我的日常功課，這項工作我尚能應付自如，因為我有在美國丹佛市公共圖書館（D.P.L.）擔任讀者顧問（Readers Advisor）和在東海大學、中央研究院美國文化所圖書館建館經驗，同時我編寫過《西文參考書指南》（四十年來，只此一家，別無分店）。令我感受到壓力的是如何「招兵買馬」，我國自古以來，用人最高原則是「內舉不避親，外舉不避仇。」我於民國44年單身自美返國，後來成家，親人寥寥可數，而我的個性

<hr>

❻　沈寶環，〈二千九百二十個春天〉，《國立彰化師範大學創校十八週年暨改制大學紀念特刊》（民國78年10月），頁88-91。

與世無爭，因此也沒有敵人，圖書館成員來源有三：

(1)專業或相關科系畢業，自行申請，經過面試我認爲合乎任用標準的青年人。

(2)經過專業或相關科系名教授推薦，成績優異的學生。

(3)和我沒有歷史關係，經我一段時間觀察，認爲合格，能夠配合我們高水準要求的人員（我戲稱爲伯樂識馬）。

參觀電影公司攝影棚
（中）李校長錫公（右一）趙金祁 博士（右二）本文作者

就人事部署而論，我的得意之作，是向籌備處借調李美月教授出任圖書館讀者服務組主任，這種舉止使當事人都莫測高深，美月在寫作中說：「民國69年，寶公擔任中山大學圖書館館長的時候，慧眼獨具地，挑中我這個與他素昧平生，又是圖書館學門外漢的小女子做他的部屬，擔任組主任。他常說，把一個不好的人教好，把一個不會的人教會，正是教育最大的成功與樂趣，我想，在我

亦步亦趨跟著他學習的這一段時間中，他可能得到了一些樂趣
吧！」❼美月的話過於謙虛，她是國家歷史學博士，學有專長，
表達能力，無論是口語或文字都是第一流的，她不輕易發言，一
經開口，言必有中，尤其可貴的是她的思維有邏輯。和她見面若
干次後，我心中湧上兩個念頭：

⑴近百年來，美國國會圖書館館長（U.S. Library of
　Congress）至少有兩位是學歷史的，其中 James H.
　Billington 是現任館長（1987-），另一位是 Josoph D.
　Boorstin（1975-1987）。Billingtons 是我最景仰的學人，
　他所編著的《未來世界的圖書》（*Book in our future*）是
　當代最重要的文獻，在美國名人傳（Who's who in
　America）中他的頭銜還加上了「文學家」。❽

⑵大學圖書館館長應由教授兼任，但是一般綜合性大學都沒
　有設置圖書資訊系所，因為是專業學術單位（Professional
　school），只要是愛書的的人，館長何必一定要用所謂「門
　內漢」。

---

❼　李美月，〈亦師亦友的沈寶公〉，《沈寶環教授七秩榮展祝賀論文集》
　　（臺北：臺灣學生書局，民國78年），頁46-47。
❽　*World Almanac 2000*
　　Librarian........................Served...........Appointed by President
　　Herbert Putnam.................1899-1939......Mckinly
　　Archibald Macleish............1939-1944......F.D.Roosevelt
　　Luther H. Evans................1945-1953......Truman
　　L Quincy Mumford............1954-1974......Eisenhower
　　Daniel J. Boorstin..............1975-1987...　 Ford
　　James H. Billington............1987-　　　　 Reagan

第一屆畢業典禮

（右一）趙金祁 校長　　（左二）林基源 院長

（左三）吳建國 博士　　（右二）本文作者

第一屆畢業典禮

（右）外文系主任 黃碧端 博士　　（左）本文作者

　　民國69年7月1日，國立中山大學正式在高雄西子灣建校，圖書館同時成立，錫公校長聘我爲教授兼館長，這項安排極爲特別，我當時也是國立臺灣大學圖書館學系專任教授，換言之，我同時有兩個專職（領一份薪水）。說來也是一種巧合，我民國44年自美返臺時，也是兩個專職，一份薪水（那時國立中央圖書館館長蔣復璁先生，同時也是省立臺北圖書館館長，他無法兼顧。我第一個工作是中央圖書館閱覽部主任，館址在南海路，當時還沒有開放閱覽。蔣館長聘我爲臺北省館研究員代他處理館務，換言之，我領中央圖書館薪水並不辦公，在臺北省館上班卻不支薪水。）這件事我曾多次在文字中說明，圖書館界（有歷史）的人都知道這件事，由於一人專任兩職，地點又是一北一南，絕非永久之計。我覺得我的責任之一應該是從速注意合適繼任人選，推薦給學校當局。

　　圖書館館址設立在西子灣旁蓮海樓（後來改爲勵志樓）。西子灣因何得名，是否紀念西施，我不清楚，下意識的我將西子灣看成西湖，和西施連在一起，使我記起蘇軾的詩中說：「水至瀲灩晴初好，山色空濛雨亦奇。欲把西湖比西子，淡妝濃抹總相宜。」❾

　　在中山那段時期，我常常一個人晚飯後在灣旁海邊踽踽獨行，欣賞落日和晚霞，這是我的享受，也是個人秘密，除了少數值班警衛外，沒有同仁知道。蓮海樓缺少像樣的隔間，是圖書館開架的好場所，從二樓望出去海水綠色似乎透明，讓我們體會到自然的奧妙和自己的渺小，詩人余光中教授形容得好：

---

❾　蘇軾，〈湖上初雨〉。

⋯長風鼓動作浪潮，用翻滾的潔白來提醒提醒上下紅樓的
濟濟多士和來去長廊的莘莘學子說新舊世紀正在交替，舊
的將去而新的要來西子灣究竟該用怎樣的思潮洶湧將下
一世紀的大門撞開？。⓾

他很自然的把中山和西子灣結合了起來。

　　蓮海樓三樓是救國團活動中心，有咖啡、茶、水、點心供應
師生，是一個極受歡迎的處所，經常高朋滿座。有熱咖啡就有廚
房，有廚房就少不了爐火，在有颱風的時候，蓮海樓的門窗和電
線都已陳腐失修，水火無情，是圖書的「最怕」，因此在颱風季
節我常常無法入眠，我曾對館員同仁說這就是「水深火熱」的味
道。秀薇告訴我因為受到九二一地震影響，勵志樓即將拆除改建
為國際會議中心。在民國70年至72年之間，中山大學研究所招生，
勵志樓是圍場，我和圖書館同仁兩度入圍，我擔任圍長，圖書館
同仁則輪流入圍，因此我對這座舊樓似乎有了感情，聽說要拆除，
心中頗有依依不捨之意。民國73年8月圖書館遷入新建行政大樓
二、三樓，蓮海樓空了出來，我們圖書館同仁失去了臨窗看海的
機會，讓我想起崔顥的詩：「昔人已乘黃鶴去，此地空餘黃鶴樓，
黃鶴一去不復返，白雲千載空悠悠。」⓫

　　圖書館的工作是永遠做不完的，也很難看出成績，外界的評
語經常毀多於譽，但是圖書館同仁的辛苦則鮮有人知。中山建館
初期，這些花木蘭都借住在左營海軍招待所，那裡房間狹小，照

⓾　余光中，〈西湖早潮〉。
⓫　崔顥，〈黃鶴樓〉。

明不足，加上蟑螂橫行，並不是很理想的員工宿舍，我想「篳路藍縷」的形容詞很恰當。採購圖書常常大批湧到，圖書館工作同仁都是女孩子，她們捲起袖口，戴上草帽，下雨時我曾經看到她們脫掉皮鞋，把大包小包的沉重書籍揹上肩頭，從運輸車輛搬上書架，她們在流汗，我的心中卻在流淚，她們堅苦卓絕努力的結果，換來學校的榮譽。名學者，也是前臺大圖書館學系系主任何光國教授，是教育部71學年度圖書館評鑑工作的要角，他說：「我們一行六人從民國71年11月底至民國72年2月止，輾轉南北，參觀了將近三十一所大學院校圖書館。一般說起來除了十數所創校多年者，具備相當水準以外，其他多屬於草創期間，在教學及研究上還發揮不了什麼功能，唯獨中山大學圖書館例外。」評鑑委員們咸認該館「麻雀雖小，五臟俱全」。

休息時間

（中）龐建國 教授 　（左）本文作者

休息時間

（左）趙金祁　博士〔時為教務長〕

（中）本文作者　　（右）主任教官

「我們一行是在12月8日上午抵達位於高雄西子灣的中山大學，校長李煥先生上了臺北，雖然我們沒有機會見到校長，可是對他那種『填海建校』的魄力與膽識，確實令人心折，對他肯花巨金購買大量圖書、參考書及重要期刊，各位評鑑委員也都感到十分滿意。同時，我們還發現圖書館內清理得乾乾淨淨，書架上圖書也排得整齊有序；而且在十三位館員當中，也包括兼館長沈寶環先生在內，專業館員佔了十位，像這樣的佈局和氣派，只有後來參觀到的東海大學圖書館和中央研究院美國文化研究所的圖書館可媲美，直到那時筆者始悉，原來中山大學圖書館的設置，完全是沈教授治理東海大學圖書館時的翻版。」⓬

⓬　何光國，〈恂恂儒者沈寶環教授〉，《資訊傳播學圖書館學》第四卷第三期（民國78年3月），頁74-83。

　　東海大學圖書館前副館長胡家源先生說：「大學圖書館，因先生曾任館長而蒙教育部評鑑名列前茅，並獲取雙捷者（中山、東海），先生為第一人。」⓭

　　我對何教授、胡副館長的謬讚愧不敢當，我覺得我在中山是備位充數，如果有所成就功勞，應屬於圖書館全體同仁，除兩位組主任外，專業館員共十一位：陳秀薇、張彩貴、俞菊紅、翁鳳美、李淑貞、張玲麗、盧孝齊、曾速秀、韓蘊廷、孫玲俐、劉莉莉，及服務員吳蘇珠花⓮。技術服務組主任皮哲燕女士⓯，和我是丹佛大學先後同學，也曾在東海圖書館同事，她是省立中興醫院羅炯明院長的夫人，她並不需要工作，她丟下家務自願前來幫忙，分類編目工作由她挑起大樑，錫公每次到圖書館都看見她在埋頭案首、聚精會神的工作，甚為嘉許。由於我在臺大專任，每週只能在高雄上班三至四天，圖書館行政管理，偏勞了美月，我於民國73年10月離職，美月接任館長，可以說是駕輕就熟，實至名歸。民國84年冬季我來美國復健，但我對四子灣的「人」和「事」有無限的關懷和嚮往，誠如王勃詩中所說的：「海內存知己，天涯若比鄰。」⓰。

⓭　見72年12月13日各大報，胡家源，〈我所感佩的沈寶環先生〉，《沈寶環先生七秩榮慶祝賀論文集》（臺北：臺灣學生書局，民國78年），頁48-53。

⓮　其中陳秀薇、李淑貞是臺大李德竹教授推薦，盧孝齊是唯一男生，因為眼疾服務時間不長。

⓯　皮哲燕主任，因為家事必須回到中興新村，我很瞭解也無限感慨。

⓰　王勃，〈杜少府之任蜀州〉。

四、光明遠景

中華民國教育普及，大專院校如雨後春筍，不斷出現，教學競爭異常激烈，中山大學能在眾多學府之中脫穎而出，絕非倖致。在我曾經服務的大學中，臺大是天之驕子，金字招牌，也是家長學生首先考慮升學的對象；東海雄踞臺灣心臟地區，北上南下四通八達，首創通識教育、勞作制度、圖書開架，樹立了良好模式；中山遠離權力中心，既無「天時」，地無「地利」，所倚仗的全靠「人和」。「為政在人」，中山自創立開始，就有優秀校長掌舵，錫公是一位大公無私，胸懷磊落的長者，對「事」，他的觀念總是早人一步，可謂真知灼見，高瞻遠矚，困難問題經他冷靜分析，可讓聽者，茅塞頓開；待「人」，他虛懷若谷，禮賢下士，本諸「疑人不用，用人不疑」的原則，一經任用，他會推誠相待，同仁良好意見，他也能從善如流。他永遠優先考慮學生的需求和教職員工的福祉，在餐廳用餐時，錫公堅持依照秩序排隊，以校長之尊，他排在學生員工之後領用盤餐，臉上還顯露出怡然自得的笑容❼。錫公有「痛風」毛病，病發時他躺在床上仍然批示公文，尤其讓我感動的是他從來不擺「長官」架子，我每一次晉謁校長，他都會離開校長辦公桌椅，移步到專供訪客使用的沙發，和我面對茶几而坐。他知道我是「煙民」，隨手遞過一支香煙，

---

❼ 早在幾年前，我曾在文字上說明次事，請查閱臺北市館館刊、中館臺灣分館館刊或學會學報，我手邊資料因搬家失落，刊名及期別都記不得了。

他自己也抽上一支，他從沒有吸煙習慣，他這樣做，是一種禮貌，自然而眞誠。他和我談話時，湖北武漢鄉音完全出籠，使我倍感親切，加之錫公和我都主修教育（他在哥倫比亞大學，我在丹佛大學），我們的談話內容自然而然不限於圖書館業務。錫公於民國75年5月調任教育部部長，據我所知，他離開中山實在是身不由己，他曾兩度直接簽呈 經國總統，都沒有接到批示，他曾經提出謙辭兩大理由，當面報告行政院長和副總統：

　(1)中山大學建校工作正在積極進行，尚未完成。

　(2)有很多人比他更適合擔任教育部長。

院長的答覆說：「這次組閣，國防、外交、教育、財政四位部長人選是上面交代下來的，你有意見，我無法回答。」副總統的指示更爲明朗，他說：「你們以爲是做官，總統認爲是做事，你是經國先生的學生，你不要傷了他的心。」這種情形下，儘管中山一片挽留之聲，錫公只有北上，別無選擇。

　　接任校長者是教務長趙金祁博士，他是極具盛名的物理學專家，科學教育權威。有趣的是趙博士曾經擔任省立教育學院第一任科學教育系主任，他借調後回到師大，我曾經勉力接任兩年，他於民國73年5月接任校長，至民國76年6月奉調特任教育部政務次長。林校長基源曾擔任美國南加大（U.S.C.）工商管理學院院長、中山大學管理學院院長，林博士出任校長時間較長（民國76年7月至85年6月），他後來調任考試院公務人員保障暨培訓委員會委員長，他是國際聞名的學者。現任劉維琪校長，美國西北大學企業管理學博士，開創時期即由錫公禮聘而來，曾任多項要職，如中山管理學院院長、教育部高教司司長、中央投資公司總經理，

他是個才子型學者。我和這三位學人同時參與中山大學陣營，他們都曾經擔任中山圖書館業務諮詢委員會委員，因此相知頗深。我覺得中山大學校長──這個掌舵位置深慶得人。曾經聽人說過：一所優良大學必然有一所傑出的圖書館，但是大學要達到卓越地位的先決條件是要有偉大的校長──這是中山的寫照。我是八十多歲，已經退休的老人，我處事的態度是「不忮不求」，既無所求，我講的是由衷之言。

強將手下無弱兵，中山先後幾位專任館長都可以稱為一時之選，在美月任內，美觀實用的圖書資訊大樓順利完成，於民國78年8月1日全面開放使用。美月的繼任者蔡穎堅博士是機械系教授，由於他和圖書館同仁通力合作，在兩年內正式啟用自動化系統，這是民國83年11月12日，也就是中山校慶日的大事。民國84年8月外文系蘇其康教授接掌圖書館，他是美國華盛頓大學比較文學博士，在他領導之下圖書館持續發展自動化，開放線上續借、預約、全文檢索，為全校師生提供最理想的服務。最近收到中山寄來以中英兩種文字編寫的圖書館手冊，我極為欣賞，我過去想做的事和做不到的事，中山圖書館都做到了。欣逢中山大學二十周年校慶，謹向校長和全體師生表達敬意，中山的偉大成就，自然有人會報導，因為個人背景，我要特別恭賀你們有一所一流的圖書館。

（2000年6月10日寫於美國加州）

我與《中國書目季刊》結緣

一、偉大的成就，無比的貢獻

《中國書目季刊》推出三十年了，這是我國圖書出版文化事業一件大事，值得慶祝，應該道賀。我個人更以無比欽佩的心情向學生書局，特別是《中國書目季刊》發行人丁文治先生表示敬意。

為了紀念這個偉大的日子，學生書局出版專輯，並將專欄定名為「我與中國書目季刊結緣」。這個名稱深獲我心，因為我能與這本卓越的刊物結了不解之緣實在是「三生有幸」。

我在民國四十四年由美回國服務的第一個職位是東海大學副教授兼圖書館館長。當時大專院校的圖書館都隸屬教務處之下，全國只有臺大蘇薌雨先生和我兩人以館長名義直屬校長。學術界很多人說我少年得意，實際上我也有我的工作上的困擾，我覺得我國圖書出版界缺乏一種類似美國《出版者周刊》（Publishers Weekly）的出版品。民國五十五年秋季，也是我擔任東海大學圖書館館長滿十年時，《中國書目季刊》創刊號問世了。當圖書館期刊部主任將刊物送到館長室給我過目時，我心中一陣狂喜，幾

乎說不出話來。記得第一期的第一篇文章是昌彼得教授的大作〈我國版本學上幾個有待研究的問題〉，版本目錄學博大精深，我缺乏這門學問的背景，造成了我前述「工作上困擾」的主要原因。閱讀《中國書目季刊》中所發表的論文，正好「以人之長，補我之短」，同期中也收集了方豪、毛子水兩位前輩學人的文章，他們雖然已經作古，現在看到他們的寫作好像仍然在親聆教益。黃肇珩所寫〈林語堂博士的寫作生活〉極富可讀性，三十年來這本學報成了我必讀的期刊。我想很多在學術文化界的人士都有和我相同的感受——季刊越辦越精彩，和需要文史哲方面資訊讀者的關係，越來越親密。

以我收到最近一期，也就是第三十卷第三期而論，其中新書提要就提供了寶貴的新書介紹和簡短書評。例如謝寶煖著《中文參考資源》，將傳統式和電子型式中文參考書引介，中文參考資料的創作人何多源寫有《中文參考書指南》，激發了我寫作《西文參考書指南》的意願。我一向重視參考資料，現在看見《中國書目季刊》對這本專書的介紹，心中有說不出來的高興。此外，李德竹編著《西文科學文獻摘要與索引》是我期待已久的著作，摘要和索引在圖書資訊學中的重要性無言可喻，我曾在上課時說如果那位同學現在能掌握目錄、摘要和索引一定是位好學生，將來能精通目錄、摘要和索引必然成為圖書資訊學大牌學人。陳雪華著《圖書館與網路資源》充分說明了網路資源的緣起和功能，是我預訂讀書計畫的下一本著作。朱則剛著《非書資料管理》是近年來全面性研究非書資料的專著，以上所提幾種重要出版品只是例證，由於篇幅限制，我無法一一列舉。

　　我想要說明的有兩點，首先《中國書目季刊》原來是以文史哲爲主的期刊，但它的範圍已經拓展到圖書資訊學的整體，其次，這本期刊眞能爲需求者提供了必要的資訊，三十年來我受益良多，謹對學生書局表示由衷的感激。

　　《中國書目季刊》曾經榮獲教育部「全國優良期刊獎」四次，可謂實至名歸。而我在內心中每年都給這份刊物最佳期刊獎。聖人說「三十而立」，三十年來《中國書目季刊》在臺灣這個文化沙漠中不僅堅強的站了起來，而且在文史哲出版品中鶴立雞群，笑傲江湖，學生書局不計工本，同仁辛苦耕耘是有收穫的。

我們要做「過河的卒子」

一、棋迷的話

我是一個標準象棋迷，由於段數不高，只有看人下棋的份。但是我卻樂此不疲，因爲在冷眼旁觀別人布局落子之間，我能夠領會到若干爲人處世的道理：

(1)世事如棋，人生更是如同下棋，一步走錯不得，一著之誤，往往大局全非。

(2)世局雖然多變，「人」的決心，智慧和能力卻是轉圜的關鍵。下棋時眼光看得遠的會贏，眼光近視的必然遭遇失敗的命運。

(3)「舉棋不定」是兵家大忌，「觀棋不語眞君子，舉手無悔大丈夫」是有哲理背景的信條，換言之，自己拿定主意，不爲局外人所左右，謀定而後動，不要三心二意，是因應變局的必要條件。

在象棋「成員」之中，將帥各一，車、馬、炮、相、士各二。兵，卒則爲五子，功能各有不同。相、士是純防守性的，保護將、帥。車、馬、炮可攻可守似乎是作戰的主力。但我個人卻特別偏

愛兵、卒。其原因如下：

 (1)兵、卒是第一線作戰部隊，也是最先壯烈犧牲的兵種。

 (2)由於兵、卒部署在前線，兵、卒要先動，車、馬、炮重武
  裝部隊才能運動。

 (3)在象棋成員之中，小兵、小卒是唯一能將功能轉變的兵種。
  所謂「卒子過河當車走」，不能過河的卒子威力有限，無
  足輕重。

 (4)過河卒子只能橫掃和挺進。不能後退，以攻堅為任務，其
  作用在於犧牲小我，以成全大我。

 由於上述原因，下棋高手必然愛護卒子，培養卒子，千方百
計護送卒子過河，讓「小兵立大功」❶，達到最後勝利的目的。

二、一個圖書館界老兵的心聲

 在當前的大環境裡，圖書館員這一行業是社會中的弱勢團
體，我們雖有學會，卻沒有工會。既不能罷工、怠工，又無法走
上街頭遊行請願和抗議，完全缺乏自力救濟的能力，成了沉默的
大象，好像棋局中還沒有過河的卒子。

 現在海峽兩岸中國人民的全體都渴望和平統一，都要消弭
楚、漢對峙的局面。我們必需要覺悟，楚、漢都是黃帝子孫，龍
的傳人。我們必須有決心來下好這一盤棋，為了達到勝利成功的
目的，車、馬、炮、將、士、相、小兵、小卒要總動員，每個有

---

❶ 臺北電影片名——「小兵立大功」。

血性的中國人都有責任，「天下興亡匹夫有責」。我們圖書館界人士當然不能置身事外。因此怎樣將沒有過河的卒子蛻變成爲過河的卒子，是我們圖書館界今天最迫切的問題。

三、下一步棋怎樣走

近三年來，我們圖書館界爲了和平統一的偉大目的而積極進行海峽兩岸文化交流，這是一個極爲值得興奮鼓舞的現象，同時具有影響深遠的意義。因爲我們以實際的運作顯示我們挺身而出做了過河的卒子。

過河的卒子是要一步一步走的，正如同我在前面提到的「謀定而後動」，我覺得海峽兩岸圖書館界文化交流可以用階段來劃分。

(一)單　　向

1990年9月臺灣圖書館界同仁十四名在王振鵠教授領導之下訪問大陸重要圖書館及圖書情報教育機構之行。

1992年5月臺灣圖書館界教授五名參與在西安舉行的現代圖書館藏書建設與資源共享國際研討會。

以上不過是兩個例子而已，其他單位及個別訪問因爲篇幅所限不及列舉。

(二)雙　　向

1993年2月19日至3月4日，大陸學人陳譽教授、彭裴章教授、

莊守經館長、周文駿教授、史鑑主任、王振鳴副校長等六名首開記錄應臺大邀請訪問臺灣圖書館界參加學術研討。

1993年6月胡述兆教授率領臺大碩士班研究生全體訪問上海市各圖書館並以實際觀察從事實習課程的教學。

1993年11月來新夏教授應淡江大學邀請前來臺灣講學兩星期。

1993年12月13日至16日臺灣界十九人（其中教授十五名，臺大博士班研究生四人）在胡述兆教授領導之下前來上海參與海峽兩岸圖書館資訊研討會。

在此一階段中值得注意的是兩項特徵：

· 海峽兩岸圖書情報專業人員呈現「互動」關係是貨真價實的文化交流。

· 接觸層面不斷擴大，成員不僅是老兵還增加了新兵和子弟兵。讓我們接棒的下一代親自體會祖國的風土人情和文化，對於和平統一的大業當然是有益無損的。

下一步棋應該怎樣，深信應邀參與筆談的同行都有高見。我個人的意見可以下列圖解說明：

單向 →已經實現
　　・臺灣圖書館界多次訪問大陸
雙向 →正在進行
　　・其他
　　合作編目，合作修訂圖書分類法等項
　　・技術及學術合作
　　技術問題應可克服
　　・資源共享
　　海峽兩岸高等學府相互承認學分
　　・交換學生
　　臺灣教授利用暑假應聘前往大陸任教
　　大陸教授應聘前來臺灣擔任客座
　　・教授交換（即將實現）
　　・臺灣，大陸圖書情報界人士雙向訪問

合流 →努力目標
　・組成聯合團隊出席國際會議
　・組織包括海峽雙方圖書情報專業人員的共同社團

四、海峽兩岸圖書資訊研討會於1993年12月13日 至15日在上海舉行，出席有感：

統一大計在心頭，
四方豪傑會神州，
好漢不走回頭路，
我們要做過河卒。

緬懷先賢——韋棣華女士
對我國圖書館事業的貢獻

　　睽違各位許久的時間，這次與各位再次相見，感到非常的開心，我今天的講題是「緬懷先賢——韋棣華女士對我國圖書館事業的貢獻」，希望能將我所認識的韋棣華女士在這裡介紹給各位。

　　我認為韋棣華女士（Mary Elizabeth Wood）在圖書館發展的歷史上是非常重要的人物，民國初年曾經擔任過中華民國總統職位的黎元洪先生就說過：「韋棣華女士是我國圖書館事業的皇后」，在美國國家傳記辭典《DAB》（Dictionary of American Biography）裡面有韋棣華女士的傳記，在整個 DAB 裡圖書館的人士很少，只有幾個人，女士更只有韋棣華一個，所以她的重要性可以說是毋庸置疑的。

　　有很多優秀的圖書館學系的學生都曾經接受韋棣華基金會的獎學金，但是許多人對於韋棣華女士的瞭解並不會太深，通常僅知韋棣華女士是美國的圖書館員，並且到中國來幫助中國的圖書館事業。許多人對於韋棣華女士感到陌生是很正常的現象，因為這些事情發生在大陸，和臺灣有著海峽之隔，除了地域上的距離

之外，還有時間上的差異也是重要的因素。

在這個年代曾經跟韋棣華女士有過接觸的人已經不多了。韋棣華女士如果尚在人世的話已經一百四十幾歲了，她是七十歲的時候過世的，換言之，要認得她的人起碼也在七十歲以上，而且七十歲只是個剛出生的小娃，嚴格來說一定要八、九十歲才可能跟韋棣華女士有接觸的機會，因此這樣的人就不多了。

我自幼年即認識韋棣華女士是因為家父的關係。另外有一件事情今天在此向大家公開承認，我偷摘過韋棣華女士家裡桃樹上的桃子。當時我只是十一歲的學生，在文華中學補習班讀書，文華中學有七個年級，除了一年級到六年級外，另有一個補習班提供給年紀較輕的學生先來接受教育，日後再進入一年級接受教育，我就是在十一歲的時候到文華中學補習班。有一天，某位家長送一盤水果來學校給我們班上的某位同學，我們看了非常羨慕，但是當時只有三個桃子，數量不多而且該位同學也不肯跟我們分享，所以有人就提議去「文華公書林」旁邊的桃樹採摘桃子，當時也不知道什麼是「偷」，只知道韋棣華女士的房子附近有棵桃樹，上面結了許多美妙的桃子。我們去了五個人，四個同學合力把我抬到樹上去，我把桃子採摘後往下面丟，他們就將桃子排起來看看有多少個，排到十幾個的時候，因為大家太高興而喧嘩，把韋棣華女士驚動了，她帶著帽子穿著洋裝走過來，還帶著一個老婦人跟一個瘸子。她來到桃樹下，四個小朋友立刻作鳥獸散，把我一個人留在樹上，後來我從樹上慢慢滑下來。她對我說：你是沈祖榮的兒子。我只懂得這一句，其他的我都不懂，因為韋棣華女士是不講中文的，而我的英文程度又不夠，那位老婦人跟瘸

子也不懂翻譯，但是我猜到她的意思大概就是：沒有經過許可的話，不可以去摘這些桃子。後來她還是很大方的把這些摘下來的桃子送給我，要我回去分給同學，因為這個緣由，我覺得我應該把韋棣華女士介紹給各位。

　　韋棣華女士是在1861年出生，於1931年去世，享年七十歲。她在家裡是大女兒，下面有七個兄弟，最小的兄弟叫做 Edward Wood，這個年輕小兄弟跟她差十幾歲，後來到中國來傳教。我曾經與 Edward Wood 見過幾次面，他的身高約六呎六吋。他非常喜歡中國人，他的禮拜堂裡都是煮了大鍋的稀飯招待中國的教友，因為在當時貧窮的教友非常多。韋棣華女士非常喜歡這個弟弟，由於當時的中國有義和團之亂，在八國聯軍之後，中國又割地賠款，在當時中國民間排斥洋人的聲音非常大，韋棣華女士擔心他弟弟的安全，所以來到中國的武漢，來到中國之後，她發現她非常喜歡中國，於是就留下來教英文及西方文學，在這之前她已經在美國圖書館做了十年的圖書館員。韋棣華女士來到中國時已將近四十歲，她在中國的歲月長達三十年。

　　韋棣華女士發現在中國沒有「Library」的設置，因此她就寫信回美國，募得經費與數千冊的圖書，於光緒28（1902）年在武昌文華書院開辦「文華公書林」。韋棣華女士的目標是將這個「學校 Library」提供給大眾使用，使其扮演「公共 Library」的角色。「文華公書林」這個名稱是家父幫它取的名字，其中的意涵要從中國的一套古書「書林清話」說起，「書林」這兩個字代表很多的書，「公」字則是表示提供人家來用，不限定使用者為學生。由此得知在當時根本就沒有「圖書館」這個名詞，我們國家第一

個「Library」稱為「公書林」。韋棣華女士認為應該要有「專門的人才」來負責 Library 的事情,那時候家父是她的助手(assistant),也是她的學生。韋棣華女士在1914年派家父到美國去唸 Library Science,那個時候家父可以選擇唸 Library Science或者是唸「童子軍」。家父學 Library Science 是出自家母的建議,當時她對他說:你現在可以學童子軍,也可以學 Library Science,只是年老的時候也可以學童子軍嗎?就因為這個緣故,家父選擇了 Library Science。很多人走這條路,原來並不是一定要從事這個事業,包括我自己也是一樣,我直到後來才發現圖書館事業是一個很有意義的事業,並且不感覺到後悔。

韋棣華女士除了派家父去學 Library Science(1914-1916),在1918年,她也自己到美國去學 Library Science,她到了美國的波士頓,那個時候韋棣華女士的年齡已經快要五十歲了,她的老師是一個年輕的女教授(後來成為美國圖書館學會教育會的主席)。在1924年,韋棣華女士又再度回到美國,她試圖去說服美國的國會議員,要求美國政府把庚子賠款退還給中國政府,歷經了三年的努力,美國國會終於通過將庚子賠款退還給中國,中國政府就用那筆錢開辦了清華大學。

在1925年,由於韋棣華女士的推動,中國成立了圖書館學會,稱為中華圖書館學會,韋棣華女士除了代表中華圖書館學會參加ALA 的50年紀念會,也代表中華圖書館學會去英國與各國代表共同商量籌辦 IFLA 國際會議,而且代表中國簽字的人就是韋棣華女士。在1929年,家父到義大利的羅馬參加 IFLA 國際會議,家父從西伯利亞坐火車穿過歐洲到達義大利,帶了很多我們國家的

圖書資料與論文贈送給與會人士。文華圖書館學專科學校成立的
時候（1929年），家父是校長，韋棣華女士是教務長。

在這裡我也要順便提到韋棣華基金會，這個基金會的成立，
當然是紀念韋棣華女士。1947年我到美國唸書，1949年國民政府
遷來臺灣，所以無法得到來自大陸的經濟支援，當時韋棣華基金
會的執行長寫信來向我表示：「我們知道你現在有經濟困難，我
們願意幫助你，可不可以跟我們聯繫，告訴我們你需要的幫助」，
我那時候有很好的獎學金，我就寫信告訴他們說我不需要並且謝
謝他們的好意。後來我回到臺灣東海大學（1955年），他們就把每
年2000美金送給東海大學，於是這筆錢便用來籌辦圖書館學報，
現在國家圖書館還有一套東海大學出版的圖書館學報。後來我離
開東海大學，這個學報停辦，這筆錢就不再匯進來了。我在東海
大學的時候，這筆錢也幫助我參與第十屆太平洋科學會議，中國
代表團團長是胡適先生，當時有三十幾個團員。韋棣華女士對我
們國家的貢獻實在是難以形容，甚至於可以說，韋棣華女士是一
個打開中美文化合作的先賢，不僅是對於我國圖書館事業的貢
獻，還有整個文化的貢獻，我覺得這樣一個偉大的女性，值得我
們今天來紀念她，以上所述，請各位指教，謝謝各位

偉大的中國人
海峽兩岸文化交流的主力
——石景宜先生小傳

一、奇人、怪人和奇怪的事：

有人說他是：「奇人」❶，

有人說他是：「怪人」❷。

這些稱謂充份表達了寫作者對他的尊重和愛戴，沒有絲毫惡意，但是我卻不願意把「奇人」和「怪人」加在一起，說他是一個「奇怪的人」因為這個形容詞對他不夠敬意。

我從來沒有為別人寫過小傳，而且我和他只是初識，見面不過兩次。真正的接觸只有一次，我卻心甘情願，滿懷熱忱的為他

---

❶　怡君，〈奇人石景宜〉，《海內與海外》，1993年第11期。

❷　吳苾雯，〈贈書為樂〉，《中國青年報生活特刊》，1993。

寫一篇小傳才是奇怪的事。

他是誰？他就是愛國僑領石景宜先生。

二、兩面之緣

我能夠認識石景宜先生，是我一生中最大的榮幸。造成這種機會的是我的兩位好友——中正紀念堂管理處處長朱紹宗兄和中正大學圖書館館長楊美華教授。由於過程和我寫這篇文字有關，我必需略作交代。

1.今年八月中旬，我接到紹宗兄邀請函，要我參與石景宜先生接受頒獎典禮，信中提到石先生捐書壹萬肆仟餘冊的盛舉。基於三個理由我欣然出席：

A.我是全力支持海峽兩岸文化交流的人。

B.我認為社會人士捐贈圖書給圖書館是最有價值和意義的作為，值得鼓勵、讚許和欣賞。

C.我和朱紹宗處長是多年好友，他主辦的大型活動，我應該捧場。

關於最後一項，我要簡短說明，以免讀者以為我公私不分。朱紹宗兄和我在中山大學同事，他精明幹練，奉公守法，是一位標準的公務行政人員，深獲部屬同仁愛戴。尤其讓我敬佩的是，他重視圖書館的建設。將中正紀念堂的功能拓大，使紀念堂成為貨真價實的社教文化機構。

在八十二年九月六日舉行的石景宜先生捐書剪綵和頒獎典禮

中❸，我第一次看見石先生，也聽到他用廣東腔調國語的講話，我的聽力不佳，不能完全聽懂他的講詞，但是他的誠意自然流露在表達之中，也對我內心產生了相當的震憾。散會時，石先生爲人群包圍，我只有和他握手說了幾個恭賀和感謝的字，沒有眞正交談的機會。他的手是溫暖的，態度是親切的，這次短暫的接觸，除了我覺得他是一位好人，一位長者，我不敢說有深刻的印象。多年以來，我養成了愛書、看書的習慣和好癖。趁著人潮好像眾星拱月，環繞著石先生的時機，我快步的溜進圖書館，想先睹爲快的瀏覽石先生贈送的一萬四千七百冊圖書。走進閱覽室，令我大爲讚嘆，石先生這次贈書，簡直等於是送了一座金礦，一個寶庫給中正紀念堂。這些書都是全新的，都是有關文、史、哲學科方面的書籍，且都是大陸有名學者的權威著述，這些井然有序排列在書架上的圖書，讓我留連忘返，不願離去。我心中更產生一個問題「石先生是一位甚麼樣的人？」。我要感謝朱紹宗處長，他提供了我幾十篇報章剪輯的資料。我回家之後，仔細閱讀這些有關石景宜先生的報導，不忍釋手，也產生了我有意爲石先生寫作小傳的動機。

2.八十二年十一月十八日石景宜先生贈書中正大學❹。在發出邀請函之先，楊美華館長在嘉義以電話和我聯繫，問我願不願意出席研討會，並且主持由石景宜先生專題演講的項目，我不加

---

❸　《民生報》，82年9月7日。〈用書籍搭建兩岸橋樑，石景宜贈書中正紀念堂〉，這回都是大陸藝文著作。其他報紙均有報導，不及枚舉。
❹　《民生報》，82年11月18日。〈石景宜贈送大陸圖書給中正大學〉。

思索的欣然接受。理由有三：

　　A.我還沒參觀過這所學府，由於學術界和社會人士對於中正
　　　大學的評價很高，我自始即有一個心願，想去參觀。

　　B.我一向很重視楊美華館長的意見，她是我們圖書資訊界的
　　　新秀，也是接棒的一代。他提出的要求，只要我能力許可，
　　　我一定會接受。

　　C.我有機會面對面的和石景宜先生接觸，增加對石先生的了
　　　解。

開會那天，石先生喉痛，不能多講話。楊館長告訴我，如果石先
生身體欠安，不講也可以，我曾將這個意思轉達，但是石先生不
願意議程受到影響，仍然勉力發表了一篇極富感性的演講。他那
種「天生贏家」的個性，再一次呈現在我的眼前。由於這一次的
見面，對他所產生的印象與感想，和我閱讀有關他的資料對照，
我決心為石先生寫作小傳。

三、平凡的人，成就不凡

　　石先生究竟是怎樣的一個人？我應該運用甚麼字樣來形容
他，才是忠實的，正確的，將他介紹給讀者。這是兩個月以來我
不斷思考的問題。

　　舊小說中，描述主角時常用「才如子建，貌似子都」的語句。
石先生是本文的主角，如果把這類形容詞搬到他的頭上，他雖然
承當得起，卻嫌庸俗了些，更不能充份表達出我對他有「相見恨
晚」的心情。

　　和石先生短暫的認識，對我的精神和情緒，產生了極為玄妙的衝擊。

A.石先生身材並不魁偉，和我相比他幾乎矮了我一個頭，但是我和他面對面談話，我卻覺得他好像一個巨無霸高不可攀。

B.石先生講話聲音洪亮，和他的中等身材並不相襯，顯示他中氣充沛。武俠小說常說武功劍術練到高層境界時，劍客會發出劍氣，使人無力抗拒，這是神話。石先生不是劍俠，不會發出劍氣，但他確實有一種氣勢，溫和的對人撲面而來，我想比較合理的解釋大概是他親和力和感召力特別強的緣故吧！

C.石先生儀容端正，但是看不出有何特色，和一般的人並沒有顯著的不同。由於他是我注意的對象，不免多看了幾眼，我發現石先生不僅一臉正氣，面孔更發出一種特有的光輝，有人說多行善事的人面相會變❺，我對這點深信不疑。

　　我講的這些話，出之肺腑。但是為了加強公信力， 我運用報導的資料，客觀的說明石先生這位看起來平凡的人，不凡的成就。

1.他是以克難精神，艱苦創業的人

　　方怡在〈文化書使石景宜〉一文中說：

　　　石景宜是經歷過坎坷的生活，磨練奮鬥出來的。他因治病

---

❺　中國古典名著，《拍案驚奇》，卷21，袁尚寶相術動名卿，鄭舍人陰功叨世爵（臺北：三民書局），頁238-246。

到香港，投奔他二姐，離開二姐家，一時找不到工作，口
袋裏只有八十元港幣，想回廣州連路費也不夠……。
艱難的困境會開啓堅強的人的是思路，他花幾元錢買了八
個裝牛奶瓶的方箱子。把它們分成兩層，放在一輛舊手推
車上，組合成一個流動書攤，沿街收購和販賣舊課本，在
這種艱困的生涯中，克勤克儉的他勉強能維持生活，還略
有節餘❻。

金苓在〈石景宜創業史〉中，證實了方怡的報導，並略於補充。
他說：「慢慢地，牛奶箱增加到十二只，分成三層，擺在小推車上，
每日早出，到晚上歸家，邊賣書，邊收購學生用過的舊課本，修補
整理後再賣出去。……憑著薄利多銷的經營宗旨，取信於學生、家
長。服務熱情週到，生意慢慢好了起來，開始賺了點錢」❼。

與金苓共同寫作報導的陳列說：「抗戰勝利的第二個年頭，
石景宜就在這條街上租下202號的半間鋪面，……石景宜一貫認
爲，做人要『忠誠老實取信于民』……。便給這書店取名爲『忠
誠書店』」。

2.他是夠「吃得苦中苦」的人

「石家經濟來源全靠擺書攤的收入，六口之家生活十分困
苦，常常要向親友借貸才能渡過難關，……整個夏季每天十個多

---

❻　方怡，〈文化書使石景宜〉，《人民日報》海外版。1992年6月8日，第
　　7版。
❼　金苓，〈石景宜創業史〉，《羊城晚報》，1992年1月22日。

小時在烈日下站著，柏油馬路發散出蒸籠般的熱氣，遇上雨天就更辛苦，風雨把他一家人淋成落湯雞模樣，而陣雨一過又是驕陽烈火」❽。

曉明、振海接著說：「吃午飯就在書攤旁邊，邊吃還得邊留意過路行人。當有主顧時，便須立刻放下飯碗，招呼顧客。往往是一頓飯要中斷十多次，斷斷續續要一個小時以上才能吃完。所以，感冒、胃病、雙腿痙攣、喉嚨沙啞，成了他家的職業症。」

金苓說：「一家人沒有按時吃過一頓安樂飯……。」

石景宜和夫人每天早上九時開始工作，到晚上十點多才收攤，回到家以後，顧不得歇一歇，便急忙查點缺書存書，準備好明天要銷售的書，常常到深夜一兩點鐘才能休息……❾。

3.他是一位自俸非常節儉的人

石先生的個人絕不講求享受，他是真正體會到「食無求飽居無求安」（學而第一）的哲理，而且心甘情願去實踐的人。

他能夠大量投資，對海峽兩岸圖書館贈送貴重圖書，但自己卻吃便當（大陸稱為盒飯），而且吃得津津有味。

〈拼將心力架橋忙──石景宜其人其事〉一文中舉出兩個實例（我認為是美談）。

曉明和振海報導──故事之一

有一天，他在王府井一家餐館吃飯，他點了便當。隔座兩

---

❽　曉明、振海，〈拼將心力架橋忙〉《傳記文學》雙月刊，1990年第6期。
❾　同註❼，第7版。

位小姐，對他打量之後邊吃邊聊說：

「那位老頭是個港客。」

「妳何以知道？」

「他講的國語有廣東腔調，我聽得出來。」

「港客會吃便當？」

「香港也有窮人嘛！」

故事之二：

從北京直飛香港，乘坐中國民航，因為是國際航線，票價是外匯券764元，對他的財力來說是微不足道的小事。但他卻寧可坐飛機到廣州（國內航線），然後坐火車經深圳回香港。這樣他可以節省390元外匯券❿。

4.他是善於教育子女的人

石先生係極為重視家庭教育的人，他對子女的教導是成功的。我們從他的言行中可以看得出來，我們幾乎可以斷言他的後人將來必然成為大器。

首先他的孩子都必須做事，以工作換取待遇。而他將自己家人的工資壓得很低，在他的書店中工作，每個孩子每月工資一律僅5,000元，連他的夫人劉紫英女士也不例外，而他僱用的秘書和同仁月薪則為12,000元。他的家人也很爭氣，他們都是吃過苦頭長大的。

金荂在〈艱苦創業〉一段文字中說：

---

❿　同註❽，頁5。

石景宜去香港後，劉紫英帶著四個小孩子住在廣州，……
劉紫英被分配到新華書店工作，當時靠她的薪金維持一家
五口，生活確實艱辛。是年8歲的漢基，6歲的固基都上小
學。白天，媽媽上班去了，兄弟倆每天放學後自己煮飯吃，
自己洗衣服；還要照顧4歲的妹妹小慧；和2歲的弟弟永基。

　　他鼓勵子女靠自己的力量出人頭地，做個社會上有用的人，
他的一套哲學是：「……把錢留給子孫，是人之常情。但他自己
不想把錢留給子孫，因為他們有他們的事業；而且留給他們只有
少數人得益，把圖書贈給大家，則眾人得益，卻是犧牲小我成全
大我。」⓫

　　「我的錢不能留給他們，他們若是好孩子就不需要我給錢；
他們要是不好，我留給他們的錢，只會助長他們的壞毛病。」⓬

5.他是個愛書的人

　　有錢的富翁，多數有點銅臭。石先生是個經濟環境很好的人，
他很謙虛的說：「他在香港只算一個中產以上階級的人。」我們
可以斷定他是一個相當富有的人，但他不僅沒有銅臭味，反而有
濃郁的書香。

　　「他看見書店就有走不動的毛病，《傳記文學》雙月刊中曉
明和振海說：有一次在臺南，他突然失蹤了，同行的人很著急。
熟悉石先生的人說：『不用急，他准是又到"那邊"選書去了。』

⓫　陳婉雯等〈兩岸交流〉，《同舟共進》月刊，1990年第9期，9月10日。
⓬　同註⓽，頁5。

果然,在一家書店找到了他。其時,他正同老板敲定一批大陸需要的書籍」⓭。

「有一次他在中正機場候機返港,見到一位青年,正在看《胡適秘藏書信選》一書,這是他想購買贈送大陸圖書館的書。他立即退掉機票,回到臺北,直到買到這本書後,他才再買機票回到香港」⓮。

吳苾雯證實了這回事,她說:「在桃園機場候機時,他發現一位青年,正在捧讀一本《胡適秘藏書信選》。他尋思,大陸學術界一定需要此書,於是他向青年問明地點後,對家人說,你們先回去罷,我再待幾天看看書。說後,退掉機票,返回臺北又進了書店」⓯。

6.他是深能體會圖書館學原理的人

石先生在大學是主修經濟學的,由於戰亂關係,有人說他未必能完成大學學業,但是他卻靠「愛書」而演進成為「知書」。吳苾雯指稱:「石先生告訴我,每次贈書之前,他都先要了解對方的需求,擬出書目,然後有計劃的四處選書。好些書並非付錢即可捶手而得,必須耐心的尋找,精心挑選」⓰。他這種作法,足見他完全抓住了圖書館中選書以建設館藏的眞諦。

⓭　同註❽,頁2。

⓮　楊平,〈石景宜爲開啓兩岸文化交流作貢獻〉,《佛山日報》,1993年12月25日。

⓯　吳苾雯,〈贈書爲樂〉,《長江日報》,1993年12月2日。

⓰　同上註。

「他有淵博的圖書知識，又非常了解海峽兩岸的需求。」他親自挑出的書目，肯定是符合受贈者的需要，他的眼光之高明，是任何人所無法企及的。

選購書籍的過程是很艱辛的，書店庫房裏排列著一排排的書架，間隔又小，光線又極昏暗。石先生得站在小梯上，一手拿著手電筒，強睜著老眼辨識書名。有合適的書，他就拿了下來，碰上了大部頭的書，老人便要連捧帶抱才肯取下」❼。

他事必躬親，我們圖書館是講求「動」的，我說他是一位標準的、理想的專業圖書館人員，相信必能得到同行的認同。

7.他是處處爲別人設想的人

他付給書局工作同仁的薪金，是自己家人工資的一倍以上，已見前述。

值得一提的是，他對別人的高度同情心。寧可犧牲自己的利益，而經常把他人的福祉列爲優先。

《羊城晚報》中說：

> 漢榮書局的信譽至上，熱忱服務是第一流的。有個學生到漢榮書局買書，書價5元，但是乘車到書局要7元車資，爲這些學生著想，他主動爲學校送書上門。漢榮書局批發給小販的書籍，可以賒帳。書局損失了利息，小販卻得了實惠❽。

---

❼　同註❽，頁2。

❽　《羊城晚報》，海外版，1993年1月30日。

8.他是事業有成就的人

石先生是位成功的人,也是事業有成就的人。漢榮書局能夠跨過香港五大書局的行列卻不是偶然的,石先生對人忠誠,遵守信譽,成就了他今天的地位。

陳列、金苓在〈石景宜創業〉中說:「有一次一筆70萬元港幣的應付書款,在7月30日到期;而一筆80萬元港幣的待收書款,要8月4日才到期。時間相差4日,石先生決定背負利息,於7月28日向銀行貸款付帳。由此漢榮信譽廣傳。和英、美、新加坡等地60多個出版社建立良好關係,石先生的正直作風贏得了英國最大出版商,海涅曼公司的信任,委託漢榮為香港的代理商,使石先生時來運轉,令人另眼相看。」

9.石先生是個愛國的人

石先生說:「我非巨富,在香港只能算中產階級而已;不過,總算有點餘力報效祖國罷了」❶。

我想如果把錢拿來擺最名貴的酒席,請朋友高高興興吃一頓,到了明天,經過消化就完了。贈書則不然,知識無價,不但這一輩子的人受用不盡,還可以傳之子孫後代!

生活在香港的中國人,對海峽兩岸情況都有較多機會接觸。一個愛國者,自然希望國家能夠統一的重大意義。

10.石先生是積極推動海峽兩岸文化交流的人

---

❶ 〈同舟共進〉,op.cit., p.3。

石先生在中正紀念堂贈書剪綵和頒獎典禮中說「本人今年78歲，畢生從事圖書行業，與書籍結下不解之緣，眼見業務薄有所成，亟望在有生之年，用經營賺來的些微金錢，貢獻在推廣文化藝術，促進海峽兩岸文化交流工作上。十多年前，我已開始向大陸各地大學院校圖書館等贈書。……至今受惠單位已超越百個單位。贈送圖書約有70多萬冊，其中大部份是臺灣版。1990年代，又先後向臺灣三所教育機構贈送大陸圖書。……實現了海峽兩岸文化的雙向交流。」❷⓿

（按：石先生在臺灣贈書單位不止三所，據個人所知，已有國立歷史博物館、國立藝專、中正紀念堂、中正大學、國立臺灣史前文化博物館等單位。即將進行的贈書單位為：中正紀念堂、世界新聞傳播學院、國立中央圖書館臺灣分館等，都是成就優異、聲譽卓著的機關和學府，我選擇本館館刊發表這篇文字，原因在此。）

四、偉大的中國人，海峽兩岸文化交流的主力

只要是中國人，都會贊成祖國和平統一，而海峽兩岸文化交流是唯一能走得通的路。

海峽兩岸文化交流，可以說「知易行難」。大家都有此心，做的程度卻有差異。我將之分類為三種情況：

1.心有餘而力不足，我自己是一個例子，除了能發表書生之見外，其他作為有限。

---

❷⓿　大道社，報導，（剪輯上無日期，應為82年9月7日）。

2.單向交流型,有人贈送大陸圖書館之建築硬體,我們喝采之餘,總覺得只注意一邊,而不考慮另一邊。似乎有點美中不足。

3.石先生投入資金8,000萬港幣,為海峽兩岸分別贈書。繼續不斷,才是真正的文化交流,到目前為止,還沒有人打破他的紀錄,這是何等重大的貢獻。

我對石先生的敬佩是語言文字所無法形容的,我手中資料不全,而且限於篇幅,祇有能力寫出這篇不能登大雅的文字。我大量引用兩岸新聞界的報導,只是讓讀者知道,尊敬石先生者大有人在。

石先生是奇人,是怪人,一點也不錯。但我必需強調:「石景宜先生是一位偉大的中國人」。

中正紀念堂圖書館接受石景宜先生贈送大陸圖書照片
（按：本壁面圖書僅為其中之一部份）

心中有愛的學者——專訪
圖書館學巨擘沈寶環教授

丁櫻樺

　　冬陽暖暖地照著大地，在世新傳播學院圖書館的一角，我們用心聆聽著沈寶環老師細數他求學的生活，奉獻圖書館的歲月，作育英才的快樂……這些點點滴滴的往事，正刻劃出他不平凡的一生，他就像一部活字典般，帶領我們進入歷史的長廊，一窺堂廟之美。

　　用完午餐（當然是沈老師的「慣例」——老師請客，學生們飽餐一頓），在圖書館前庭的花廊下繼續聆聽受教，我彷彿大海中的一條小魚，正竭盡心力飽享著大海豐富的寶藏。驚訝於時光快速的流逝，不知不覺中我們的訪談已進行五個小時，老師懇切健談，其對圖書館事業、對教育的熱愛，對新知的渴求，爲學態度的認眞與執著，都是我們最好的榜樣，回程時，我的心田滿溢著陽光的燦爛與溫馨。

一、多彩多姿的求學生涯

「回顧以往的歷史甚覺恐懼，覺得自己學問不夠，如果時光倒流，我希望能把握更多的時間，多作研究。」訪問之初，沈老師非常謙和地爲自己一生的歲月作此註解。

談起圖書館學，沈老師可說是家學淵源，他的父親沈祖榮先生是「中國圖書館教育之父」，爲中國第一所圖書館專科學校「文華圖書館專科學校」校長，畢生奉獻圖書館事業達七十年之久。沈老師坦承圖書館學並非其第一志願，當復旦大學政治系畢業後，沈老師在一項特殊的機緣下，曾任軍事委員會國際問題研究所第三處第一科科長，而後出席全國青年會議，時年二十五，已有光明遠大的政治前景，但在父親強烈的反對下放棄從政的機會，後考取第二屆留學考試赴美深造，並展開人生的另一新頁。

即使赴美深造，沈老師仍無法忘情其熱愛的國際關係，沈老師在文華中學求學時即以英文撰述「第二次世界大戰之可能性」（英文 Title 爲 The Possibility of World War II），當丹佛大學研究院院長 Dr. Edward Allen 無意中看到這篇文章大爲欣賞，並特准沈老師直接進修國際關係學博士，但是丹佛大學圖書館研究所所長 Dr · Harriet Howe 卻說：「不准轉所，我是韋棣華女士的老師，韋女士是你父親的老師，你父親讓你進丹佛大學，不是要你主修圖書館學以外的學科，在我退休前你必須提出論文，從明天起，每天要到我辦公室來報告讀書進度。」Dr. Howe 的善意決定了沈老師的前途，圖書館界也因此昇起了一顆閃亮耀眼的明日之星。

　　在 Dr. Howe 嚴格的督促下，沈老師養成了良好的讀書習慣，並順利地取得學位，但當時由於政治局勢變化，他就留在美國一面工作，一面攻讀教育學博士。在丹佛市公共圖書館工作時因表現傑出，曾名列1955年《Who's who in Library Service》。在美國求學期間，沈老師參加許多演講活動，宣揚中華文化，並獲得許多友誼及熱烈的迴響，沈老師至今仍完整地保留了當時的剪報與照片，這些經歷都是最美、最好的人生體驗。當時美國國會已通過 Act no. 355法案，凡1949年2月以前赴美的中國人均可無限期的留下來，但沈老師在學成之際卻毅然整裝回國，預備報效其熱愛的國家。

二、獻身圖書館事業

　　回國後，沈老師有一小段的時間擔任中央圖書館閱覽組主任，並兼省立臺北圖書館（即臺灣分館前身）研究員。民國四十四年東海大學創校，應曾約農校長之邀籌建圖書館，並擔任館長達十八年之久，在沈老師精心籌劃領導下，東海大學圖書館很快就發展為一所現代化圖書館的典範。該館最大的特色就是首先倡導開架制度，在當時全國各圖書館的資料普遍深鎖書庫，而東海師生卻可以自由進入書庫，選擇自己需要的資料，對於全校的讀書風氣及學生榮譽感的培養，具有極大的鼓舞與教育作用。

　　沈老師同時也講授「圖書館學導論」與「參考工作」課程，沈老師所寫的《西文參考書指南》（民國七十四年沈老師將內容加以修訂、擴充並易名為《西文參考資料》），更是圖書館學系同學研讀參

考課程必讀的經典之作。沈老師在東海的另一項成就是主編及出版《圖書館學小叢書》與《圖書館學報》，遠在三十多年前國內圖書館學之書刊寥寥可數，沈老師卻秉持理想，開風氣之先為圖書館學研究開闢一片園地，除邀請圖書館學專家學者發表論文外，並積極介紹許多先進國家之圖書館學成就，作為國內圖書館的借鏡與參考。

離開東海，沈老師在彰化教育學院（即彰化師大前身）先後擔任科學教育學系及語文教育學系主任，民國六十四年應邀參加美國威斯康辛大學二百週年校慶，並代表省教育廳致贈禮運大同篇石碑，在贈送典禮上沈老師並發表演說，中央日報說沈教授帶回威大十四萬師生珍貴的友誼。六十八年，沈老師到臺大任教並在中山大學主持圖書館館務，每周飛來飛去，臺北高雄各三天，只有一天在家，他以其豐富的學識與經驗為中山大學圖書館奠定了良好的基礎。六十九年臺大圖書館學研究所成立，沈老師又轉戰另一人生戰場為教育英才而努力。

三、教學、研究——人生至樂也

遠在東海大學任職時，沈老師就非常關心圖書館教育的發展，並開設圖書館學相關課程，當國內若干大學圖書館學和相關學系先後成立時，他更是不辭勞苦前往授課。沈老師關愛學生是出名的，在《沈寶環教授七秩榮慶祝賀論文集》其門生的賀詞中，很自然的流露出學生們對他的景仰、愛戴與祝福。

沈老師自陳其教育哲學是「青出於藍更甚於藍」，他的教學

不侷限於一種方法，一種論點，總是希望學生站在老師的基礎上繼續往前，鼓勵學生有更大的發展空間。沈老師的教學就像陣陣和風，他開明的觀念、親切的態度與豐富的學養，帶給學生的影響與啓發無疑是非常的深刻。在教學研究之餘，沈老師更鼓勵學生參與學術性社團，像美國資訊科學學會臺北學生分會從產生、蛻變、茁壯到獲獎，他都投注不少的心力。他總是殷切的鼓勵同學們多與學術界連繫，了解其趨勢發展，並把圖書館視爲終身志業。

　　教書是沈老師熱愛的工作，但其對研究工作的努力更是有目共睹，每天晚上8：00到凌晨1：00是沈老師的進修時間，這讀書習慣遠在美國唸書時就養成，數十年如一日，讀書是沈老師最大的嗜好，勤跑圖書館是沈老師的特色，他常說「教學相長」是最愉快的生活經驗。處於資訊時代，面對資訊的泛濫，沈老師道出其爲學的祕訣：「了解自己的興趣，持定方向，並有計畫的學習。」沈老師總是有計畫的蒐集資料，每篇資料都仔細研讀、加眉批，並分類歸檔，今天他最大的財富就是擁有豐富的藏書與資料。

　　沈老師非常重視圖書館學的趨勢與發展，沈老師在圖書館界彷彿先知般的提倡許多新的理念，如早在六十年代初期即發表〈圖書館工作自動化〉，近年來提倡的「資源共享」與「圖書館學是偏重行動、不斷變動和進入自動的科學」均爲國內圖書館的研究發展開闢另一寬廣的視野。沈老師也提到目前的兩個研究方向：1.圖書館學的大眾傳播功能，計畫從聽、說、讀、寫四個角度來探討，目前已完成的是〈聽！仔細的聽——圖書館員與讀者之間如何溝通問題之研究〉。2.探討圖書館學的理論基礎，今日圖書

館學已不是一門獨立的學科，除了與資訊科學相結合外，心理學、社會學、教育學、管理學……等均包含在內，我們需要建立一個圖書館學的哲學體系，他期盼國內有更多的學者專家一齊攜手朝這方向努力。

四、本是同根生──談海峽兩岸的合作交流

自 1990年9月臺灣地區圖書資訊界同仁組團前往大陸參觀訪問，從此揭開了海峽兩岸圖書館界學術交流的序幕，沈老師非常鼓勵兩岸學術文化的交流，認為彼此經驗的共享可截長補短，是一項良性的互動，目前我們可以朝兩個方向進行：

㈠學術交流

近十年來大陸在圖書館學與資訊科學的研究非常進步，值得我們借鏡，唯一的缺憾是研究論文之後甚少註明參考文獻及附註。舉辦學術研討會，或在雙方專業的期刊上發表論文，甚至合作編書、合作出版，乃至出版品交換都是值得推行的交流方式。

㈡人員交流

大陸方面對資訊科學有相當深入的研究，而臺灣的同道們在自動化、技術服務以及讀者服務都有顯著的研究成果，藉著參觀、訪問、座談、甚至講學，兩岸圖書館同仁彼此互訪，必有助於專業知識的傳授與研究風氣的提升，並可顧及理論與實務的層面。

沈老師特別提到大陸非常重視圖書館專業人員的地位，沒有

「教高於職」的觀念，他們把專業人員分成五級：研究館員、副研究館員、館員、助理館員、管理員，前四種職稱相當於教授、副教授、講師、助教，有許多教授願意轉任研究館員，這對大陸圖書館事業發展有非常大的貢獻與影響。

五、長者之慈　學者之風

訪問的最後，沈老師語重心長的道出對年經一輩的期許——「愛書與愛人」，沈老師曾提及在美國求學時，終日瀏覽於書架之間，幾乎以館為家，而我們對於圖書館所擁有的館藏認識多少？圖書館事業是一項服務業，我們對讀者的了解與研究作了多少？我們在協助讀者的過程中是否得到快樂與滿足？此外沈老師鼓勵年輕人應更多致力於圖書館學的研究與著述。

我與沈老師第一次見面，訪談中我如沐春風，深深的為他的無私、無我、謙和、專注、創新的性格所折服。在人生的舞臺上，他曾寫下絢爛的詩篇，如今他退而不休，依然努力不懈研究教學，他永遠是圖書館界的一盞明燈，繼續指引我們正確的方向，在此衷心的祝福他。

沈寶環教授訪談錄

程業男

在中國當代圖書館事業史上，父子兩代均爲巨擘的只有兩人，這就是沈祖榮和沈寶環。而且二位在事業成就上也有許多驚人的相似，先後擷取了多項圖書館第一：

沈祖榮，中國近代圖書館學教育家。中國歷史上出國攻讀圖書館學的先導，第一位留美圖書館學碩士，創辦了我國第一所圖書館學專科學校。

沈寶環，圖書館學專家。國立臺灣大學、世界新聞傳播學院教授，《資訊傳播與圖書館學學報》主編。親手創辦了臺灣東海大學、中山大學、中央研究院等三所圖書館，首倡圖書開架、資源共享和圖書館自動化，並首開海峽兩岸圖書館交流之先河。

仰慕已久，相見恨晚。正逢金秋季節，沈寶環先生自臺灣抵深圳探親。委託其親友一再邀請，沈老終於同意到南山圖書館看一看。

汽車從沈老住處直駛南山。我雙手奉上名片。採訪從車內開始。

程：請沈老多多指教。

沈：我見過你的名字，好像是在刊物上。

程：沈老的一篇大作〈本是同根生〉曾刊發在湖南的《圖書館》雜誌上，不知是否是那份刊？

沈：正是，正是。那是一本很好的刊物。《中國圖書館學報》上也見過，你好像是編委。我辦過很長時間的刊物，這是一件很有意義的事，現在我還是《資訊傳播與圖書館學學報》的主編。

程：以沈先生多年辦刊的經驗，您認為辦刊最主要靠什麼？

沈：靠關係。好刊要有好文章，好文章要有關係才要得到。我在臺灣幾十年，有許多朋友和學生，現在大陸也有許多人給我稿件，你今後也可以給我寫稿。我回臺灣後給你寄一套刊物來，你先看看，按我們的要求寫，文章要有摘要、關鍵詞和附注。稿酬從優（一笑）。我最近在《圖書館論壇》上發了篇文章，他們以最高稿酬給了我一百多元，我又回贈他們刊物。辦刊物沒有經費不行，現在內地經費都很緊張，稿酬也低。

近期我在大陸刊物上發表了幾篇文章，一篇是〈我們要做過河的卒子〉，一篇是〈我們要手牽手心連心，一步接一步向國家統一的目標邁進〉。文章表達了我個人對海峽兩岸圖書館界學術交流的意見，努力的目標是組織包括海峽雙方圖書情報專業人員的共同社團，共同投身到和平統一這項神聖的任務之中。我覺得海峽兩岸圖書館界同道應該掌握一個基本原則，即我們是中國人，我們才是圖書館專業人員。我此行就是來會晤中山館館長黃俊貴先生，進一步商量合作的細節，同時接受廣東省圖書館學會榮譽理事的聘書。我是完完全全的「統派」，但家人說我是「臺

獨分子」。

程：這話怎麼理解？

沈：我已是「超期服役」。我生於1919年，已是快八十的人。現在許多傳記都把我的年齡搞錯了，我藉此奉告諸君。當然，我也願意年少幾歲。我的太太和一雙兒女、孫兒都在美國，只有我一人獨居臺灣。所以家人叫我「臺獨分子」。我又是「太空人」，常年獨自一人在空中飛行，從不要學生陪伴。身體很好，除了血壓有點高，沒什麼毛病。自由自在地跑了不少地方。美國的50個州，我去過44個，每到一個地方，我都要去看圖書館。加州的圖書館我幾乎都去過。

程：您認為哪裡的圖書館最好？

沈：美國。主要原因有三：一是工作人員的敬業精神。美國人最大的長處是敬業，無論是幹什麼的，都認為自己的這一行是最崇高的。我認識一位很富有的餐廳女招待，每天她去上班，家中的事由保姆操持。但當保姆來餐廳就餐時，身為主人的女招待視保姆為上賓，從不拿主人的架子；二是社會對圖書館的支持；三是先進的科學技術為圖書館提供的條件。

程：現在有一些人不安心圖書館工作，像您這樣「子繼父業」且大有成就的可以說是絕無僅有，能說說您從事圖書館工作的經歷嗎？

沈：我是被父親親自押解到上海乘船，去美國丹佛大學進修圖書館學的，那是1947年。在海上足足航行了二十五天。年輕時我很調皮，對政治較感興趣，但父親反對我搞政治，我是被「掃地出門」。老實說，念圖書館學並不是我當時的志趣。父親委託

韋隸華祖奶奶管教我，我不敢違抗。在丹佛大學圖書館學研究所學習時，書藝學是核心課程之一，這門課啓發了我圖書館學的興趣，講授者是尼扣教授。她指定的課本之一是海茵的《生活在書中》。在1940－1960年代中，這部書是圖書館學院校和專業圖書館館員的聖經，我至今還珍藏一本。學成畢業時，我完全有條件留在美國，但我還是回到了臺灣，被派到一所圖書館做研究工作，那是一間很小的圖書館，與博物館在一幢樓裡。圖書館在一樓，博物館在二樓。一天宋美齡來博物館，踩著一塊香蕉皮摔了一跤，結果樓上樓下的館長都被撤了職。我便被提拔當了館長。那時的圖書館很保守，書架全用鐵絲網網住，讀者選書，用手指從網眼中頂出。圖書要上架，必須兩個人配合，一個在鐵絲網前指點，一個依照手勢整理。一天，我來到閱覽室，看到書架上用繩子拴著四張鄭振鐸的《中國文學史》一書的封皮，我奇怪爲什麼還將四張沒有任何意義的書皮留著。工作人員告訴我，這些都必須留著，以便給下一任館長打移交。我想，館長難道就管這事，於是一氣之下跑到了東海大學，負責籌建東海大學圖書館。這一幹就是15年。

程：您先後籌建了三所新圖書館，一定有很多經驗。

沈：要幹成一件事，關鍵是要自己捨得幹，其次是人才和經費。上級最好是多一些支持，少一些指導。館舍修好了，應盡快提供服務。當年我的條件很艱苦，沒有書架，我就用六塊磚架上門板把書擺上，先開架，邊外借，邊編目。你們圖書館建築工地熱火朝天，新書也採購了不少，我預祝你成功。開館時一定別忘了我，還可以多請一些臺灣朋友，多一位朋友就多一份支持。

程：我以前拜讀過先生的一些著作，不知先生最近又有什麼新作？

沈：我一共出版了十幾部專著，最近爲《臺北市立圖書館館訊》寫了一篇〈在圖書館哲學的竹籬外徘徊〉。（說著，沈先生遞給我一本。這是以圖書館哲學爲主題的專刊，還收有高錦雪，盧荷生等幾位先生的文章。）

程：以沈先生之博學，怎麼還說是在竹籬外徘徊？

沈：圖書館哲學博大精深。我是以一個門外漢站在竹籬外徘徊的心情寫作這篇文章的。正如文章中所說的那樣，我嚮往哲學，醉心於圖書館哲學，如果有人問我圖書館學最需要的是甚麼，我一定毫不猶豫的說：「我們最需要的是圖書館哲學。這個念頭埋藏在我心的深處，但在寫作之中我卻盡量回避，大概是怕『畫虎不成反類犬』吧！」

程：高錦雪教授認爲，您有能力爲「圖書館哲學」建立最基本的體系，那麼，我們應該如何接近圖書館哲學呢？

沈：我對高教授的謬贊愧不敢當。孔子說：我非生而知之者，好古敏而求之者也。如何求？就是讀書。先看幾本外圍書籍，如上邊提到的《生活在書中》，其次是杜蘭寫的《哲學的故事》，中譯名爲《西洋哲學史話》；比《哲學的故事》層次較高的必看之書是羅素的《西方哲學史》等。同時，還要選擇少數哲學家和他們的思想研究了解。我一直主張，要從創造光大這些知識人物的傳記入手，研究與知識有關的人，往往是取得那一知識的捷徑。我崇尚杜威，杜威哲學的特點是他完全接受的進化論。我們想研究圖書館哲學也應該試著接觸杜威。杜威的哲學思想對圖書館哲

學的理論基礎可能發生較大的影響。

　　程：我前幾年寫了一本《圖書館與社會》，請沈老批評指正。我想，要說清楚圖書館與社會的關係這裡也有哲學問題。

　　沈：你選擇這個問題進行研究，很好，希望能繼續研究。我也希望我們共同努力，發揚圖書館哲學，為圖書館事業建立一個美好的遠景。

一九九五年十一月二十日追記於雙韻書齋

圖書資訊學造塔人
——沈寶環教授

莊道明

摘　要

　　沈寶環教授在美國丹佛大學獲得圖書館學碩士與教育博士後，於民國44年返臺服務。先後任職東海大學圖書館館長、中山大學圖書館館長與臺灣大學圖書館學系教授等職。首開圖書館開架閱覽服務、倡導圖書館自動化、資源共享與館際合作理念。秉持著識才、惜才、與愛才的教育宗旨，爲臺灣圖書資訊學培育專業人才無數，沈寶環教授以四十年光陰塑造現代化圖書館經管的典範，培植出一批批優秀圖書館學的菁英，其成就堪稱臺灣圖書資訊學之造塔人。

一、出身名門、受教嚴師

沈寶環教授乃湖北省武昌縣人，出生於民國八（1919）年。父親沈祖榮先生首創中國第一所圖書館學校——文華圖書館專科學校並且擔任第一屆校長。母親姚翠卿女士不但口才佳亦熱衷於社區活動，曾擔任武漢基督教女青年會會長。沈教授每次提其母親時，總會在言語與表情之間，顯露出對母親的敬佩。

沈教授受到父母熱心參與社會活動的影響，對參與政治活動便一直懷抱著熱情。民國26（1937）年中國對日抗戰全面展開之際，沈教授先進入復旦大學就讀，因受到中日戰爭波及，繼而轉到華西大學借讀。畢業之後，因特殊機緣接任軍事委員會之國際問題研究所第三處第一科科長，並受邀出席全國青年會議，沈教授由於參與政治活動關係，曾一度想參加地方選舉服務鄉里，最後因為其父親強烈反對而作罷。

民國36（1947）年沈教授（28歲）考取第二屆國家公費留學，隻身搭船前往美國留學。在其父親聯絡與安排之下，順利進入丹佛大學圖書館學就讀。到美國之後的沈教授雖在圖書館學研究領域中，卻仍無法割捨對國際關係的喜愛。沈教授在就讀文華中學時，曾以英文撰述〈第二次世界大戰發生之可能性〉（The Possibility of World War II）。此篇論文無意中被丹佛大學研究院院長愛德華・艾倫博士（Dr. Edward Allen）看到，不但大表欣賞，同時特准沈教授直接進入國際關係學博士就讀。然而這個可能性卻受到圖書館學研究所所長赫蕾特・霍韋博士（Dr. Harriet Howe）

的反對。赫蕾特博士反對理由乃因她是韋隸華女士的老師，韋女士又是沈教授父親的老師。沈祖榮先生決定要沈教授到丹佛大學就讀，即是爲主修圖書館學而非其他學科。由於赫蕾特博士的這項決定，因而終止沈教授朝政治發展的企圖，赫蕾特博士爲進一步協助沈教授深入圖書館學研究的領域，對沈教授說：「在我退休前你必須提出畢業論文。從明天起，每天到我辦公室來報告讀書進度。」中國俗話說：嚴師出高徒。沈教授圖書館學的基礎便在這個時期建立起來。因此，沈教授每提起這位嚴師，總無法忘懷對她的感激。

二、捍衛民國、返臺服務

　　沈寶環教授在美求學八（1947年至1955年）年。在這八年期間，不但獲得博士學位並從事圖書館的服務工作，有機會亦參加有關中國政策的相關演講活動或聽證會。沈寶環教授在丹佛大學先後共獲得圖書館學碩士與教育學博士，並在丹佛公共圖書館工作一段時期。由一名書童（page boy）因服務成績優異，在短時間內升任爲助理館員、專業館員，以至拔擢爲讀者顧問的高級職位，甚至列名於1955年的《圖書館名人錄》（Who's Who in Library Service 1955）之中。在當時美國圖書館界中，能夠如此快速躍升的華人確實是相當罕見。民國38年（1949年）中華人民共和國成立，由蔣中正先生率領的軍隊陸續退守臺灣。面對中國大陸局勢急速的改變，美國對華政策在此時期舉棋不定。沈寶環教授爲捍衛中華民國國策與駁斥親共姑息的言論，多次參加公開性的專題演

講,而受到美國新聞與大眾傳播媒體相當重視。期間亦應邀出席
美國左傾組織「美國民主行動委員會」(ADA)之年會,針對美
國與中共關係正常化問題進行答辯。在三個小時的辯論過程中,
沈教授之勇氣、機智與英語表達力不但獲得在場人士的肯定與讚
譽,更使得許多極端親共人士會後趨前向沈寶環先生表示敬佩。

　　沈寶環博士於民國44 (1955) 年在中華民國政府號召下,毅然
放棄在美國工作機會與永久居留權,並首次回到臺灣,沈教授當
時雖年僅36歲,卻擁有當時國內極為少有的教育學博士,沈教授
雖是隻身返臺,但在臺灣有不少文華專科及大學的同學如藍乾章
先生、羅秀貞女士,及圖書館界的長輩,如蔣復璁先生等可相互
照應。蔣復璁先生當時身兼國立中央圖書館（現國家圖書館之前身）
館長與省立臺北圖書館（現國立中央圖書館臺灣分館之前身）館長。
沈教授在蔣先生安排下,擔任中央圖書館閱覽部主任一職。當時
中央圖書館館址在臺北市南海路上,並未開放對外閱覽服務。由
於蔣館長無法兼顧省立臺北圖書館的工作,於是又聘請沈教授為
省立臺北圖書館的研究員,代他處理館務,一人身兼二職,領的
雖是中央圖書館的薪水,卻從事省立臺北圖書館的館務工作。這
便是沈教授回臺後的第一份工作,在此期間美國費士卓博士（Dr.
William A. Fitz Gerald）有鑑於臺灣圖書館學碩士學位人才極為欠
缺,為有計畫培植圖書館專業人員,費士卓博士在接受沈教授推
薦之下,相繼選送國內圖書館界人士赴美進修,此外,臺灣光復
之後百廢待興,有關圖書館學方面的文獻亦相當缺乏,圖書館相
關作業流程均需要重新規劃,因此費士卓博士建議教育部採用《教
師兼圖書館員手冊》（Teacher-Librarian Handbook）一書為圖書

館工作人員的基本參考書，並推薦沈教授擔任此書中文翻譯的工作。透過沈教授妙筆生花的翻譯文筆，正式將西方科學化的圖書館管理思想引進臺灣的圖書館。

隨著臺海局勢逐漸穩定，由大陸撤退來臺的十三所基督教會大學院校在臺中聯合籌辦東海大學。當時東海大學雖已設校，但圖書館館長一職卻仍懸缺。沈教授在羅秀貞女士敦促下，首度與東海大學首任校良曾約農先生見了面，二人相談甚歡，沈教授隨即在民國44（1955）年7月1日正式出任東海大學圖書館首任館長。而臺灣圖書館事業發展從此發展出另一番新景象。

三、突破傳統、開創新局

圖書館對圖書一向視為財產，因此書庫向來是採取閉架式管理，圖書借閱對讀者而言相當不便利。以沈教授服務的省立臺北圖書館而言，書庫不但零亂，同時書架乃以細鐵絲網圍住。讀者借書時，需在鐵絲網一端以手指點書籍位置，館員根據指點之位置於書庫另一端取書。書上架時，由於無法由書架正面插書，也需由兩位館員相互配合。一位在書架前端指點歸架正確位置，另一位則在書架背後聽從指揮將書倒插回書架上。同時為顧慮書籍遺失，將書皮以鐵絲綁在陳列架上等。當時圖書館管理上，諸多此類不盡自理而又不符合管理效率的制度，均使沈教授感到無法施展圖書館的專長，因而辭去省立臺北圖書館，轉任東海大學圖書館館長一職。沈教授到東海大學圖書館服務後，首先便突破當時圖書館管理的禁忌，開風氣之先以開架閱覽服務提供書庫閱覽

服務。現今書庫閉架式服務雖已成爲過往雲煙，而開架式閱覽服務雖看似平常，但若考量當時社會保守的風氣，能大膽提出開架閱覽服務，不得不佩服沈教授突破傳統的勇氣，同時也爲國內圖書館管理樹立現代化經營的典範。

沈教授於民國61（1972）年離開東海大學，隨即受聘到彰化教育學院科學教育及語文教育學系兩系系主任。此時期擔任教職工作共計八年。民國64年沈教授還曾代表臺灣省教育廳專程赴美，參加美國威斯康辛大學創校百年校慶，除贈送禮運大同篇石碑外，並發表專題演講批評中共批孔揚秦政策的錯誤。中央日報不但報導了這則新聞，同時也以沈教授帶回威大十四萬師生珍貴友誼讚譽此次赴美成果。

民國68年7月教育部正式核准國立中山大學籌備處成立，並禮聘李煥先生擔任籌備主任，在李煥先生兩度出具公函借調之下，沈教授不得不離開教育學院，調往中山大學籌備處協助圖書館的籌建工作。民國69年7月1日國立中山大學正式在高雄西子灣建校，沈教授以教授兼圖書館館長正式聘任。而在同年（1980年）國立臺灣大學圖書館學系首創國內第一個圖書館學研究所，亦禮聘沈教授到臺大任教。沈教授二度身兼二職，一南一北奔波於北高兩大學府。

國立中山大學設校之初，即因選擇校址有過一番波折。在當時教育部對高等教育仍採取嚴格管制之下，一所新大學的設立必然是備受各方的矚目。而國立中山大學最後選擇在高雄地區設立，乃因政府基於平衡南北高等教育發展所做的決策。因此，中山大學在各方面的進展，自然深受高雄地區民眾的矚目。沈教授

接下中大圖書館籌設工作，即將圖書館發展目標設立在建立世界一流水準的圖書館。在圖書館新館尚未建立之初，即在極短期間內徵集入庫四萬多冊中西文圖書，爲圖書館奠定最重要的館藏基礎。在館內新人招募方面，沈教授以「內舉不避親、外舉不避仇」的原則，大量引用專業館員。特別當時國內大學圖書館普遍缺乏專業館員下，沈教授借用其在圖書館界的影響力，招募十一位受過專業訓練的青年生力軍，爲中大圖書館奠定最重要人力基礎。而中大圖書館從籌設到建立，雖只有短短的三年，然而在七十一學年教育部圖書館評鑑訪視上，即獲得評審委員們一致的讚譽與肯定。由於沈教授每週均需固定往返奔波於北高兩地，直到中大圖書館館務已經步上軌道後，終於在民國73年10月正式辭去中大館長一職，回到臺大專務於圖書館教育的工作。

四、醉心學術、提拔後進

沈教授回臺灣大學圖書館學系專職任教後，使臺大圖書館學系的師資更形堅強。以沈教授在圖書館界身經百戰的實務工作經驗，在課堂上，無論是論述圖書館學理或講解實務工作經驗，都讓臺下的學生聽的如癡如醉。沈教授在大學部曾講授「西文參考資料」、「社會科學文獻」、「人文科學文獻」、「大學圖書館」等課程；在碩士班則開設「圖書館教育」、「讀者服務研討」、「文化中心管理」；民國82年博士班成立後，亦開授「圖書館學研究趨勢」。沈教授在授課之餘，亦非常重視學生研究能力的培養，例如在民國七十八年沈教授便帶領臺大圖書館學研究所研究

生從事鄉鎮圖書館的研究，其後又在民國八十一年以圖書館讀者服務爲題持續進行。而在研究工作結束之後，要求每位學生將研究成果撰寫成論文，最後並集結成書發行，以嘉惠後學者。此舉更是開國內學術風氣之先，也是沈教授得意之作。

沈教授在臺大任教期間也是出版最爲活躍的時期，圖書館學幾本重要教材相繼產生。例如民國55年在東海大學出版的《西文參考書指南》內容更新後，在民國74年由學生書局以「西文參考資料」再度發行，一出版即成爲各校競相採用的教材。幾本重要學術專著相繼出版，包括民國77年匯集沈教授歷年圖書館學論文選的《圖書館學與圖書館事業》（學生書局）、民國78年的《鄉鎮圖書館的理論與實務》（學生書局）、民國81年出版的《圖書館讀者服務》（學生書局）、空中大學用書的《圖書館學概論》（空大），及民國82年的《圖書館事業何去何從？》（學生書局）與《參考工作與參考資料英文一般性參考工具書指南》（學生書局），均是圖書資訊學領域重要的學術專著，此外，沈教授大力倡導的圖書館自動化、資源共享、館際合作等重要理念，在此時亦相繼發表於學術期刊論文上。由於沈教授傑出的教學、服務與研究成績，先後榮獲教育部特優教師獎、中國圖書館學曾傑出服務獎、美華人圖書館員學會傑出服務獎、美國資訊科學學會傑出服務獎等多項榮譽。

沈教授愛護與提拔學生更是不遺餘力，無論是在正式或非正式的場白，沈教授只要有機會向他人介紹他的學生，總是以最高級的修飾詞來褒揚他的門生。例如：「某某學生是我的得意門生」或「某某人是青年才俊」等，使學生經常受到他的鼓舞信心大增，

而在學術或學業上不斷創新奮進。沈教授喜歡請學生聚餐，在同學之間也是出了名的。由於沈教授知道一米一飯得之不易，應加珍惜的道理。因此每當沈教授請學生吃飯時，一定要求同學需將餐桌上的菜飯全部吃光，否則沈教授絕對會親自來個大分配。常與沈教授聚餐的男同學都熟悉沈老師的用餐規矩，因此都會自動清理飯菜，以免勞駕沈教授動手配菜。而在此過程中，同學也從沈老師的身教中，體會應該珍惜食物與惜福的道理。

　　沈教授相當重視學會的活動，在臺大任教期間，沈教授與張鼎鍾教授共同聯合創組美國 ASIS 臺北分會。在以臺大與師大學生為成員下，成立美國 ASIS 臺北學生分會。沈教授不但鼓勵同學加入學術組織，同時也藉由學會活動促進學生對學術的追求與討論風氣。在沈教授指導之下，ASIS 臺北學生分會不斷茁壯成長，而在1988年獲得 ASIS 學會年度最佳學生分會獎（Student Chapter-of-the-Year Award）。沈教授親自帶領學生遠赴美國領獎。民國81與82年間，沈教授兩度獲選為中國圖書館學會理事長。在沈教授領導下，積極推動「圖書館法草案」的研修的立法工作。

五、跨海交流、義助世新

　　民國76年政府開放民眾赴大陸探親後，使得隔絕四十餘年的海峽兩岸逐漸有接觸的機會。在此之前，兩岸間的交流大都只在國際學術研討會偶遇的場合下，進行初步的學術交流。然而受到政治力的干預，兩岸交流始終是在一種既期待又怕傷害狀況下，進行各種可能的接觸與瞭解。而兩岸圖書館學的學術交流，最早

應可追溯於民國71年8月29日至9月 1 日，由澳洲國立大學召開的
「中文書目自動化國際合作會議」。在此次會議中，中國大陸及
臺灣各有六名代表與會，而臺灣代表團即是由沈教授擔任領隊，
創下海峽兩岸學術界首次海外的接觸。五年後，在臺灣政府放寬
前往大陸的限制之下，民國79年9月臺灣圖書資訊界終於在王振鵠
教授領團下，包括沈教授在內一行十四人正式前往大陸參觀訪
問。在闊別43年後，沈教授總算有機會再度踏上中國大陸。大陸
圖書館界許多著名的教授也都是文華專科學校畢業的校友或師承
的學生。因此，對沈教授的到訪不但感到特別興奮，在各處參訪
也受到極大的歡迎。沈教授一行人除了到大陸各圖書館學校拜會
外，亦出席多場的學術演講，為分隔已久的兩岸圖書資訊學術重
新搭起交流的橋樑。民國84年廣東圖書館學會正式通過沈教授為
該會的名譽理事，並於民國84年11月15日正式邀請沈教授赴大陸
廣州接受名譽理事聘書頒贈。

　　民國79年世界新聞專科學校向教育部申請改制學院，特聘請
沈教授擔任榮譽教授。藉助沈教授豐富的圖書館管理經驗，協助
世新圖書館改革的工作。在沈教授支持與協助下，世新圖書館終
能順利通過教育部的審查。而世界新聞專科學校也在符合教育部
改制學院各項條件下，於民國80學度正式改制為世界新聞傳播學
院。沈教授為進一步協助世界新聞傳播學院提升學術研究，乃決
定創立一份新的圖書資訊學術刊物。在經過詳細規劃後，決定於
民國83年9月創立《資訊傳播與圖書館學》學術季刊。沈教授以刊
物主編身份，登高一呼之下，立即獲得國外、大陸及國內學者的
支持。不但組成堅強的刊物編輯委員，同時獲得美國地區懷特教

授（Prof. Herbert White）、蘭卡斯特教授（Prof. W. Lancaster）、凱斯博士（Dr. Davis Kaser）、陳欽智博士、李華偉館長、李志鍾教授、周寧森教授、何光國教授；大陸地區孟廣均教授、倪波教授、程煥文教授、王世偉教授；臺灣地區宋玉教授、張鼎鍾教授、李德竹教授、范豪英教授、楊美華教授、盧秀菊教授、陳雪華教授、黃慕萱教授、傅雅秀教授、與王梅玲教授等相繼撰文響應，使得刊物一出版便聲勢非凡。在84年的國科會學術研究優良期刊評鑑上，不但獲選為優良期刊，同時也獲得40萬元的獎勵。其後，此刊物亦相繼被國外 LISA、Library Literature 等五個國外資料庫及國內二大主要資料庫收錄，而成為圖書資訊領域重要的學術出版品之一，至今當時負責優良學術刊物遴選工作的國科會科資中心主任馬道行先生，仍非常感佩沈教授創立刊物的魄力與壯志。

　　世界新聞傳播學院雖然改制學院成功，但專科時代的「圖書資料科」在改制過程中，卻被併入「傳播管理學系」之下，使得圖書館學的課程被壓縮，對圖書資訊學專業的發展相當不利，因此沈教授向學校提出重新設系的要求。最後，終於在82學年向教育部提出設系之申請，經過教育部審查通過之後，於83學年進入設系籌備工作，在84學年圖書資訊學系正式對外招生。在沈教授舉薦下，首任系主任由賴鼎銘教授出任。沈教授在協助世新學院完成改制學院、創立學術刊物與圖資系設系等工作後，因為健康因素於民國84年底辭去各校兼職工作。在參加完臺大圖書館學系用沈教授舉辦的歡送茶會，並進入榮民總醫院調養身體一段時間後，終於在民國85年離開他工作奉獻了40年的臺灣到美國定居。

六、恂恂儒者、學術巨擘

　　沈教授為圖書資訊界所做的努力與貢獻，雖然是受到其父親沈祖榮先生的影響，但往後發展卻完全出自沈教授對圖書館學理論的實踐與行動，才能在一片學術荒漠中，開創出今日圖書資訊學豐碩的成果。誠如沈教授對圖書館事業發展所下的定義：

> 圖書館學是一種偏重行動的科學；
> 圖書館學是一種不斷變動的科學；
> 圖書館學是一種進入自動的科學；
> 圖書館是一有生命的有機體。

　　沈教授以三種不同的動──「行動、變動、自動」，來詮釋圖書館學豐富的內涵與不斷進步的本質，正是應證了沈教授一生的寫照。沈教授所提出的圖書館學哲學理論，也為傳統冰冷的圖書館，注入一股溫暖而有人性的傳播內涵。在強調「笑臉」的服務哲學與「人無笑臉不開店」的原則下，特別提醒館員要「聽！仔細的聽！」讀者的問題，同的鼓勵館員要「講！好好的講！」，以達到溝通的目的。如此才能成就一個不斷進步，具有生命的有機體圖書館。沈教授對圖書館學所提出的論述與見解，並非單純源自於理論的推斷，而是透過實踐的過程驗證獲得。這點可由**沈教授經營東海大學圖書館、中山大學圖書館及協助世新大學改制**等過程中予以驗證。誠如何光國教授在「恂恂儒者沈寶環教授」一文中所言，沈教授是美國教育哲學家杜威（John Dewey,

1859-1952）的信徒，篤信「從做中學」的教育理念，深信唯有透過不斷行動與實驗過程，生命才能成長、經驗才能累積。這種實作的精神，即是造就圖書資訊學不斷進步的原動力，也是沈教授為圖書館界所做的一個活生生的見證，這種精神不僅影響圖書資訊界的許多學者，更深深影響沈教授的學生，當今臺灣眾多兢兢業業於圖書館經營的主管，多數均是沈教授的學生。

沈教授從年少單身遠赴美國留學，將圖書館學專業知識攜回臺灣，在一片學術荒漠之中，憑藉其實作灌溉的精神，逐一在北（世新大學）、中（東海大學）、南（中山大學）為臺灣搭建起一座座符合時代的人性化圖書館。而沈教授在從事教職工作期間，更以其豐富的學養，秉持著識才、惜才、與愛才的教育宗旨，為圖書資訊學造就一批一批社會菁英，而為臺灣圖書館發展奠定最重要的人才基礎。沈教授以一介書生，四十年光陰為臺灣搭建起一棟棟現代化的圖書館並培植出一批批優秀的圖書資訊學菁英，以「圖書資訊學造塔人」來形容沈教授，實一點也不為過。

沈寶環教授歷年著作

汪雁秋編

圖書部分：

王振鵠、沈寶環、吳明德、辜瑞蘭，《推動全國圖書館館藏發展
　　計畫》，（臺北市：教育部社會教育司，民84）。

沈寶環，《參考工作與參考資料英文一般性參考工具書指南》，
　　（臺北：臺灣學生，民82）

沈寶環，《圖書館事業何去何從》，（臺北：臺灣學生，民82）。

沈寶環，《圖書館學概論》，（臺北：空大，民81）。

沈寶環，《圖書館讀者服務》，（臺北：臺灣學生，民81）。

顏澤湛、沈寶環，《外文醫學參考工具書舉要》，（臺北：臺灣
　　學生，民81）。

王振鵠、沈寶環，《建立全國圖書館合作服務制度促進資源共享
　　政策》，（臺北：教育部圖書館事業委員會，民80）。

沈寶環，《鄉鎮圖書館的理論與實務》，（臺北：臺灣學生，民
　　78）。

沈寶環，《圖書館學與圖書館事業：沈寶環教授圖書館學論文選
　　集》，（臺北：臺灣學生，民77）。

沈寶環，《資源共享》，（高雄：中山大學，民75）。

沈寶環，《西文參考資料》，（臺北：臺灣學生，民74）。

沈寶環，《圖書·圖書館，圖書館學》：沈寶環教授圖書館學論

文選集，（臺北：臺灣學生，民74）。

沈寶環編，《慶祝藍乾章教授七秩榮慶論文》，（臺北市：文史哲，民73）。

沈寶環，《中文標題總目》，（臺中市，東海大學，民59）。

沈寶環，《西文參考書指南》，（臺中市，東海大學，民55）。

沈寶環編，《兒童圖書館學》，（臺中市，東海大學圖書館，民50）。

Douglas, Mary Peacock 撰、沈寶環譯，《教師兼圖書館員手冊》，（臺北：中華文化，民47）。

沈寶環，《三民主義化圖書分類標準》，（武漢：出版者不詳，民32）。

期刊部分：

沈寶環，〈21世紀資訊社會即將來臨，圖書館事業何去何從？〉《資訊傳播與圖書館學》，4卷4期（民87），頁21-34。

沈寶環，〈近年來臺灣的圖書館學教育〉《中國書目季刊》，30卷4期（民86），頁72-76。

沈寶環，〈我與「中國書目季刊」結緣〉《中國書目季刊》，30卷4期（民86），頁1-27。

沈寶環，〈在「圖書館哲學」的竹籬外徘徊〉《臺北市立圖書館館訊》，13卷1期（民84），頁8-22。

沈寶環，〈大學圖書館和大學是生命共同體〉《圖書館管理學報》，1期（民84），頁3-20。

沈寶環，〈松柏長青──慶祝國立中央圖書館臺灣分館八十週年

館慶感言〉《慶祝建館八十週年論文集》，（臺北市：國立
中央圖書館臺灣分館，民84），頁1-12。

沈寶環，〈一人圖書館——圖書館事業發展的新方向〉《臺北市
立圖書館館訊》，12卷1期（民83），頁1-10。

沈寶環，〈評中國國立中央圖書館社會使命之演進，1928年至1966
年〉《資訊傳播與圖書館學》，1卷1期（民83），頁75-76。

沈寶環，〈偉大的中國人：海峽兩岸文化交流的主力——石景宜
先生小傳〉《國立中央圖書館臺灣分館館訊》，17期（民83），
頁10-15。

沈寶環，〈公共圖書館社區服務管見〉《臺北市立圖書館館訊》，
11卷4期（民83），頁1-10。

沈寶環，〈圖書館與資訊利用〉《中國圖書館學會會報》，52期
（民83），頁9-14。

沈寶環，〈講！好好的講！圖書館員與讀者如何「溝通」問題〉
《書府》，15期（民83），頁6-19。

沈寶環，〈我們要做「過河的卒子」〉，《書府》，15期（民83），
頁20-22。

沈寶環、傅雅秀，〈圖書館與資訊利用〉《中國圖書館學會會報》，
52期（民83），頁9-14。

沈寶環，〈知識的活水源頭——認識百科全書真面目〉《書卷》，
2期（民82），頁6-9。

沈寶環，〈推廣、輔導、合作：現代化圖書館工作的重點〉《國
立中央圖書館臺灣分館館訊》，13期（民82），頁26-30。

沈寶環，〈兩個杜威——從這個杜威（Dewey, Melvil）聯想到那

個杜威（Dewey, John）〉《書府》，14期（民82），頁10-33。

沈寶環，〈圖書館老兵的自述〉《國立中央圖書館臺灣分館館訊》，
　　12期（民82），頁7-9。

沈寶環，〈Resources Sharing--a New Trend in Librarianship〉《世
　　界新聞傳播學院學報》，2期（民81），頁201-217。

沈寶環，〈公共圖書館形象問題〉《書農》，9期（民81），頁8-11。

沈寶環，〈圖書館事業的未來走向〉《中國圖書館學會會報》，
　　49期（民81），頁7-16。

沈寶環，〈漫談早期歐美公共圖書館的歷史-──從1850年代說起〉
　　《書府》，13期（民81），頁7-15。

沈寶環，〈公共圖書館形象問題〉，《臺北市立圖書館館訊》，9
　　卷4期（民81），頁1-4。

沈寶環，〈略論公共圖書館館藏發展政策──閱讀部分有關文獻
　　後的初步認識〉《臺北市立圖書館館訊》，9卷3期（民81），
　　頁1-11。

沈寶環，〈圖書館參考工作是否需要理論的基礎？〉《國立中央
　　圖書館臺灣分館館訊》，7期（民81），頁2-6。

沈寶環，〈如何因應變局──圖書館經營首要問題初探〉《臺北
　　市立圖書館館訊》，9卷1期（民80），頁2-4。

沈寶環，〈論公共圖書館對老人讀者的服務〉《臺北市立圖書館
　　館訊》，8卷4期（民80），頁1-11。

沈寶環，〈論公共圖書館的青少年讀者服務〉《臺北市立圖書館
　　館訊》，8卷3期（民80），頁1-10。

沈寶環，〈公共圖書館兒童服務的新課題〉《臺北市立圖書館館

訊》，8卷2期（民79），頁1-8。

沈寶環，〈本是同根生——我看大陸圖書館事業〉《中國圖書館學會會報》，47期（民79），頁5-16。

沈寶環，〈義工制度與公共圖書館〉《臺北市立圖書館館訊》，8卷1期（民79），頁2-5。

沈寶環，〈技術服務與讀者服務之互動性〉《中國圖書館學會會務通訊》，76期（民79），頁3-7。

沈寶環，〈圖書館事業何去何從：重讀（美國）公共圖書館調查後的省思〉《書香季刊》，1期（民78），頁1-8。

沈寶環，〈西文參考資料中政府出版品的管理與使用問題之研究〉《中國圖書館學會會報》，43期（民77），頁67-84。

沈寶環，〈中國圖書館學會圖書館工作人員研習會三十五年暨—教育委員會報告〉《中國圖書館學會會報》，43期（民77），頁21-32。

沈寶環，〈二十一世紀的公共圖書館〉《臺北市立圖書館館訊》，5卷4期（民77），頁1-5。

沈寶環，〈未來的圖書館「無紙」行嗎？〉《書府》，9期（民77），頁10-12。

沈寶環，〈我們為什麼提倡館際合作〉《臺北市立圖書館館訊》，5卷2期（民76），頁1-5。

沈寶環，〈聽！仔細的聽，「圖書館員與讀者之間如何溝通」問題之研究〉《中國圖書館學會會報》，41期（民76），頁35-45。

沈寶環，〈成人使用者的教育問題：讀者服務的焦點〉《書府》，8期（民76），頁7-13。

沈寶環，〈圖書館事業的國際關係〉《臺北市立圖書館館訊》，4
　　卷2期（民75），頁1-7。

沈寶環，〈自動化的聯想〉，《臺北市立圖書館館訊》，4卷1期
　　（民75），頁1-6。

沈寶環，〈圖書館運用電腦輔導讀者有關問題之研究〉，《書府》，
　　7期（民75），頁13-14。

沈寶環，〈誰指導誰？：參加臺北市立圖書館館藏特色分區座談
　　會的感想〉《臺北市立圖書館館訊》，3卷3期（民75），頁
　　64-66。

沈寶環、鍾錦雲，〈圖書館學的趨勢〉《書農》，2期（民74），
　　頁4-5。

沈寶環，〈資源共享──圖書館事業的新趨勢〉《中國圖書館學
　　會會報》，37期（民74），頁9-20。

沈寶環，〈圖書館學的思想與觀念的轉變〉，《中國圖書館學會
　　會報》，47期（民74），頁2-3。

沈寶環，〈圖書館作業計劃與系統分析〉，《中國圖書館學會會
　　報》，36期（民73），頁33-42。

沈寶環，〈圖書館自動化問題再商榷〉《中國圖書館學會會報》，
　　35期（民72），頁75-91。

沈寶環，〈論科學文獻中的期刊文學〉，《圖書館學與資訊科學》，
　　1卷1期（民64），頁1-15。

沈寶環，〈我所知道的中央研究院美國文化研究所圖書館〉《中
　　國圖書館學會會報》，26期（民63），頁23-24。

沈寶環，〈美國科學文獻的出版和選擇的研究〉，《美國研究》，

2卷2期（民61），頁111-130。

沈寶環，〈科學性出版品的選擇問題〉《圖書館學報》，10期（民58），頁83-100。

沈寶環，〈圖書館員培養問題：中國圖書館學會第三屆年會學術講演講詞補記〉《中國圖書館學會會報》，6期（民45），頁3-4。

參考書目

丁櫻樺，〈心中有愛的學者——專訪圖書館學巨擘沈甯環教授〉，
　　《政大圖資通訊》，8期（民83），頁46-48。

何光國，〈恂恂儒者沈寶環教授〉，《資訊傳播與圖書館學》，4
　　卷3期（民87），頁74-83。

沈寶環，〈十年樹木，二十年樹人〉，《源頭活水：國立中山大
　　學圖書館二十年》，（高雄市：國立中山大學圖書館，民89）。

沈寶環先生，《中華民國現代名人錄》，（臺北市：中國名人傳
　　記中心編輯委員會，民73）。

程煥文，〈兩代巨擘、世紀絕唱——我所敬慕的沈寶環先生〉，
　　《資訊傳播與圖書館學》，6卷2期（民88），頁87-98。

〈圖書館界的巨擘：訪臺灣大學圖書館系暨研究所沈寶環教授〉，
　　《臺北市立圖書館館訊》，3卷3期（民75），頁60-63。

賴鼎銘，《沈寶環教授八秩榮慶祝壽論文集》（臺北：臺灣學生，
　　民88）。

後 記

　　本文係作者原爲國立臺灣大學文學院院史（2002）而寫，但未出版，特商請臺大文學院及作者同意先刊登本會會訊，廣爲流傳。

　　沈寶環教授生於圖書館世家，幼得庭訓，並得韋棣華女士幕後支助及影響，使他原欲讀國際關係而改讀圖書館學，完成博士學位，當時在圖書館界實無出其右者，也是人中佼佼者。

　　一九九六年大陸湖南圖書館、湖南省圖書館學會、湖南省中心圖書館委員會共同出版《圖書館》雙月刊第一期，有一篇程業男女士的沈寶環教授訪問錄，其題記寫道：

　　　　在中國當代圖書館事業史上，父子兩代均爲巨擘的只有兩
　　　　人，這就是沈祖榮和沈寶環，而且兩位在事業成就上也有
　　　　許多驚人的相似，先後摘取了多項圖書館第一：

　　　　沈祖榮，中國近代圖書館學教育家，中國歷史上出國攻
　　　　讀圖書館學的先導，第一位留美獲圖書館學碩士，創辦了
　　　　第一所圖書館學專科學校。

　　　　沈寶環，圖書館學專家，國立臺灣大學、世界新聞傳播
　　　　學院（現世新大學）教授，《資訊傳播與圖書館學學報》主
　　　　編。親手創辦臺灣東海大學、中山大學、中央研究院等三
　　　　所圖書館。首創圖書開架，資源共享和圖書館自動化，並
　　　　首開海峽兩岸圖書館交流之先河。

　　從程女士所寫的題記中，我們可以了解到沈寶環教授對圖書館學教育之貢獻。

　　沈教授在任中國圖書館學會理事長時，編者有幸能追隨他工作兩年，他處理事務的嚴謹，觀察細微，重視倫理，他對學生及晚輩的愛護，甚為感佩。

　　為紀念沈祖榮先生對圖書館學教育之貢獻，沈寶環教授委請中國圖書館學會建立沈祖榮先生紀念獎學金，數十年來圖書與資訊科學學子受惠良多。

　　我們非常榮幸沈寶環教授遠道來參加本會第四十七屆年會並給予精闢的專題演講，他雖已過八十高齡，但身體依然健壯，依然瀟灑，2003年我們期待他老人家能再來參加本會的年會，指導我們，謹在此祝福他。

國家圖書館出版品預行編目資料

徘徊集

沈寶環編著. – 初版. – 臺北市：臺灣學生，
2004[民 93]
面；公分

ISBN 957-15-1211-7(平裝)

1. 圖書館學 – 論文，講詞等

020.7　　　　　　　　　　　　　　　93001745

徘　徊　集 (全一冊)

編　著　者：沈　　　　　寶　　　　　環
出　版　者：臺　灣　學　生　書　局　有　限　公　司
發　行　人：盧　　　　　保　　　　　宏
發　行　所：臺　灣　學　生　書　局　有　限　公　司
　　　　　　臺北市和平東路一段一九八號
　　　　　　郵　政　劃　撥　帳　號：0 0 0 2 4 6 6 8
　　　　　　電　話　：(0 2) 2 3 6 3 4 1 5 6
　　　　　　傳　眞　：(0 2) 2 3 6 3 6 3 3 4
　　　　　　E-mail : student.book@msa.hinet.net
　　　　　　http : //www.studentbooks.com.tw

本書局登
記證字號　：行政院新聞局局版北市業字第玖捌壹號

印　刷　所：宏　輝　彩　色　印　刷　公　司
　　　　　　中和市永和路三六三巷四二號
　　　　　　電　話　：(0 2) 2 2 2 6 8 8 5 3

定價：平裝新臺幣三七○元

西　元　二　○　○　四　年　三　月　初　版